A Biblioteca Invisível

Genevieve Cogman

A Biblioteca Invisível

Tradução
Regiane Winarski

Copyright © Genevieve Cogman, 2015

Primeira publicação em 2015 pela Pan, um selo da Pan Macmillan, uma divisão da Macmillan Publishers International Limited.

Título original em inglês: *The Invisible Library*

Direção editorial: Victor Gomes
Acompanhamento editorial: Laura Bacellar
Tradução: Regiane Winarski
Revisão: Dida Bessana e Ricardo Franzin
Adaptação da capa original: Luana Botelho
Diagramação: SGuerra Design

Essa é uma obra de ficção. Nomes, personagens, lugares, organizações e situações são produtos da imaginação do autor ou usados como ficção. Qualquer semelhança com fatos reais é mera coincidência.

Todos os direitos reservados. Proibida a reprodução, no todo ou em partes, através de quaisquer meios.

Dados Internacionais de Catalogação na Publicação (CIP)
(Bibliotecária Juliana Farias Motta CRB7/5880)

C676b Cogman, Genevieve
A biblioteca invisível / Genevieve Cogman; Tradução Regiane Winarski. – São Paulo : Editora Morro Branco, 2016.

368 p.; 14x21cm .
ISBN: 978-85-92795-08-5

1. Literatura inglesa – Romance. 2. Ficção inglesa. I. Winarski, Regiane. II. Título.

CDD 823

Todos os direitos desta edição reservados à:
EDITORA MORRO BRANCO
Alameda Santos 2223 – 7º andar
01419-912 – São Paulo, SP
+55 (11) 3373-8168
www.editoramorrobranco.com.br

Impresso no Brasil
2023

AGRADECIMENTOS

Agradeço a todos que ajudaram com este livro. Agradeço à minha agente, Lucienne Diver, que é incrível e alguém que eu ainda não consigo acreditar que tenha como agente, e à minha editora, Bella Pagan, que é uma pessoa fantástica e transformou este livro em algo muito melhor do que ele era originalmente.

Agradeço a todos os meus leitores, apoiadores e amigos, incluindo, mas não se limitando a: Beth, Jeanne, April, Anne, Phyllis, Nora, Walter, Em, Jennifer, Stuart, Elaine, Lisa, Hazel e Noelle. Vocês são todos incríveis e sensacionais.

E agradeço, agora e sempre, a meus pais.

CAPÍTULO 1

Irene passou o esfregão no piso de pedra com movimentos suaves e cuidadosos, admirando distraidamente o brilho das lajotas molhadas à luz do lampião. As costas a estavam incomodando, algo normal depois de uma noite de faxina. A limpeza era realmente necessária. Os alunos da Academia Particular para Meninos Príncipe Mordred sujavam o chão com tanta lama e sujeira como quaisquer outros adolescentes. Estudos sobre artes das trevas, história militar e alquimia em lugares fechados e limpos não excluíam caóticas aulas ao ar livre de combate estratégico, duelo, assassinato em campo aberto e rúgbi.

O relógio no escritório marcava onze e quinze da noite. Isso dava a Irene quarenta e cinco minutos até as preces e os cânticos da meia-noite. Ela sabia, por semanas de experiência – e, para ser sincera, por causa de suas lembranças do colégio interno –, que os garotos não levantariam um minuto sequer antes do necessário. Isso significava que a maioria se arrastaria da cama às onze e quarenta e cinco, e iria para a capela depois de jogar uma roupa apressadamente e pentear o cabelo de qualquer jeito. Isso lhe dava trinta minutos antes de que qualquer um deles começasse a se mexer.

Trinta minutos para roubar um livro e fugir.

Irene apoiou o esfregão no balde, se empertigou e parou um instante para massagear a lombar com os nós dos dedos. Às vezes, o trabalho secreto de uma Bibliotecária envolvia se passar por uma *socialite* rica, quando a pessoa então se hospedava em hotéis caros e casas de campo, usando roupas de alta costura e jantando pratos da mais alta gastronomia, provavelmente em louça com bordas de ouro. Em outras ocasiões, significava passar meses construindo uma identidade de empregada trabalhadora, dormindo em sótãos, usando um simples vestido de lã cinza e comendo a mesma comida dos garotos. Ela só podia torcer para que a próxima missão não envolvesse uma quantidade infinita de mingau em todos os cafés da manhã.

Duas portas à frente no corredor ficava o destino de Irene: a Sala de Troféus da Casa, cheia de taças de prata, todas gravadas com diferentes referências à *Casa Turquine*, assim como troféus que eram verdadeiras obras de arte e manuscritos oferecidos como presentes.

Um desses manuscritos era o seu objetivo.

Irene fora enviada pela Biblioteca para este mundo alternativo para obter *Réquiens da Meia-Noite*, o primeiro livro publicado pelo famoso necromante Balan Pestifer. Diziam que se tratava de uma obra fascinante, profundamente informativa e pouquíssimo lida. Ela passara um mês procurando uma cópia, pois a Biblioteca não exigia uma versão *original* do texto, só alguma que fosse precisa. Infelizmente, ela não só foi incapaz de achar uma cópia, como suas investigações despertaram o interesse de outras pessoas (necromantes, bibliófilos e carniçais). Ela precisou destruir a identidade falsa que havia construído e fugir antes que a encontrassem.

Foi pura sorte (ou, como Irene gostava de pensar, instinto finamente apurado) que a fez reparar em uma referência casual em algumas correspondências às "lembranças carinhosas do Sr. Pestifer por sua antiga escola" e mais ainda às "suas doações para a escola". Ora, na época em que Pestifer efetivamente *escreveu* esse livro ele ainda era jovem e largamente desconhecido, então não era totalmente impossível de se imaginar que, desesperado por atenção, ou apenas pela vontade de se gabar, tivesse doado um exemplar à escola. (E ela também já esgotara todas as outras pistas. Valia a pena tentar).

Irene passara algumas semanas estabelecendo uma nova identidade como uma jovem de vinte e poucos anos com passado pobre, mas honesto, adequada para o trabalho doméstico, e logo encontrara serviço como faxineira. A biblioteca da escola não tinha nenhum exemplar de *Réquiens da Meia-Noite* e, no desespero, ela decidiu verificar o alojamento original do necromante. Excedendo todas as suas expectativas, teve sorte.

Irene abandonou o material de limpeza e abriu a janela no fim do corredor. A janela de vidro chumbado se moveu com facilidade sob sua mão: ela tomara o cuidado de lubrificá-la mais cedo. Uma brisa fria soprou, anunciando uma possível chuva. Com sorte, essa pequena distração não seria necessária, mas um dos principais lemas da Biblioteca era uma apropriação direta da frase do grande pensador militar Clausewitz: nenhuma estratégia jamais sobreviveu ao contato com o inimigo. Também conhecido em linguagem comum como: As Coisas Vão Dar Errado. Prepare-se.

Irene voltou rapidamente pelo corredor até a sala de troféus e entrou pela porta. A luz do corredor cintilava nas taças de prata e nos armários de vidro. Sem se preocupar com acender o lampião central da sala, foi até o segundo armário da direita, no qual ainda dava para sentir o cheiro da cera que ela passara na madeira dois dias antes. Ao abrir a porta, pegou a pilha de livros amontoados ao fundo e tirou um volume surrado com capa de couro roxo-escuro.

(Quando Pestifer mandara o livro para a escola, será que tinha andado de um lado para o outro, torcendo para receber algum tipo de reconhecimento dos professores, elogiando sua pesquisa e desejando sucesso no futuro? Ou será que tinham enviado uma carta padrão só notificando o recebimento do trabalho e depois jogado o livro na pilha, junto a todas as outras vaidosas publicações de ex-alunos, e esquecido que ele sequer existia?)

Felizmente, era um livro relativamente pequeno. Irene o guardou em um bolso interno secreto, recolocou os outros livros no lugar para cobrir seus rastros e então hesitou.

Afinal, aquela era uma escola que ensinava magia. E, como Bibliotecária, Irene tinha uma grande vantagem que ninguém mais tinha, nem os necromantes, nem os feéricos, nem os dragões, nem os humanos comuns, nem ninguém. Chamava-se *Linguagem*. Só os Bibliotecários conseguiam lê-la. Só os Bibliotecários conseguiam usá-la. Podia afetar certos aspectos da realidade e era extremamente útil, ainda que o vocabulário exigisse constante revisão. Infelizmente, não funcionava na magia pura. Se os professores da escola tivessem posto algum tipo de feitiço de alarme para impedir que alguém roubasse as taças e se isso funcionasse para *qualquer coisa* que fosse retirada da sala, ela poderia ter uma surpresa bem desagradável. E seria terrivelmente constrangedor ser caçada por um bando de adolescentes.

Irene se repreendeu mentalmente. Tinha se preparado para isso. Não fazia sentido adiar mais, e ficar ali reconsiderando suas possibilidades só desperdiçaria o pouco tempo de que dispunha.

Ela passou através da porta de saída.

Um barulho repentino e estridente rompeu o silêncio. O arco de pedra acima da porta se agitou, formando lábios para gritar bem alto:

– Ladrão! Ladrão!

Irene não se deu ao trabalho de parar e xingar o destino. As pessoas chegariam em segundos. Com um grito alto, se jogou sobre o seu esfregão e balde, deliberadamente escorregando na inevitável poça de água suja. Também conseguiu a proeza de bater a canela na lateral do balde, o que trouxe lagrimas verdadeiras aos seus olhos.

Dois garotos do último ano chegaram lá primeiro, correndo pelos corredores de camisolão e chinelos. Acordados demais para quem supostamente tinha acabado de se levantar, provavelmente ocupados com um ou outro hobby ilícito.

– Onde está o ladrão? – gritou o de cabelo preto.

– Ali está ela! – declarou o louro, apontando para Irene.

– Não seja burro, ela é uma das empregadas – disse o de cabelo escuro, claramente demonstrando a vantagem de se roubar livros vestida de empregada. – Você! Criada! Onde está o ladrão?

Irene apontou a mão trêmula na direção da janela aberta, que escolheu aquele momento para convenientemente oscilar com o vento.

– Ele... ele me derrubou...

– O que está acontecendo? – Um dos professores havia chegado à cena. Devidamente vestido e deixando um rastro de fumaça de tabaco, ele abriu caminho entre o grupo de garotos menores com alguns estalos de dedos. – Algum de vocês disparou o alarme?

– Não, senhor! – gritou rapidamente o aluno louro. – Chegamos aqui quando ele estava fugindo. Ele saiu pela janela! Podemos ir atrás dele?

O olhar do professor se desviou para Irene.

– Você, mulher!

Irene levantou-se rapidamente, dramaticamente se apoiando no esfregão e arrumando uma mecha solta de cabelo. (Ela estava ansiosa para sair daquele lugar, para tomar um banho quente e prender o cabelo em um coque decente.)

– Sim, senhor? – respondeu com voz trêmula, o livro no bolso de sua saia pressionado contra sua perna.

– O que você viu? – demandou o professor.

– Ah, senhor – começou Irene, fazendo o lábio inferior tremer no momento adequado. Eu estava só limpando o corredor e, quando cheguei à porta da sala dos troféus aqui – apontou desnecessariamente –, havia uma luz lá dentro. Achei que um dos jovens cavalheiros aqui estivesse estudando... e bati na porta para perguntar se eu podia entrar para limpar o chão. Mas ninguém respondeu, senhor. Então, comecei a abrir a porta e, de repente, alguém a abriu por dentro, me derrubou e saiu da sala correndo.

A plateia de garotos, que variavam de onze a dezessete anos, prestava atenção em cada palavra. Alguns alunos do penúltimo ano já erguiam seus queixos presunçosamente, claramente imaginando que, se fosse com eles, estariam prontos para lidar com algo assim. Sem dúvida teriam deixado o invasor inconsciente ali na mesma hora.

– Era um homem muito alto – disse Irene prestativamente. – E estava todo de preto, mas havia alguma coisa em volta do rosto dele, por isso não consegui vê-lo direito. E estava com alguma coisa debaixo do braço, toda enrolada em lona. Então o alarme disparou e eu logo gritei por socorro, mas ele desceu correndo pelo corredor e fugiu pela janela. – Irene apontou para a janela aberta, uma rota de fuga óbvia (talvez óbvia demais?) para qualquer ladrão hipotético. – Em seguida esses jovens cavalheiros apareceram, logo depois de ele ter fugido – ela indicou os dois primeiros a chegar, que pareciam ainda mais arrogantes e convencidos agora.

O professor assentiu e coçou o queixo, pensativo.

– Jenkins! Palmwaite! Cuidem da Casa e façam todos voltarem a se preparar para as preces na capela. Salter, Bryce, venham examinar e fazer o inventário da sala comigo. Temos de verificar o que foi levado.

Houve ruídos abafados de protesto vindos do grupo de garotos que claramente queriam pular a janela e ir atrás do ladrão – ou, possivelmente, ir até o térreo e *depois* perseguir o ladrão sem ter de pular de uma janela do segundo andar; mas efetivamente ninguém fez isso.

Irene xingava em pensamento, pois uma tentativa de perseguição em larga escala a um invasor inexistente teria causado uma excelente confusão.

– Você – disse o professor, virando-se para Irene –, desça para a cozinha e tome um chá, mulher. Deve ter sido uma experiência desagradável para você. – Havia um brilho de preocupação genuína em seus olhos? Ou era mais uma suspeita? Irene tinha feito o melhor possível para deixar um rastro falso, mas o fato de que ela era a *única* pessoa nas proximidades não havia mudado, bem como o de que alguma coisa fora roubada. A maioria dos professores ignorava os empregados, mas ele podia ser a infeliz exceção à regra. – Prepare-se para o caso de precisarmos interrogá-la novamente.

– Claro, senhor – respondeu Irene, fazendo uma pequena reverência. Em seguida pegou o esfregão e o balde e passou entre os garotos a caminho da escada, tomando o cuidado de não andar rápido demais de uma forma suspeita.

Irene precisaria de dois minutos para chegar à cozinha e deixar o esfregão e o balde. De mais um minuto para sair da

Casa. De mais cinco, três se corresse, para chegar à biblioteca da escola. Seria bem apertado.

A cozinha já estava vibrando quando Irene chegou lá, com as empregadas preparando panelas de mingau para depois das preces na capela. A governanta, o mordomo e o cozinheiro jogavam cartas e ninguém dera muita atenção ao alarme lá de cima.

– Algum problema, Meredith? – perguntou a governanta quando Irene entrou.

– Só os jovens fazendo o que sempre fazem, senhora – respondeu. – Acho que uma das outras Casas pregou algum tipo de peça neles. Com sua permissão, posso ir até o lavatório me limpar? – e apontou as manchas de água suja em seu vestido cinza e avental.

– Não demore muito – disse a governanta. – Você vai limpar os dormitórios enquanto os jovens cavalheiros estiverem na capela.

Irene assentiu com humildade e saiu da cozinha. Ainda sem nenhum alarme lá de cima. Ótimo. Ela abriu silenciosamente a porta do alojamento e saiu.

Os alojamentos ficavam todos enfileirados na avenida principal, onde havia uma praça central com a capela, o salão de reuniões e, o mais importante para os objetivos dela, a biblioteca da escola. A Casa Turquine era o segundo, o que significava que só havia mais um pelo qual ela teria de passar, de preferência sem chamar atenção, sem correr. Ela não devia correr ainda. Se alguém a visse correndo, atrairia suspeitas. Só tinha de andar calmamente, como se estivesse indo fazer uma tarefa qualquer.

Isso foi possível por gloriosos dez metros.

Uma janela se abriu atrás dela na Casa Turquine e o professor que falara com ela antes se inclinou para fora e apontou em sua direção.

– Ladra! *Ladra!*

Irene levantou um pouco a saia e saiu correndo. O cascalho rangia sob seus pés e as primeiras gotas de chuva começaram a bater em seu rosto. Ela estava na frente do alojamento vizinho, a Casa Bruce, e por um momento considerou abandonar o plano de fuga original e simplesmente entrar lá para despistar o seu rastro e reduzir a velocidade da perseguição. Mas o bom senso lhe dizia que isso não funcionaria por mais de alguns minutos...

O chiado sibilante vindo de algum lugar atrás dela a avisou bem a tempo. Irene mergulhou no chão e rolou na hora exata em que uma gárgula desceu gritando com suas garras de pedra esticadas para pegá-la. A gárgula errou o alvo e lutou para subir novamente, com as asas pesadas cortando o ar enquanto se esforçava para ganhar altura. Outra havia descido do telhado da Casa Turquine e voava em círculos em busca do melhor ângulo de ataque.

Esse era um daqueles momentos, refletiu Irene com amargura, em que seria maravilhoso ser uma necromante ou uma bruxa, ou alguém capaz de manipular as forças mágicas do mundo e *explodir gárgulas irritantes do céu*. Ela fez o melhor que conseguiu para evitar chamar a atenção, ficar escondida e não colocar em perigo garotinhos levados que enlameavam todo o piso e nem se preocupavam em pendurar seus casacos. Mas em que isso havia lhe favorecido? Uma revoada de gárgulas atacando (bem, só duas até agora, mas mesmo assim...) e provavelmente um ataque em massa de alunos e professores em alguns minutos. Definitivamente a virtude não era nada recompensadora.

Ela repassou rapidamente o que sabia sobre gárgulas. Havia uma no telhado de cada alojamento. Estavam até listadas no folheto da escola como garantia de segurança dos alunos:

QUALQUER SEQUESTRADOR SERÁ DESTROÇADO EM PEDACINHOS SANGRENTOS POR NOSSOS ARTEFATOS HISTÓRICOS PROFISSIONALMENTE PRESERVADOS! Se bem que, depois de trabalhar ali por vários meses, Irene achava que os alunos seriam bem mais letais a possíveis sequestradores.

Pelo lado positivo (é sempre importante ver o lado positivo), as gárgulas chamavam muita atenção, mas não eram tão *eficientes* em um espaço tão pequeno. Pelo lado negativo, correr em linha reta para fugir a tornaria um belo alvo em movimento. Mas, voltando ao positivo, as gárgulas eram feitas de granito, como lindamente descrito no folheto, diferentemente de qualquer outra coisa ali por perto.

Isso exigiria muita precisão, mas, por sorte, as gárgulas não eram muito inteligentes, então estariam focadas em capturá-la, não em se perguntar por que ela estava convenientemente imóvel.

Irene respirou fundo.

A primeira gárgula chegou a uma altitude adequada para fazer a volta. Chamou a outra gárgula com um grito alto e as duas mergulharam juntas na direção de Irene, com as asas bem abertas e formando amplas e escuras sombras contra o céu.

Irene gritou com todo o seu fôlego:

– **Granito, seja pedra e fique imóvel!**

A Linguagem sempre funcionava bem quando instruía coisas a serem o que naturalmente eram ou a fazerem o que naturalmente queriam. Pedra *queria* ser inerte e sólida. A ordem de Irene só reforçou a ordem natural das coisas. Portanto, foi o antídoto perfeito à magia sobrenatural que fazia as gárgulas de pedra voarem no céu.

As gárgulas ficaram paralisadas, suas asas endureceram no meio do movimento e facilmente erraram o alvo. Uma bateu diretamente no chão, abrindo uma cratera, enquanto a outra caiu em um ângulo mais inclinado, abrindo uma larga vala no belo caminho de cascalho, antes de colidir com um dos imponentes limoeiros que ladeavam a avenida. Logo, uma chuva de folhas caiu sobre ela.

Não havia tempo para Irene parar e se sentir superior, por isso voltou a correr.

Em seguida, ouviu urros vociferantes. Ou eram os cães infernais ou os adolescentes, mas Irene desconfiava que eram os primeiros. Eles também estavam no folheto, que fora muito útil para informar as medidas de segurança da escola. Se ela tivesse de voltar lá algum dia, talvez pudesse vender seus serviços de consultoria em segurança. Usando um pseudônimo, claro.

Uma explosão repentina de luz vermelha provocou uma sombra que pulou na avenida à frente de Irene e provou sua teoria sobre os cães infernais. Muito bem. Ela se planejara para lidar com cães infernais. Ela conseguia se planejar para magia *organizada*, mesmo que não conseguisse praticá-la. Só precisava se manter calma, tranquila e controlada *e chegar ao hidrante à frente antes que eles a alcançassem.*

Dentre suas conveniências modernas, a escola incluía água corrente e medidas contra incêndio. Isso significava hidrantes espalhados por toda a avenida. E o que ficava entre ela e a biblioteca da escola estava a vinte metros de distância.

Dez metros. Ela conseguia ouvir as patas batendo no chão atrás dela, espalhando cascalho com o furor gerado por sua feroz velocidade. Mas não olhou.

Cinco metros. Alguma coisa ofegou *bem atrás dela.*

Irene se jogou no hidrante, uma pequena coluna preta, simples, de metal, com menos de sessenta centímetros de altura. Mas no mesmo instante sentiu algo escaldante e pesado colidindo contra suas costas, jogando-a no chão e a imobilizando.

Irene virou a cabeça o suficiente para ver a enorme criatura parecida com um cachorro apoiada em cima dela. Não a estava queimando, ainda não, mas o corpo estava tão quente quanto uma chapa de fogão. E ela sabia que, se ele quisesse, podia ficar *bem* mais quente. Seus olhos eram como impiedosos carvões em sua cabeça flamejante, e quando ele abriu a boca, mostrando a fileira de dentes irregulares, um filete de baba fervente pingou na nuca dela. *Vai, experimenta*, ele parecia dizer. *Tenta fazer só uma coisinha, me dá uma desculpa.*

– **Hidrante, exploda!** – gritou Irene.

O cão infernal abriu as mandíbulas em um aviso preguiçoso.

O hidrante explodiu aproximadamente na altura do joelho de Irene. Fragmentos de ferro retorcido voaram em todas as direções com o primeiro jorro intenso de água. Irene ficou dividida entre pensar *Graças a Deus estou no chão* e *Isso é o que acontece com um vocabulário desleixado e uma péssima escolha de palavras.* Um pedaço de metal cortou o ar alguns centímetros acima de seu nariz e bateu no cachorro infernal de forma quase acidental, jogando-o girando para trás, acompanhado de um uivo de dor.

Irene demorou um minuto para se recuperar e levantar. A água devia segurar os cachorros infernais e apagar seu fogo por um tempo, mas ela não tinha nenhum plano alternativo. E ainda precisava chegar à biblioteca da escola. Com o vestido molhado e os sapatos encharcados, saiu cambaleando e logo em seguida começou a correr.

As portas da biblioteca eram feitas de madeira antiga e pesada e, quando Irene finalmente as abriu, a luz quente dos lampiões prontamente saiu para a avenida, cobrindo todo o seu corpo. *Fazendo de você um alvo para qualquer pessoa que olhe em sua direção*, observou seu senso de autopreservação.

Ela cambaleou pelo vestíbulo e fechou a porta pesada, mas só havia uma tranca grande, sem chave. Por outro lado, ela não precisava de chave. Irene se inclinou e murmurou na Linguagem:

– **Tranca da porta da biblioteca, tranque-se.**

O som das trancas se movendo para a posição de fechadas foi recompensador, principalmente porque o barulho seguinte, dois segundos depois, foi o baque pesado do cachorro infernal batendo na porta do outro lado.

– O que está acontecendo aí? – chamou uma voz irritada das profundezas da biblioteca.

Irene já havia verificado o lugar mais cedo, utilizando um espanador e cera como álibi. Diretamente acima de sua cabeça ficavam as estantes de não ficção, prateleiras cheias de livros sobre tudo, desde astrologia até zoroastrismo. E, à direita, havia um pequeno escritório onde ficavam guardados os livros que necessitavam de reparos. E, mais importante, o escritório tinha uma *porta* que ela podia usar para sair dali, e era disso que precisava.

Houve outro baque atrás dela. A porta principal tremeu de leve com o ataque, mas manteve-se firme.

Irene não se deu ao trabalho de responder à voz que ouviu. Em vez disso tirou o cascalho da roupa e se obrigou a manter a calma. A atmosfera do lugar a tranquilizou imediatamente, a rica luz dos lampiões, o *aroma* puro de papel e de couro e o fato de que, para onde quer que olhasse, havia livros, livros, lindos livros.

Mais um baque no lado de fora da porta, agora com o som de vozes altas e furiosas. Ok, talvez ela não devesse relaxar *tanto assim.*

Irene parou em frente à porta fechada do escritório e respirou fundo.

– **Abra-se para a Biblioteca** – disse ela, dando à palavra *Biblioteca* seu valor integral na Linguagem e sentindo a tatuagem em suas costas se mexer e contorcer enquanto a ligação era estabelecida. Sentiu a mudança que sempre acontecia de percepção e pressão, como se algo enorme e inimaginável estivesse virando as páginas de sua mente. Sempre durava um pouquinho mais do que era suportável, mas então a porta tremeu em sua mão e se abriu.

Um estrondo repentino indicou que seus perseguidores tinham conseguido entrar. Irene ainda teve um momento para lamentar não ter tido tempo de pegar mais nenhum livro e deu um passo rápido à frente. Quando o trinco se fechou depois de sua passagem, voltou a ser parte do mundo que ela deixara para trás. Por mais que a abrissem agora, a porta só revelaria o escritório ao qual pertencia originalmente. Jamais conseguiriam segui-la até lá. Ela estava na Biblioteca. Não em qualquer biblioteca, mas NA Biblioteca.

Havia estantes altas por todos os lados, tão altas e tão cheias de livros que Irene não conseguia ver o que havia atrás delas. A abertura estreita à sua frente quase não era suficiente para ela passar. Os sapatos deixaram marcas molhadas na poeira, e ela passou por cima de três conjuntos de anotações abandonados enquanto se aproximava da área iluminada ao longe. O único som era um estalo vago e quase inaudível em algum lugar à sua esquerda, irregular e incerto como as oscilações lentas de um balanço infantil.

A passagem apertada desembocou abruptamente em uma sala mais ampla, com painéis e piso de madeira. Irene olhou ao redor, mas não conseguiu identificá-la de imediato. Os livros nas prateleiras eram impressos, e alguns pareciam mais modernos do que qualquer um do alternativo de onde ela acabara de vir, mas isso não provava nada. A grande mesa de centro e as cadeiras, assim como o piso, estavam cobertos de poeira, e o computador sobre a mesa estava em silêncio. Havia um único lustre pendurado no teto, com um cristal branco brilhando intensamente no centro. Na parede mais distante, uma janela arqueada dava vista para uma rua iluminada à noite por lampiões a gás, e o vento sacudia os galhos de árvores, fazendo-os se inclinar e oscilar em silêncio.

Com um suspiro de alívio, Irene sentou-se em uma das cadeiras, tirou o cascalho do cabelo e retirou o livro roubado do bolso secreto. Estava seco e seguro. Mais uma tarefa cumprida, mesmo Irene tendo sido obrigada a abandonar sua identidade secreta. E ela até mesmo dera à escola uma nova lenda, pensamento que a fez sorrir. Ela já imaginava alunos novos ouvindo a história da noite em que a Casa Turquine havia sido roubada. Os detalhes seriam aumentados com o tempo, e ela por fim se tornaria uma mestra do crime mundialmente reconhecida, que, disfarçada, se infiltrara no local, seduzira metade dos professores e invocara demônios para ajudá-la em sua fuga.

Pensativa, Irene olhou para o livro em suas mãos. Depois de tanto trabalho para consegui-lo, estava um pouco curiosa para saber que grandes segredos da necromancia ele poderia revelar. Levantar exércitos de mortos? Invocar fantasmas? Como anormalmente prolongar sua vida por milhares de anos?

Irene abriu o livro no início e na página se lia:

Minha teoria é de que as maiores verdades sobre a vida e a morte podem ser mais bem compreendidas como uma parábola – ou seja, como uma ficção. A mente humana não tem como entender, ou ao menos aceitar, quaisquer dos princípios fundamentais que governam a transmissão e o retorno das almas, ou o fluxo de energias que pode prender, em termos práticos, um corpo na tênue linha entre a vida e a morte: as leis que outras pessoas discutiram, propuseram, até afirmaram em textos mais eruditos sobre o assunto se afastam dos limites do nível de compreensão que permitiria o verdadeiro e inerente conhecimento e a manipulação dessas necessidades.

Vírgulas e frases longas demais, concluiu Irene.

Portanto, decidi descrever meu trabalho e meus experimentos, e a compreensão que adquiri com base neles, na forma de uma história. Aqueles que desejarem podem extrair o que conseguirem dela. Meu único desejo é explicar e esclarecer.

E, torcia Irene, entreter. Ela virou a página.

Foi na manhã do aniversário de Peredur que os corvos foram visitá-lo pela última vez. Ele ficou três semanas na casa das bruxas, e elas lhe ensinaram muito, mas havia muito estava ausente da corte de Arthur. O primeiro corvo desceu e assumiu a forma de uma mulher. Quando a luz da manhã a iluminou, ela se mostrou na forma que ele conhecia: uma velha murcha, que quase não conseguia carregar o elmo e a armadura que usava. Mas, quando ficava na sombra, era jovem e forte: nenhum cabelo jamais fora tão negro, nenhuma pele tão pálida nem olhos tão penetrantes e doces.

– Peredur – disse ela –, em nome das Damas de Orkney, eu lhe peço que fique aqui por mais um dia. Pois minhas irmãs e eu observamos as estrelas, e digo que se nos deixar agora, irá perecer antes da hora, e em uma tola missão; mas, se ficar mais um dia conosco, seu caminho será seguro e sua irmã irá encontrá-lo antes que tudo acabe.

– *Eu não tenho irmã* – disse Peredur.

– *Sim* – retorquiu a bruxa-corvo. – *Nenhuma que você já conheça...*

Irene fechou o livro com relutância. Claro que ela tinha de enviá-lo primeiro para Coppelia, para inspeção e avaliação, mas depois disso talvez pudesse tê-lo em mãos novamente.

Afinal, não havia nada de errado em ter curiosidade sobre como a história se desenrolaria. Ela era uma Bibliotecária. Era parte do serviço. E não desejava grandes segredos de necromancia, nem nenhum outro tipo de magia. Só queria, como sempre quisera, um bom livro para ler. Ser caçada por cães infernais e explodir coisas eram partes comparativamente sem importância do seu trabalho. Obter os livros, ah, isso sim era o que *realmente* a interessava.

O objetivo da Biblioteca era esse: pelo menos o que lhe fora ensinado. Não se tratava de uma missão maior de salvar mundos, mas de encontrar obras únicas de ficção e guardá-las em um lugar fora do tempo e do espaço. Algumas pessoas talvez achassem que era um jeito bobo de passar a eternidade, mas Irene estava feliz com sua escolha. Qualquer um que realmente amasse boas histórias compreenderia.

E, se havia boatos de que a Biblioteca tinha um objetivo mais profundo... bem, sempre havia tantos boatos, e Irene tinha muitas missões a executar. Podia esperar por mais respostas. Tinha tempo.

CAPÍTULO 2

Irene se concentrou nos próximos passos. Quanto antes entregasse aquele livro e fizesse um relatório, mais cedo poderia se limpar, secar e sentar-se com um bom livro. Esperava ainda poder tirar algumas semanas de folga para seus projetos pessoais, o que, francamente, era tudo que desejava no momento.

O computador na frente de Irene foi lentamente ganhando vida assim que ela apertou o botão de ligar. Em seguida, ela limpou a tela com a manga e soprou o pó do teclado. Era uma pena ninguém poder controlar o ponto de reentrada de passagens forçadas de volta à Biblioteca vindo de mundos alternativos. A única certeza era que se chegaria à Biblioteca, embora houvesse histórias de terror sobre pessoas que haviam passado anos procurando o caminho para sair de uma das velhíssimas catacumbas em que informações realmente muito antigas eram guardadas.

A tela se iluminou com o logotipo da Biblioteca: um livro fechado, com uma janela para login e senha. Irene digitou-os rapidamente, apertou o "enter" e o livro se abriu lentamente, com as páginas se virando até revelar sua caixa de entrada. Pelo menos ninguém descobrira ainda como encher o sistema de computadores da Biblioteca de spam.

Irene abriu um mapa local, que surgiu na tela em um diagrama tridimensional, e uma seta vermelha apontou o aposento onde ela estava: não estava longe, apenas a poucas horas de caminhada da Central. Mais calma, mandou um breve e--mail para Coppelia, sua supervisora direta e mentora.

Aqui é Irene. Consegui obter o material requisitado. Peço uma reunião para fazer a entrega. No momento, estou em A-254 Literatura Latino-Americana do Século XX, a cerca de duas horas e meia de seu escritório.

O bipe quando Irene enviou o e-mail rompeu o silêncio da sala.

Era uma pena que telefones celulares, wi-fi e tecnologias semelhantes falhassem na Biblioteca. Qualquer forma de transmissão não baseada em ligações estritamente físicas falhava, ou funcionava mal, ou soltava claros tons de pura estática. Pesquisas tinham sido feitas, pesquisas estavam sendo feitas, e Irene desconfiava que pesquisas ainda estariam sendo feitas em cem anos. Mas a tecnologia não era a única coisa que falhava. As formas mágicas de comunicação também eram inúteis, e os efeitos colaterais costumavam ser ainda mais dolorosos. Pelo menos foi o que ela ouvira, embora não tivesse tentado. Gostava de seu cérebro dentro do seu próprio crânio, onde era seu lugar.

Enquanto esperava pela resposta, Irene deu uma espiada na sua conta de e-mail. Só havia as coisas de sempre: pedidos de livros sobre assuntos específicos de pesquisa enviados para múltiplos destinatários, comparações de pornografia vitoriana através dos diferentes mundos vitorianos alternativos, alguém promovendo sua tese sobre abuso de estimulantes e poesia associativa. Ela apagou uma carta melancólica de súplica em busca de sugestões sobre como melhorar o uso da penicilina nos diferentes alternativos da Idade das Trevas. Mas marcou uma dezena de atualizações da Linguagem, que deixou salvas para verificar mais tarde.

O único e-mail pessoal era o de sua mãe. Um bilhete breve – tão breve e curto quanto o e-mail de Irene para sua supervisora – informando-a de que nos próximos meses ela e seu pai estariam no alternativo G-337. Estavam na Rússia procurando ícones e locais de salmos. A mensagem expressava a esperança de que Irene estivesse bem e se divertindo, e perguntava vagamente o que ela gostaria de ganhar em seu aniversário.

Como sempre, não havia assinatura. Irene tinha de ler o nome no endereço de e-mail e se dar por satisfeita.

Ela apoiou o queixo nas mãos e olhou para a tela. Não via os pais havia uns dois anos. A Biblioteca mantinha todos ocupados, e, sendo sincera, ela não sabia mais sobre o que conversar com eles. Sempre era possível falar de trabalho, mas, afora isso, a interação social entre eles era um verdadeiro campo minado. Os pais provavelmente se aposentariam da Biblioteca em poucas décadas e, com sorte, até lá ela já teria descoberto como ter uma conversa cordial com eles. Tinha sido bem mais fácil quando ela era mais nova.

Eu adoraria um pouco de âmbar.

Essa foi sua resposta ao e-mail. Isso parecia seguro o suficiente.

As atualizações da Linguagem eram o esperado, considerando seus três meses de ausência. Não havia nada de novo em gramática, mas vocabulário novo, a maior parte específica e relacionada a conceitos ou itens que nunca tinham aparecido na Biblioteca. Algumas redefinições de adjetivos e um conjunto de advérbios sobre o ato de dormir.

Irene passou os olhos por tudo o mais rapidamente que pôde. O problema com uma linguagem em evolução, que podia ser usada para expressar as coisas com precisão, era que, bem, ela evoluía. Quanto mais material agentes como Irene forneciam para a Biblioteca, mais a Linguagem mudava. Ela se perguntou se o livro que conseguira inspiraria uma ou duas palavras novas ou só a alteração de uma antiga. Talvez ajudasse a definir um novo tom de preto.

Mesmo assim, havia compensações, como ser capaz de dar ordens ao mundo ao seu redor. Só que, quando Irene havia assinado um contrato por toda a eternidade, não imaginava que ia passar boa parte dela revisando listas de vocabulário.

O computador soou de novo. Era a resposta de Coppelia, que chegou surpreendentemente rápido. Irene abriu e ficou surpresa ao ver o tamanho da resposta.

Minha querida Irene,
Que prazer vê-la de volta! Se bem que, claro, quando digo ver, quero dizer saber da sua presença na Biblioteca. Já faz várias semanas, e você não acreditaria no quanto estou feliz de tê-la de volta...

Irene franziu a testa – isso tinha cara de algo preparado com muita antecedência – e teve um mau pressentimento a respeito.

... e tenho um servicinho para você.

Certo.

Seu trabalho frequente nos mundos alternativos deixou-a para trás na tarefa obrigatória de ser mentora

de novos alunos, mas, felizmente, consegui encontrar um jeito de contornar isso.

Irene bufou. Coppelia lhe garantira que tudo seria resolvido, mas dera a impressão de que seria possível dar um jeito de contornar a situação, e não de que teria de compensar depois com alguma tarefa desagradável.

E acontece que...

Ela estava totalmente ferrada.

... temos um novo recruta em nossas mãos que está pronto para o primeiro trabalho de campo, e naturalmente pensei em você como a pessoa ideal para ser sua mentora! Você poderá transmitir-lhe todos os benefícios de sua experiência e, ao mesmo tempo, obter créditos por manuseá-lo.

Manuseá-lo? O que ele era, uma bomba não detonada? Ela já tinha tido contato com alunos demais naquelas últimas semanas.

É uma missão bem curta e não deve ocupar mais do que uns poucos dias, talvez uma semana. A operação será perto de um ponto fixo de saída no mundo indicado, por isso, se houver algum problema ou atraso, você terá como enviar um relatório.

Irene refletiu que Coppelia parecia estar realmente querendo proteger a sua retaguarda nessa missão.

Minha querida Irene, tenho a maior confiança em você. Sei que posso contar contigo para honrar as tradições e expectativas da Biblioteca, ao mesmo tempo em que dá um valioso exemplo para o novo recruta.

Também parecia que Coppelia andava lendo um excesso de livretos ruins sobre recrutamento e manuais de procedimentos.

Autorizei Kai (é o nome dele) a pegar um dos transportes rápidos para ir até onde você está, então aguarde a chegada dele a qualquer momento.

Nervosa, Irene parou para ouvir com atenção. Se fosse verdade, Kai recebera permissão para usar um dos métodos de transporte mais restritos de toda a Biblioteca. Isso poderia significar que ou Coppelia não queria mesmo nenhuma discussão, só que saíssem imediatamente em missão, ou que essa missão era muito urgente, ou que havia algo tão duvidoso a respeito de Kai que ele não deveria ser visto em público. Talvez Kai simplesmente não conseguisse lidar com a navegação normal da Biblioteca, o que, por si só, já era uma má notícia... e que essas eram várias orações sequenciais com o uso de "ou/ou", o que era um mau uso da gramática. Ela odiava gramática ruim.

Ele tem todos os detalhes da missão.

Isso era muito ruim. Talvez significasse que Coppelia não queria expor o assunto em um e-mail. Irene sentiu cheiro de política, e definitivamente não queria se envolver com nada disso. Ela sempre achara que Coppelia era o tipo de supervisora mais razoável, voltada à pesquisa, e só de vez em quando maquiavélica. Não o tipo de supervisora que jogaria em cima dela uma missão que não podia ser escrita, um trainee inexperiente e um empurrão rápido pelo ponto de Travessia mais próximo.

Deixe o material da missão mais recente na Recepção mais próxima. Marque-o com meu nome e cuidarei para que seja processado.

Bem, isso já era alguma coisa pelo menos...

Do corredor lá fora veio um sopro repentino de vento e um baque que lembrava um tubo de pressão pneumática entregando papéis.

Uma pausa. Uma batida em uma porta próxima.

– Entre – disse Irene, virando a cadeira para olhar.

A porta se abriu e revelou um jovem.

– Você deve ser Kai – disse ela, se levantando –, entre.

Ele tinha o tipo de beleza que imediatamente o elevava de possível objeto de romance a uma impossibilidade absoluta. Ninguém normal passava tempo com gente com aquela aparência, a não ser, é claro, folheando as primeiras páginas dos jornais e das revistas de moda. Sua pele era tão clara que Irene conseguia ver as veias azuis nos pulsos e no pescoço. E o cabelo, trançado na altura de seu pescoço, era de um tom de preto que na luz fraca parecia quase azul. As sobrancelhas eram da mesma cor, como linhas de tinta em seu rosto, e as maçãs do rosto poderiam ser usadas para cortar diamantes. Ele usava uma jaqueta surrada de couro preta e calças jeans que não conseguiam arruinar sua maravilhosa aparência, e a camiseta branca, além de limpa e imaculada, estava passada e engomada.

– Isso – disse ele. – Sou eu. Você é a Irene, certo?

Até a voz dele merecia admiradores: era baixa, precisa, rouca. A escolha casual de palavras parecia mais uma afetação, e não descuido de verdade.

– Sou – respondeu Irene –, e você é meu novo assistente.

– Ahã. – Ele entrou na sala e deixou a porta se fechar ao passar. – E vou finalmente sair deste lugar.

– Entendo. Por favor, sente-se. Ainda não terminei de ler o e-mail de Coppelia.

Ele piscou para Irene, andou até a cadeira mais próxima e se sentou, levantando uma nuvem sufocante de poeira.

Cuide das questões de forma tranquila e eficiente, e poderá ter um tempo livre para pesquisas particulares quando isso terminar. Lamento ter de enviá-la em uma nova missão tão rápido assim, mas é necessário, minha querida Irene, e precisamos fazer o melhor possível com os recursos que se encontram disponíveis.

Com carinho,
Coppelia

Irene se sentou e franziu a testa para a tela. Ela não era do tipo que acreditava em teorias da conspiração, mas, se fosse, poderia ter escrito livros inteiros baseados só nesse parágrafo.

– Coppelia disse que você tem todos os detalhes da missão – disse ela por cima do ombro.

– Tenho. Madame Coppelia – ele enfatizou um pouco o título – me deu as coisas. Não me pareceu nada de mais.

Irene se virou para ele.

– Você se importaria? – perguntou ela, esticando o braço.

Kai enfiou a mão no casaco e retirou um fino envelope azul, entregando-o a Irene com cuidado e fazendo um gesto cortês em vez de simplesmente passá-lo para ela.

– Aí está. Chefe? Madame? Senhora?

– Irene é suficiente – respondeu ela, e hesitou por um momento, desejando ter um abridor de cartas, mas não havia nenhum ali perto e ela não queria mostrar a Kai onde escondia sua faca. Com uma pequena careta por causa da deselegância, rasgou o envelope e retirou uma única folha de papel.

Kai não se inclinou para frente para espiar a carta, mas inclinou a cabeça com curiosidade.

– Objetivo – leu Irene, gentilmente – Manuscrito original dos Irmãos Grimm, volume 1, 1812, atualmente em Londres, paralelo B-395: Travessia mais próxima no interior da Biblioteca Britânica, localizada dentro do Museu Britânico, mais detalhes disponíveis com o Bibliotecário em Residência no local.

– Irmãos Grimm?

– Contos de fadas, imagino. – Irene bateu com o dedo na borda do papel. – Não é minha área. Não sei por que eu fui... por que nós fomos designados para isso. A não ser que seja algo com que você tenha alguma experiência.

Kai balançou negativamente a cabeça.

– Não tenho muito conhecimento sobre coisas europeias. Nem sei bem que alternativo é esse. Você acha que é alguma coisa única daquele mundo?

Essa era uma boa pergunta. Havia três motivos básicos para Bibliotecários serem enviados a alternativos para encontrar livros específicos: porque o livro era importante para um Bibliotecário sênior, porque o livro teria algum efeito na Linguagem ou porque o livro era específico e único àquele mundo alternativo. Nesse último caso, a posse do livro pela Biblioteca reforçaria suas ligações com o mundo do qual ele era originário. (Irene não tinha certeza em qual categoria sua última aquisição se encaixava, embora desconfiasse ser um caso de "efeito na Linguagem". Ela provavelmente devia tentar descobrir isso em algum momento.)

Se esse manuscrito dos Irmãos Grimm fosse o tipo de livro que existia em múltiplos e diferentes mundos alternativos, não teria gerado uma missão específica vinda de Coppelia. Quando os Bibliotecários seniores se tornavam Bibliotecários seniores, não estavam interessados em nada menos do que raridades. Um livro comum que existisse em múltiplos mundos simplesmente apareceria na lista de compras comum de alguém, provavelmente junto com as obras completas de Nick Carter, os casos completos do juiz Dee e as biografias completas, verdadeiras e falsas, de Preste João. A questão de *por que* alguns livros eram únicos e só existiam em mundos específicos era um dos grandes imponderáveis, e com sorte Irene realmente teria uma resposta algum dia. Quando fosse Bibliotecária sênior, talvez. Décadas no futuro. Talvez até séculos.

De qualquer modo, não fazia sentido ficar parada tentando adivinhar. Irene tentou elaborar a resposta de maneira que soasse sensata, e não como se estivesse cortando Kai logo nos primeiros dez minutos após se conhecerem.

– Deve ser melhor verificar com o Bibliotecário do local quando chegarmos ao nosso destino. Se Coppelia não contou para você e não contou para mim...

Kai deu de ombros.

– Desde que eu saia daqui, não vou reclamar.

– Há quanto tempo você está aqui? – perguntou Irene com curiosidade.

– Cinco anos. – Seu tom foi suavizado para uma cuidadosa cordialidade, como pedras desgastadas pelo mar. – Sei que a política é deixar o pessoal novo aqui até ter estudado o básico, e até terem certeza de que não vamos sair correndo na primeira dificuldade, mas já faz cinco longos anos.

– Sinto muito – comentou Irene enquanto digitava uma resposta curta ao e-mail de Coppelia.

– Sente?

– Sim, sinto. Já nasci dentro do trabalho. Meus pais são ambos Bibliotecários. Deve ter facilitado as coisas. Sempre soube o que era esperado de mim.

Era verdade, isso tinha tornado as coisas mais fáceis. Ela sempre soube para o que estava sendo criada. Os anos na Biblioteca eram intercalados com anos em alternativos, e foram passando, um após o outro, com muito estudo, prática e esforço, assim como longos e silenciosos corredores de livros.

– Ah.

– Imagino que a espera não tenha sido... divertida.

– Divertida. – Kai bufou. – Não. Nada divertida. Foi até interessante, mas não divertida.

– Você gostou de Coppelia? – Ela enviou o e-mail e se desconectou.

– Estou estudando com ela só há alguns meses.

– Ela é uma das mais... – Irene fez uma pausa e pensou em que palavras poderia usar que não lhe causassem problema se repetidas em outro lugar. Ela gostava de Coppelia, mas palavras como *maquiavélica, eficientemente sem escrúpulos* e *de coração gelado* nem sempre caíam bem em uma conversa.

– Ah, eu gostei dela – esclareceu Kai apressadamente, e Irene se virou para olhá-lo, surpresa com o calor em sua voz. – É uma mulher forte, muito organizada e com uma personalidade imponente. Minha mãe gostaria... teria gostado dela. Se... Você sabe. Nunca aceitam gente para trabalhar aqui que tenha parentes próximos vivos, certo?

– Não – concordou Irene. – Está nas regras. Seria injusto com eles.

– E, hã... – Ele olhou para ela por baixo de seus longos cílios. – E quanto a esses boatos de que, às vezes, eles se asseguram de que não haja nenhum parente próximo vivo? Ou mesmo nenhum parente vivo?

Irene engoliu em seco, e se inclinou para desligar o computador, torcendo para esconder o gesto nervoso.

– Sempre há boatos.

– São verdadeiros?

Às vezes, acho que são. Ela não era ingênua. Sabia que a Biblioteca nem sempre seguia suas próprias regras.

– Não ajudaria nenhum de nós se eu dissesse que são – Irene respondeu secamente.

– Sei. – Ele se encostou na cadeira de novo.

– Você está aqui há cinco anos. O que espera que eu diga?

– Eu esperava que você me desse a resposta oficial. – Ele a olhava agora com mais interesse. Seus olhos brilhavam na luz baixa. – Não esperava que você indicasse que pudesse ser verdade.

– Não fiz isso – respondeu Irene rapidamente, e colocou o papel de volta no envelope, enfiando-o no bolso do vestido. – Eis minha primeira sugestão para você como sua nova mentora, Kai: a Biblioteca funciona mediante teorias da conspiração. Não admita nada, negue tudo, e só então descubra o que está acontecendo e publique um artigo sobre o assunto. Não é como se eles pudessem impedi-lo de fazer isso.

Ele inclinou a cabeça.

– Ah, mas eles sempre podem se livrar do artigo.

– Se livrar do artigo? – Irene riu. – Kai, isto aqui é a Biblioteca. Aqui nunca nos livramos de nada. Nunca.

Ele deu de ombros, desistindo da pergunta.

– Tudo bem. Se você não quer falar sério a respeito disso, não vou insistir. Devemos ir?

– Claro – respondeu Irene, se levantando. – Siga-me, podemos conversar no caminho.

Passou meia hora antes de ele começar a falar novamente, exceto pelos grunhidos casuais de reconhecimento ou desacordo. Irene ia à frente por uma escadaria em espiral de carvalho escuro e ferro negro, estreita demais para os dois andarem lado a lado; Kai ia alguns passos atrás. Janelas estreitas nas paredes grossas davam vista para um mar de telhados. Antenas de televisão se destacavam ocasionalmente entre edifícios clássicos de tijolos e falsos domos orientais. Finalmente, Kai disse:

– Posso fazer umas perguntas?

– Claro. – Irene chegou ao pé da escadaria e se deslocou para o lado para ele poder alcançá-la. O corredor largo à frente era cheio de portas dos dois lados, algumas mais bem polidas e limpas do que outras. A luz do lampião brilhava em suas placas de metal.

– Ah, se vamos a pé até o ponto de saída, vamos demorar um tempo para chegar lá, certo?

– Tem razão – respondeu Irene. – Fica em B-395, lembra-se?

– Claro – disse ele, olhando Irene de cima para baixo. Kai era vários centímetros mais alto do que ela, o que abria espaço para uma boa dose de condescendência.

– Certo. – Irene saiu andando pelo corredor. – Dei uma olhada no mapa antes de você chegar e o acesso mais próximo para a Ala B é por aqui, subindo depois dois andares. Podemos verificar um terminal quando chegarmos lá e encontrar o jeito mais rápido até 395. Com sorte, não vai demorar mais de um dia de onde estamos.

– Aproximadamente um dia... Não podemos pegar um transporte rápido para chegar lá?

– Não, infelizmente. Não tenho autoridade para requisitar um. – Irene não conseguiu deixar de pensar no quanto isso tornaria tudo mais fácil. – É preciso ser do nível de Coppelia para pedir isso.

– Sei. – Ele deu alguns passos em silêncio. – Ok. E o que você sabe sobre B-395?

– Ah, obviamente é um alternativo dominado pela magia.

– Porque é um mundo B, ou tipo Beta, certo?

– Certo. Aliás, de que tipo de mundo você veio?

– De um dos Gamas. Então, tinha tanto tecnologia quanto magia. Tecnologia alta, magia média. Mas havia problemas para fazer as duas coisas funcionarem ao mesmo tempo... qualquer pessoa que fosse ciborgue demais não conseguia fazer a magia funcionar.

– Hum – disse Irene de forma neutra. – Suponho que você mesmo não tenha nenhum melhoramento cibernético.

– Não. Ainda bem, aliás. Me disseram que aqui isso não funcionaria.

– Não exatamente – respondeu Irene, de forma meticulosa. – Na verdade, nenhum dispositivo eletrônico pode entrar ou sair da Biblioteca enquanto ainda estiver funcionando. Os dispositivos funcionariam perfeitamente bem se você pudesse desligá-los enquanto estivesse fazendo a travessia para depois ligá-los quando estivesse aqui...

Kai balançou a cabeça.

– Não é para mim. Qual é o sentido de ter uma coisa se eu tiver de ficar ligando e desligando? Também não curtia muito magia. Gostava mais de coisas do mundo real, tipo combate físico, artes marciais, coisas assim.

– Como você foi escolhido para a Biblioteca, então? – perguntou Irene.

Kai deu de ombros.

– Bem, onde eu morava todo mundo fazia pesquisas usando ferramentas online. Mas, de tempos em tempos, eu pegava uns trabalhos de caçar livros velhos para um pesquisador. Alguns eram, sabe, ilegais, e alguns deles eram realmente muito ilegais... Então, comecei a pesquisar o passado dele e achei que podia encontrar alguma coisa interessante. E acho que pesquisei um pouco demais, porque, em pouco tempo, recebi a visita de umas pessoas bem linha-dura, que me disseram que eu tinha de trabalhar para elas.

– Ou?

Ele olhou para ela com expressão gelada.

– O "ou" seria uma coisa muito ruim para mim.

Irene ficou em silêncio por todo o tempo que eles levaram para passar pelas várias portas, mas acabou dizendo:

– E aqui está você, então. Está infeliz?

– Não muito – respondeu Kai, surpreendendo-a. – Quando se joga o jogo, você assume os riscos. Foi uma proposta melhor do que muita gente teria feito para mim, certo? Uma das pessoas que me dão aulas aqui, o mestre Grimaldi, disse que, se eu tivesse família, jamais teriam feito essa proposta. Só teriam me abordado de alguma outra maneira. Então, não posso reclamar.

– E do que você pode reclamar?

– Cinco anos. – Eles dobraram uma esquina. – Faz cinco longos anos que estudo aqui. Sei sobre a continuidade do tempo. Faz cinco anos desde que saí do meu mundo. Todos os caras com quem eu andava já terão mudado de vida ou morrido. Era esse tipo de lugar. Havia uma garota. Ela também terá seguido em frente com outra pessoa. Haverá uma nova moda, novos estilos. Haverá tecnologia e magia nova. Talvez até alguns países tenham explodido e sumido. E eu não estava lá para ver nada disso. Como posso chamar de meu mundo se fico perdendo partes dele?

– Não pode – respondeu Irene.

– Como você aguenta?

Irene indicou o corredor.

– *Este* é o meu mundo.

– É sério?

Irene apertou o livro nas mãos.

– Lembra que eu disse que meus pais são Bibliotecários? Não nasci dentro da Biblioteca, mas é como se tivesse nascido. Eles me trouxeram para cá quando eu ainda era bebê e me levavam em suas missões. Mamãe dizia que eu era o melhor suporte que ela já teve. – Ela deu um leve sorriso com a lembrança. – Papai costumava me contar uma história de ninar, sobre como carregaram um manuscrito escondido em minha bolsa de fraldas.

– Não. – Kai parou. – *Fala sério.*

Irene olhou para ele.

– Estou falando sério. Eu pedia a ele para contar a história todas as noites.

– Eles levavam você em missões assim?

– Ah. – Agora Irene conseguia ver o que o incomodava. – Não nas *perigosas*, só nas seguras, em que eu era útil. Eles não me levavam nas perigosas. E, mais tarde, quando precisei de estudo e de sociabilização, me colocaram em um colégio interno. O único problema era que eu tinha de tomar cuidado com o tempo de férias que passava na Biblioteca, senão perderia a sincronia de tempo com o mundo onde estudava. Eles falaram em me deslocar entre mundos para escolas diferentes, para que eu pudesse ter anos na Biblioteca nos intervalos, mas achamos que não daria certo. – Ela se sentiu superorgulhosa por eles terem conversado sobre isso com ela, por tratarem-na como adulta e pedirem sua opinião.

– E você tinha... amigos no colégio interno, certo? – Kai fez a pergunta com hesitação, como se Irene fosse arrancar a cabeça dele por perguntar.

– Claro.

– Ainda tem contato com algum?

– O fator tempo se opõe a isso. – Irene deu de ombros. – Com o tempo que eu tive de passar estudando na Biblioteca ou em outros mundos, tem sido difícil... Mantive contato com alguns por um tempo. Mandava cartas sempre que podia, mas acabou não dando certo. Era uma escola na Suíça. Um lugar muito bom, excelente em línguas.

Eles dobraram outra esquina. Na frente deles, o corredor se estreitou dramaticamente e seguiu para o alto. O piso, as paredes e o teto eram todos feitos das mesmas tábuas rangentes, gastas e velhas. As janelas na parede da esquerda davam vista para uma rua vazia, iluminada por tochas acesas, onde marcas lamacentas de roda indicavam a existência de tráfego, mas não havia sinal de ninguém ali.

– Em frente? – perguntou Kai.

Irene assentiu. O piso rangeu debaixo dos pés deles quando começaram a subir.

– Parece uma ponte – comentou Kai.

– As passagens entre as Alas sempre são meio estranhas. Certa vez passei por uma que tinha de ser atravessada de quatro.

– Como eles transportavam livros nesse caminho?

– Normalmente, não transportavam. Enviavam por outro. Mas era útil quando se estava com pressa.

Ele apontou para a janela com o polegar.

– *Você* já viu alguém lá fora?

– Não. Nem eu, nem ninguém. – A passagem ficou plana, depois começou a descer. – Se conseguíssemos encontrar uma Travessia que levasse até lá, seria muito interessante.

– Seria. Era um dos assuntos mais populares nas conversas entre os alunos. – Kai suspirou.

Irene olhou ao redor e viu o que queria à esquerda.

– Só um momento – disse, indicando uma abertura na parede. – Só vou deixar este livro para Coppelia.

Kai assentiu e se encostou na parede, deixando Irene pegar um envelope em uma pilha, perto do buraco na parede, para colocar o livro. Ele se inclinou só um pouco enquanto ela escrevia o nome de Coppelia no envelope, o bastante para ver o título do livro, e seus olhos se apertaram curiosamente.

– Você poderia levar pessoalmente – sugeriu ele. – Era só dizer que queria ter certeza de que ela o receberia e perguntar um pouco mais sobre nossa missão quando estivesse lá.

Irene largou o envelope na abertura e levantou a sobrancelha para ele.

– Podia, e também podia ser chamada de bufona ignorante que não sabe ler ordens e menos ainda as seguir. Uma pessoa que, obviamente, não mereceria qualquer tipo de missão se voltasse correndo atrás de mais detalhes quando ela já me dera tudo de que eu precisava.

– Ah. – Kai suspirou. – Ok então.

– Você acha que eu nunca ouvi esse discurso dela?

– Eu sei que eu ouvi. Estava torcendo para que você não tivesse ouvido.

– Sim. – Irene deu um sorriso breve antes de sair andando. – Mas valeu a tentativa. Agora o 395.

O corredor virou e eles entraram em uma sala com dois terminais em uma mesa brilhante de cerâmica. Um era usado por um jovem que nem se deu ao trabalho de olhar para eles, mantendo o foco na tela do monitor. Seu terno marrom estava gasto e surrado nos cotovelos e nos joelhos, e os punhos de renda destacavam seus pulsos ossudos. Devia ser apropriado para o alternativo de onde ele acabara de vir ou para onde estava indo. E ainda assim era melhor do que o desgastado vestido cinza que Irene estava usando.

– Está vendo – disse Irene, e se sentou em frente ao outro terminal. – Me dê um momento e descobrirei o melhor caminho para chegar ao ponto de Travessia para esta missão – *E qualquer outra coisa que conseguir sobre esse mundo*, acrescentou para si mesma. Ela ficara agitada demais com a chegada de Kai para fazer as pesquisas que normalmente fazia para qualquer missão. Além do mais, mesmo se eles recebessem orientações do Bibliotecário em Residência do alternativo, seria útil ter alguma ideia de onde estavam indo.

Kai olhou ao redor constatando a ausência de outras cadeiras, então se sentou de pernas cruzadas no chão e com as costas na parede, com um ar de santa paciência.

Irene rapidamente fez o login e abriu o mapa. A Travessia para B-395 ficava a meia hora de caminhada. Melhor do que esperava. Não era à toa que Coppelia tinha enviado Kai até ela em vez de mandar Irene ir encontrá-la. Ela pegou caneta e papel e anotou todas as instruções antes de procurar mais informações sobre o alternativo.

Sua reação deve ter ficado óbvia demais, porque Kai logo se ergueu e franziu a testa para ela.

– O que foi...?

Irene apontou rapidamente para o outro jovem e fez um *shhh* silencioso, levando o dedo aos lábios do jeito mais óbvio que conseguiu.

Kai ficou olhando para Irene, mas depois relaxou e afastou o olhar.

Irene anotou alguns poucos fatos rapidamente, depois dobrou o papel e se desconectou. Com um leve aceno para o outro jovem, se levantou e andou até a porta.

– Vamos, Kai – disse ela bruscamente.

Kai se levantou com elegância e saiu andando atrás de Irene, com as mãos nos bolsos. Depois de seguirem um pouco pelo corredor do outro lado, quando não podiam mais ser ouvidos, Irene disse:

– Peço desculpas por aquilo.

– Ah, não se preocupe – respondeu Kai, e mexeu o ombro em um gesto casual, parecendo fascinado pelos painéis de faia e pelo teto de gesso decorado. A voz tinha um tom gélido. – Você está certa, eu não devia ter feito barulho e perturbado outros alunos trabalhando. Peço desculpas por ir contra as regras da Biblioteca...

– Ei – disse Irene, antes que ele pudesse ser mais sarcástico –, não me entenda mal. Não estou pedindo desculpas por ter obedecido às regras.

– Como?

– Estou pedindo desculpas por tê-lo cortado e feito você se calar, porque eu não podia discutir informações sigilosas com outra pessoa presente.

Kai deu mais alguns passos.

– Ah – disse ele. – Certo.

Irene concluiu que isso era o mais perto de um pedido de desculpas que *ela* teria no momento.

– Nosso local de destino está em quarentena – disse Irene bruscamente. – Está na lista dos que estão passando por uma grande infestação de Caos. – O que significava que o fator de risco ia muito além de simplesmente perigoso, pensou com irritação. O que Coppelia estava pensando ao mandá-los para lá? Se um mundo magicamente ativo estava em quarentena, isso queria dizer que fora corrompido por forças do Caos. A magia fora longe demais para o lado errado no equilíbrio entre a ordem e a desordem. Como Kai já devia ter ouvido, o Caos corrompendo mundos ordenados era um perigo antigo e potencialmente letal para agentes da Biblioteca. E ia contra tudo que a Biblioteca, uma instituição que defendia a ordem, representava. Um alto nível de Caos significava que eles podiam esperar encontrar seres feéricos, criaturas do Caos e da magia, capazes de tomar forma e provocar desordem em um mundo tão corrompido. E isso nunca era uma coisa boa.

– E não há nenhum elemento de equilíbrio tentando tirar o mundo desse Caos e levá-lo de volta à ordem?

– Não. Ou os dragões não sabem sobre esse alternativo ou estão se mantendo bem longe dele – respondeu Irene, sem dizer, enquanto tentava acalmar seus medos, que, sem um elemento de equilíbrio, um mundo corrompido podia acabar indo parar em um estado de Caos primitivo. Ninguém tinha como se certificar de onde ficava a fronteira que dividia uma infestação do Caos de uma absorção total. E ela definitivamente não queria descobrir.

Kai franziu a testa.

– Eu achava... quer dizer, nos disseram na orientação básica que os dragões sempre interferem quando há um alto nível de Caos, que podem promover a volta de um mundo ao equilíbrio, e que quanto pior ele se tornasse, mais provável seria sua interferência.

– Bem, de acordo com o registro, não há sinal deles lá.

– Podia ser verdade que os dragões, sendo criaturas de lei e estrutura, não gostassem mesmo do Caos. Irene recebera a mesma informação básica que Kai. Mas isso não significava, necessariamente, que eles interfeririam em todos os casos. Por sua própria experiência com mundos alternativos, Irene concluiu que os dragões preferiam escolher suas batalhas com cautela. – Talvez o Bibliotecário daquele mundo saiba um pouco mais. O nome dele é Dominic Aubrey, e ele tem um trabalho de fachada como funcionário da Biblioteca Britânica, chefe da seção de Manuscritos Clássicos. – Ela inclinou a cabeça para olhar para Kai. – Algum problema?

Kai enfiou as mãos mais fundo nos bolsos.

– Olha, sei que contam para nós alunos, as piores situações possíveis nas orientações, para que não tentemos nada idiota. E provavelmente tentam fazer tudo parecer ainda pior do que realmente é, mas um mundo com alta infestação de Caos e sem dragões para começarem a equilibrá-lo... parece meio arriscado para uma primeira missão minha e para...

– Uma agente de grau júnior como eu?

– Você que disse – murmurou Kai –, não eu.

Irene suspirou.

– Bom, que fique registrado que também não estou feliz.

– O quanto a situação está ruim?

Irene pensou em passar as mãos pelo cabelo, ter um ataque histérico, se sentar e não fazer nada pelas próximas horas enquanto tentava encontrar uma forma de fugir da missão. – Eles ainda têm tecnologia a vapor, mas também há uma observação de que "avanços inovadores" foram feitos recentemente. A infestação de Caos está tomando a forma de manifestações sobrenaturais relacionadas ao folclore, com ocasionais aberrações científicas.

– O que isso quer dizer?

– Podemos encontrar vampiros, lobisomens, criações fictícias que saem assombrando à noite, assim como a tecnologia deles funcionando de formas inesperadas.

– Ah, sim – disse Kai com desenvolto entusiasmo. – Não há problema nenhum nisso.

– O quê?

– Sou de um mundo Gama, lembra-se? Estou acostumado a entender magia. Mesmo que eu pessoalmente não a praticasse, tínhamos de saber como lidar com o sistema se quiséssemos evitar confusão. A magia sempre parece envolver tabus e proibições. Então, só precisamos descobrir quais são e evitá-los enquanto pegamos o documento ou o livro. Sem problemas.

Irene assentiu.

– Então, alta infestação de Caos. – A ideia claramente a preocupava bem mais do que a ele. Possivelmente porque ela já tivera uma experiência com uma infestação de Caos e não gostou nadinha disso.

O Caos fazia os mundos agirem de forma irracional. Como resultado, coisas fora da ordem natural os infestavam: vampiros, lobisomens, feéricos, mutações, super-heróis, dispositivos impossíveis... Irene até conseguia lidar com alguns espíritos e com magia, desde que operassem mediante um conjunto de regras e fossem fenômenos naturais em seus mundos. O alternativo de onde ela acabara de vir tinha magia bem organizada e, apesar de ela não a ter praticado, ao menos fazia *sentido*. Irene torcia para conseguir lidar com dragões também. Afinal, eles eram naturais à ordem de todos os mundos conectados, uma parte de sua estrutura, e não uma força ativa para o rompimento da ordem.

Irene não fazia ideia de como começar a lidar com o Caos. Ninguém sabia exatamente como, nem por que o Caos se espalhava em um alternativo, ou talvez esse conhecimento estivesse acima de sua posição. Mas o Caos nunca era natural àquele mundo e parecia se sentir atraído pela ordem, só para poder acabar com ela, distorcendo tudo que tocava. O Caos criava coisas que funcionavam segundo leis irracionais, infectando mundos e rompendo princípios naturais. Não era bom para nenhum mundo em que entrava, e muito menos para a humanidade daquele mundo.

Mesmo que fosse bom material para literatura.

A Biblioteca tinha uma série de quarentenas para infestações de Caos. Mas a daquele alternativo em particular era uma das mais extremas que Irene já tinha visto e que ainda permitia entradas. Ela não estava nada feliz de levar um estudante na missão, por melhor que ele achasse que poderia lidar com tudo.

– Pena que madame Coppelia não nos deu mais informações – comentou Kai. – E não me olhe assim. Nós dois estamos pensando a mesma coisa, certo? Só estou dizendo para você não precisar dizer.

Irene quase riu.

– Tudo bem – disse ela. – Sobre isso nós podemos concordar. E podemos concordar ainda que vai ser muito ruim, e que nós nem nos conhecemos direito. Então, provavelmente vai ser confuso, desagradável e perigoso. Além disso, se conseguirmos pegar o manuscrito, tenho certeza de que será ultraconfidencial, e teremos sorte se recebermos qualquer reconhecimento em nossos registros, porque tudo será enterrado nos arquivos.

– Me lembre de novo por que eu aceitei esse emprego – murmurou Kai.

– Umas pessoas apontaram armas para você, não foi?

– É. Foi algo assim.

– E você gosta de livros. – Irene olhou para Kai de lado. Kai deu um sorriso genuíno.

– É, gosto. Acho que foi isso.

Eles saíram do último corredor e se viram olhando para um amplo salão. A rota continuava por uma ponte de ferro com corrimões decorados, que formavam um arco grandioso de um lado ao outro acima do espaço repleto de livros, com escadarias em espiral nas paredes alcançando-a em vários pontos.

– Ei – disse Kai em um tom agradável –, já estive aqui. Havia um monte de variantes de *Fausto* ali. – E apontou para o canto inferior direito da sala. – Eu estava comparando versões de diferentes alternativos para o Mestre Legis. Foi um exercício de treinamento, mas foi um dos melhores, sabe?

Irene assentiu.

– Podia ter sido pior. Schalken nos mandou pesquisar ilustrações de mosaicos quando estávamos em treinamento. Passamos tempo demais com uma lupa e um escâner tentando descobrir se havia uma efetiva diferença ou se havia, hã – Irene tentou se lembrar da expressão e do tom de voz –, "um desvio compreensível e tolerável da norma como era expressa no mundo escolhido, considerando as variações naturais na disponibilidade de minerais e cores...".

Aplausos delicados fizeram-na parar. Irene e Kai se viraram e olharam para a outra extremidade da ponte. Uma mulher de vestes leves, com a pele pálida como gelo e o cabelo escuro como a noite, estava inclinada no corrimão.

Ela sorriu.

Irene, não.

CAPÍTULO 3

— Você o capturou com perfeição – disse a mulher. – Nada surpreendente, considerando a frequência com que *você* teve de ouvi-lo dizer até conseguir acertar.

— Bradamant – disse Irene calmamente. Uma parte de sua mente reparou que seu estômago estava dando um nó e que ela se sentia enjoada, mas ela *não* ia demonstrá-lo. – Que bom ver você. A que devemos o prazer de sua companhia?

— Sempre dá para saber quando ela está irritada – disse Bradamant para Kai, como quem conta um segredo. – Comporta-se de forma tão educada e correta.

— Acho que não nos conhecemos – disse Kai. Irene estava ciente de que ele estava a seu lado, embora sua atenção estivesse fixa em Bradamant. – Suponho que seja uma das colegas de Irene.

— Precisamente, meu querido. – Bradamant se afastou do corrimão. Seu cabelo escuro estava cortado liso e curto, como seda preta contra sua pele. – Estou aqui para a missão que você recebeu, Irene. Houve uma mudança de planos.

— O quê? Nos últimos dez minutos?

49

– Planos mudam rapidamente – respondeu Bradamant, sem piscar. – Seja uma boa garota e o entregue a mim.

– Você não espera de verdade que eu acredite nisso, não é?

– Tornaria a vida bem mais fácil para nós duas, minha querida.

– Ah, é?

– É. – Bradamant sorriu. – Significaria que, para variar, a missão seria cumprida.

– Mas, deixando de lado qualquer questão sobre a sua competência ou a falta da minha – disse Irene com calma, muita calma –, o que eu diria à minha supervisora? – Irene certamente não iria perder o controle com esse grau de provocação, principalmente na frente de um aprendiz. Mas sabia, por sua própria experiência, o quanto Bradamant podia ser venenosa, e sempre havia alguma questão política por baixo da superfície.

Bradamant deu de ombros enquanto suas roupas leves esvoaçavam.

– Isso, minha querida, é problema seu. Embora seu registro seja adequado, eu suponho. Você só terá de encarar algumas décadas de trabalho duro para conseguir recuperar qualquer tipo de *status*.

– Espere um minuto – interveio Kai. – Você está mesmo sugerindo simplesmente passar essa missão para ela?

– Ela está – respondeu Irene. – Eu, não.

– Vou levar o aprendiz também – ofereceu Bradamant. – O querido Kai tem um registro *tão* bom.

Irene conseguia ouvir a inspiração sufocada de Kai.

– Isso não será necessário – respondeu Irene. – Não tenho nenhum motivo para passá-lo a você, embora você tenha um registro *tão* bom de relacionamento com alunos...

Bradamant sibilou:

– Calúnias.

Foi a vez de Irene sorrir. Bradamant podia chamar de calúnia o quanto quisesse, mas os fatos estavam registrados. A mulher não conseguiu ficar com nenhum aprendiz por mais de uma missão, e sempre que houve algum problema em alguma delas, ele levava a culpa. Era uma infelicidade quando acontecia uma ou duas vezes, mas era um padrão horrível quando se repetia.

– Não existe fumaça sem fogo – disse Irene.

– Como você saberia? Está contando, é? – Bradamant parecia absurdamente irritada e deu alguns passos impacientes na direção deles, com os saltos estalando alto na ponte.

Irene sorriu para Bradamant, assumindo uma expressão o mais vaga possível.

– Por que eu iria querer fazer uma coisa assim?

A outra mulher fungou e tentava se recompor enquanto estudava suas próprias unhas.

– Concluo, então, que você vai optar por ser estúpida.

– Pode concluir o que você quiser – respondeu Irene. – Mas não lhe darei minha missão, não lhe darei meu aprendiz; e, se eu fosse o tipo de pessoa que tem ratos como animais de estimação, não daria a você nem mesmo o meu *rato*. Entendido?

– Claro – disse Bradamant friamente. Ela jogou uma ponta do tecido sobre os ombros num gesto leve e elegante. – Não espere que eu seja gentil com você depois, quando tiver de limpar sua sujeira.

– Ah – murmurou Irene –, nunca esperaria isso.

Bradamant se virou sem dizer mais nada. Seus passos ecoavam na ponte de ferro enquanto ela desaparecia pelo corredor escuro adjacente. Os saltos altos estalaram ruidosamente no piso de madeira e, depois, silêncio.

– Uma explicação seria legal – disse Kai baixinho. Ele não tentou sussurrar, e sua voz ecoou no silêncio.

– Seria – concordou Irene. Ela franziu a testa para o corredor escuro. – Eu mesma queria saber se isso foi pessoal ou político.

– Vocês pareceram ter uma história pessoal. E das grandes.

– Não nos damos – comentou Irene brevemente. – Nunca nos demos bem. Ela consegue realizar suas missões, mas tem uma reputação ruim. Você não ia querer trabalhar com ela. – Irene saiu andando na direção do corredor.

– Irene – disse Kai, e ela ficou surpresa de uma forma indefinida pelo fato de ele tê-la chamado assim pelo nome. – Entendo que você não gosta dela...

– Não gosto nada dela – cortou Irene, mantendo, com esforço, os passos calmos e controlados, não se *permitindo* se afastar da conversa. – Não quero que minha grande aversão pessoal a ela me faça caluniar uma pessoa que é uma eficiente, competente e até *admirada* Bibliotecária.

Kai assobiou.

– Nossa, você realmente não gosta dela!

– Nós nos desgostamos tanto que ela *pode* ter planejado essa ceninha toda por puro capricho só para mexer comigo – emendou Irene. – Só que seria preciso uma série improvável e singular de coincidências para ela ter descoberto que eu tinha uma missão e estar aqui para me interceptar. O que significa política. – Irene entrou no corredor escuro, ainda um passo à frente de Kai.

– Quem é o supervisor dela?

– Kostchei.

– Ah – Kai ficou em silêncio por alguns passos –, ele. Sabe, sempre achei que esse era um nome meio dramático para ele escolher, mesmo para este lugar.

Irene deu de ombros, feliz com a mudança de assunto. Era verdade que vilões de contos de fadas russos não eram a escolha de nome mais óbvia. Mas, por outro lado, sua própria escolha por "Irene" não foi nada ditada pela lógica. Pelo menos "o Imortal", a alcunha que normalmente acompanhava aquele nome, era bem precisa para um Bibliotecário que havia chegado à idade dele.

– Quando éramos alunas, algumas pessoas passavam horas tentando escolher como se chamariam depois de sua iniciação. Ficavam dizendo "Que tal esse?", ou "Você acha que Mnemósine soa bem ou é óbvio demais?", ou "Gosto de Arachne, você acha que combina comigo?".

Kai deu uma gargalhada.

Eles caminharam juntos, passando por salas e mais salas lotadas de livros. Apesar de haver caminhos mais rápidos (e não lineares) para percorrer a Biblioteca, Irene precisaria da autorização de um Bibliotecário sênior para usá-los. Na ausência de tais atalhos, tudo que ela e Kai podiam fazer era andar e prestar atenção aos pontos de referência. Finalmente, o corredor deu em uma sala pequena, cuja principal característica era uma porta de ferro na parede oposta. As paredes estavam cobertas de estantes cheias, mas pôsteres grandes cobriam várias seções de livros. Eles anunciavam coisas como INFESTAÇÃO DE CAOS, SÓ ENTRE COM PERMISSÃO, FIQUE CALMO E MANTENHA-SE LONGE e ISTO É DIRECIONADO A VOCÊ. Kai apoiou os punhos nos quadris e olhou para os pôsteres.

– Me diga uma coisa, há gente aqui que simplesmente não se toca?

– Me diga você – retrucou Irene –, considerando algumas das pessoas que você provavelmente conheceu aqui. – Ela enfiou a mão no bolso e pegou o resumo da missão passado por Coppelia.

– Antes que a gente prossiga – disse Kai com mais seriedade –, e Kostchei e Bradamant? Você acha que ela está trabalhando para ele?

Irene puxou o lóbulo da orelha. *Nós podemos ser escutados.* Como Kai pareceu não se tocar, ela o puxou de forma mais óbvia.

– Ou você acha...

– Prefiro achar quando estivermos do outro lado – cortou Irene. Bom, *posso dar adeus à potencial sagacidade criminosa de Kai e à sua habilidade de captar as coisas.* – Vamos pegar informações com o Bibliotecário de lá antes de chegarmos a qualquer conclusão.

Kai murchou os ombros.

– Claro – disse ele secamente –, como queira.

Irene decidiu pedir desculpas depois, bom, ao menos em parte, e se virou para encostar o resumo da missão na porta. O metal sólido soou levemente como um sino distante, depois ecoou de novo, soando até a sala estar tomada por harmonias distantes.

Kai se aproximou, aparentemente disposto a deixar o mau humor de lado por um momento.

– O que aconteceria se isso aí fosse falso?

– O som não teria sido tão agradável – respondeu Irene –, e guardou o resumo no bolso, esticando a mão para abrir a porta. A maçaneta girou com facilidade, abrindo a porta para deixá-los entrar em outra sala cheia de livros, armários de vidro e lampiões acesos.

A sala tinha aquele ar indefinido de todas as coleções de museu, de alguma forma fascinante e abandonada ao mesmo tempo. Havia manuscritos nos armários de vidro, com o dourado das iluminuras e ilustrações brilhando na luz a gás. Apenas um documento estava aberto na mesa no centro da sala, ao lado de um bloco e de uma caneta com aparência moderna. O teto alto em arco estava com teias de aranha nos cantos, e poeira se acumulava nas fendas

das paredes com painéis de madeira. Ao lado da entrada da Biblioteca havia uma máquina meio velha e barulhenta, cheia de mecanismos, engrenagens e fios cintilantes, com um mecanismo de impressão com aparência primitiva e uns tubos anexados.

Kai olhou ao redor.

– Devemos tocar alguma campainha?

– Acho que não precisamos – respondeu Irene, fechando a porta e ouvindo-a se trancar. – Imagino que o senhor Aubrey já tenha sido alertado. Os Bibliotecários que cuidam de Travessias fixas como esta não as deixam desprotegidas.

Houve um chiado. Vários tubos da máquina se iluminaram e a impressora começou a trabalhar, cuspindo uma fita comprida de papel, letra por letra.

Kai pegou-a e leu.

– Bem-vindos – leu ele. – Fiquem à vontade, estarei com vocês...

A impressora parou com um barulho metálico e dando a impressão de que definitivamente não voltaria a funcionar.

– Em pouco tempo, espero – disse Irene.

– Que legal. – Kai começou a andar perto dos manuscritos, dando uma espiada neles. – Olhe, esse diz que é um Keats original, *Lamia*, mas não sei o que está fazendo em Manuscritos Clássicos, nesse caso...

– É porque estou fazendo uma referência cruzada com o material de Plutarco. – A porta do outro lado da sala foi aberta e revelou um homem de meia-idade e pele escura. – Bom dia, sou Dominic Aubrey. **A ação de ver vocês é um prazer** – acrescentou na Linguagem.

– **A ação de conversar com você é um prazer** – respondeu Irene. – Sou Irene e este é Kai. Estamos aqui por causa do manuscrito de 1812 dos Irmãos Grimm.

Irene reparou que Kai estava de testa franzida e se lembrou do quanto, em seus dias pré-iniciação, a Linguagem podia soar de modo estranho. Ouvintes não treinados ouviam-na em sua língua materna, mas com um certo sotaque não identificável. Bibliotecários, claro, ouviam como ela verdadeiramente era, o que a tornava a ferramenta fundamental para verificações, senhas e confirmações, tal como agora.

Dominic Aubrey assentiu.

– Eu os convidaria a sentar, mas só há uma cadeira. Por favor, fiquem à vontade para se apoiar onde acharem melhor. – Ele ajeitou nervosamente os óculos, empurrando-os para o fundo de seu nariz, e então mexeu em seu casaco. Usava o que parecia um traje vagamente vitoriano das linhas de tempo mais comuns. As peças incluíam camisa branca padrão com colarinho engomado, sobrecasaca preta, colete e calças. O cabelo liso estava preso em um rabo de cavalo apertado que chegava até o meio das costas. – A situação, bem, se desenvolveu um pouco desde meu último relatório.

Irene se encostou na beirada da mesa, esforçando-se para não parecer que estava condenando, julgando ou recriminando, mesmo fazendo tudo isso.

– Entendo. Afinal, este é um mundo infestado de Caos. Talvez você queira nos informar sobre tudo desde o começo. – Irene olhou para Kai, e ele assentiu em concordância, esperando que ela tomasse a dianteira.

– Muito bem. – Dominic se sentou na cadeira, cruzou os braços e se inclinou para a frente. – Fiquei sabendo da primeira edição dos Irmãos Grimm quando ela entrou em circulação depois da morte de Edward Bonhomme. Ele era dono de uma propriedade local e bibliófilo. Tinha uma boa seleção de cortiços e obtinha um bom lucro com eles, usando o dinheiro com os livros. Infelizmente, ele era o pior tipo de acumulador: nunca convidava ninguém para ir até lá, nem deixava ninguém dar uma olhada nos livros, nunca, só os deixava trancados e se gabava deles. Sabem como é?

– Já tive de visitar algumas pessoas assim – comentou Irene. – Houve algo suspeito na morte dele?

Dominic deu de ombros.

– Ele caiu da escada, quebrou o pescoço e foi encontrado de manhã pela empregada. Estava na casa dos oitenta anos, comprava as velas mais baratas do mercado e o tapete da escada estava gasto demais. Muitas pessoas lucraram com a morte dele, mas nenhuma parecia ter um motivo significativo. A polícia tratou como acidente e ficou por isso mesmo.

Irene assentiu.

– E o livro?

– Foi leiloado depois da morte de Bonhomme, junto com alguns outros da coleção. O dinheiro era para fornecer recursos para uma bolsa de estudos no nome dele em Oxford. Típico esnobismo pós-morte. – Dominic suspirou. – Enfim. O boato se espalhou rapidamente e os lances subiram velozmente. O livro foi comprado pelo Lorde Wyndham. Ele é, ou era, mais um colecionador geral de bugigangas caras do que um verdadeiro bibliófilo, mas o preço do livro e o interesse da sociedade o tornaram uma coisa que ele queria para sua coleção. E conseguiu.

– Ele *era*, você disse. – A sensação ruim de Irene era cada vez maior.

– Ah, sim. Exatamente. Alguém enfiou uma estaca nele alguns dias atrás.

– Enfiou uma estaca?

– Ele era um vampiro. Usaram métodos tradicionais, sabe? Enfiar uma estaca no coração, cortar sua cabeça, encher a boca com alho... se bem que, para ser justo, deixar a cabeça empalada na cerca em frente à porta, onde todos os convidados da festa dele podiam ver, pode ser considerado meio extremo.

– E o livro sumiu, certo?

– Certo! – disse Dominic com entusiasmo. – Como você adivinhou?

Kai levantou a mão.

– Com licença. Aqui os vampiros são considerados parte normal da sociedade?

– Hum, bem. – Dominic ergueu um dedo. – *Ser* um vampiro ou lobisomem não é ilegal por si só. Atacar ou assassinar alguém por causa de ímpetos vampirescos ou licantropos é... Mas, como sempre, ter muito dinheiro ajuda a afrouxar um pouco as regras e Lorde Wyndham tinha muito dinheiro.

Irene assentiu.

– Então ele foi assassinado, isto é, enfiaram uma estaca nele, em sua própria festa, e alguém roubou o livro?

– Ah! Mas a trama só se complica. – Dominic levantou o dedo novamente. – Uma famosa ladra foi vista deixando a mansão naquela noite. Apesar de não se ter notícia de que ela já tenha matado alguém, parece muita coincidência que ela, por acaso, estivesse roubando a casa na mesma noite que Lorde Wyndham foi assassinado.

Irene assentiu.

– Ela foi vista fugindo, você disse?

– Dramaticamente. Pulou do telhado da casa para agarrar uma escada pendurada em um zepelim que passava.

– Espere, zepelim?

– Faz parte dos hábitos científicos daqui. Zepelins, raios da morte, mesmo que não tenham conseguido fazê-los funcionar direito ainda, e outros instrumentos de destruição. Além disso, aqui há biomutações, tecnologia mecânica, spas elétricos para cuidados com a saúde...

Irene olhou para Kai. Ele tinha uma expressão que era um misto de verdadeiro interesse e atenção.

– Lembra que eu disse que não gosto de infestações de Caos? – perguntou Irene. – Aqui está a razão.

– Mas zepelins são legais – protestou Kai. – Não podíamos tê-los no meu antigo alternativo por causa da poluição, mas acho que seria bem legal. Lá no alto, no céu, oscilando com o vento, atravessando a curva do mundo com terras e mares esparramados embaixo...

– Sofrendo uma queda bem alta – acrescentou Irene.

Ele só olhou para ela.

– Peço desculpas – disse Irene rapidamente para Dominic. – Continue, nos fale sobre essa ladra.

– Ela é chamada de Belphegor – disse Dominic, parecendo achar mais graça do que se irritando com as interrupções deles. – Ela é alta, muito alta. Aparentemente, usa um macacão colado ao corpo de couro preto e máscara dourada.

– Algum detalhe sobre a máscara?

– Acho que as pessoas normalmente estão ocupadas olhando o macacão de couro preto.

Irene suspirou.

– Então temos uma ladra incrivelmente encantadora que anda por aí de macacão de couro preto e mata vampiros no tempo livre?

– Eu cuido dela – disse Kai com entusiasmo.

Irene levantou uma sobrancelha.

– Como você sabe que eu não quero pegá-la?

– Você quer?

– Envolvimentos com ladras encantadoras nunca terminam bem.

– E você já teve algum?

– Um – respondeu Irene, e torceu para não estar ficando muito vermelha.

– Ah, você é *essa* Irene – disse Dominic com um tom de surpresa. – Lembro de Coppelia me contar a história. Vocês não acabaram tendo uma espécie de confronto no meio de uma recepção e...

Irene levantou a mão.

– Podemos nos concentrar no problema atual, por favor?

– É um prazer ver que você está encarando isso com tanta disposição – comentou Dominic. – Alguns Bibliotecários juniores, a essa altura, sairiam correndo para o ponto de Travessia e tentariam abandonar a missão. Mas não você. Não, consigo ver que você está disposta a encarar a tarefa e ansiosa para seguir em frente. – Ele deu um largo sorriso.

Irene respirou fundo.

– Estou encarando como um desafio – disse vagamente. *E nem pensar que vou deixar Bradamant fazer isso no meu lugar.*

Kai levantou a mão.

– Posso fazer uma pergunta?

– Por favor, faça – disse Dominic.

– Você tem algum tipo de dossiê que possamos ler sobre este lugar?

Dominic assentiu.

– Tenho algumas anotações sobre assuntos atuais, história, geografia, tudo isso. Também criei identidades falsas, masculinas e femininas, para quando Bibliotecários viessem me visitar. Vou passar duas para vocês, com fundos e tudo mais. Não se preocupem, não vou abandoná-los. Só queria ver como reagiriam à situação.

– Sinceramente – disse Irene –, parece uma história de terror barata.

– Sinceramente – comentou Dominic –, é mesmo.

Irene suspirou.

– Bem. Então Lorde Wyndham está morto, e não é mais nem um morto-vivo. O livro foi supostamente roubado pela ladra Belphegor e... tem mais, imagino?

– Não muito – respondeu Dominic, como quem pede desculpas. – Isso tudo foi só há dois dias, compreende? Os jornais ainda estão falando sobre isso. Na verdade, se quiserem investigar a história como parte de seu disfarce...

– Boa ideia – concordou Irene. – Qual é a situação dos gêneros aqui?

– As mulheres costumam ser aceitas na maioria dos ofícios, exceto como soldados no exército. Lá, elas costumam trabalhar nas divisões de engenharia. Não há nada de incomum em uma repórter mulher, mas elas costumam ficar com as páginas sobre alta sociedade e escândalos. Será bem adequado.

– E tem magia?

– Não exatamente – respondeu Dominic lentamente –, mas temos vampiros, lobisomens e outras criaturas sobrenaturais. Tenho uma teoria de que a tecnologia esquisita daqui é, na verdade, uma evolução estrutural do que se manifestaria em outros lugares como magia direcionada, mas não posso provar.

Irene assentiu.

– Você tem alguma teoria para a falta de interferência dos dragões?

Dominic riu debochadamente.

– É a típica incompreensão burocrática nos resumos dos meus relatórios. Os dragões não interferem aqui porque não *precisam*. Pode haver um alto nível de infestação de Caos, mas há também muitos espíritos naturais inerentes à ordem local zumbindo por aí, metaforicamente falando, claro, e eles parecem estar funcionando como contrapeso. Na verdade – disse ele com entusiasmo –, acho que aqui temos base para um estudo completo sobre como um alto nível de magia em um mundo reage a uma infestação de Caos operando de formas não caóticas. Assim, a ordem natural é reforçada pela tecnologia com ciência estranha, além de fortalecida sobrenaturalmente. Essa última acontece por meio de uma estrutura hierárquica de espíritos guardiões e reforço fundamental...

– Mas você não consegue fundos para isso? – perguntou Irene solidariamente, antes que ele pudesse ir em frente.

Dominic se abateu.

– Ignorantes – murmurou ele.

Kai levantou a mão.

– Então, teoricamente, esses espíritos locais seriam uma fonte útil de informação? Passei os últimos cinco anos preso na Biblioteca, conheço a teoria, mas não como se age na prática...

– Bem pensado – disse Irene, mas viu Dominic franzindo a testa. – O que foi, há algum problema?

– Eles podem ser perigosos – respondeu Dominic, e mexeu nos óculos de novo. – Eu não os recomendaria como primeira opção. Para ser sincero, não tive muitas oportunidades de investigar as coisas eu mesmo... meu disfarce, sabe. Há um limite até onde posso ir como Chefe de Manuscritos Clássicos. Vocês provavelmente devem descobrir mais coisas na rua.

Irene assentiu.

– Então, vamos deixá-los como última opção. Você tem alguma atualização local da Linguagem que eu precise conhecer?

– Coloquei no resumo – disse Dominic. – Mas não há muita coisa. O vocabulário é bem genérico. Um vampiro é um vampiro do jeito que se espera, com dentes e tudo. Na verdade, se quiserem esperar aqui, vou buscar a documentação, depois podem ir e começar o trabalho.

Kai olhou para as próprias roupas.

– Assim? – perguntou ele.

– Vocês terão de alegar que são visitantes bárbaros do Canadá – respondeu Dominic com alegria. – Tenho algumas roupas para emergências, mas, considerando as circunstâncias atuais, vocês podem se passar por estudantes até conseguirem comprar roupas que sirvam melhor. Vocês só precisarão de alguns sobretudos até conseguirem chegar a uma loja. – Ele se levantou, limpando as mãos uma na outra. – Volto em um momento. Não se preocupem.

– Obrigada – disse Irene, sufocando um suspiro de alívio, mas ele já havia saído pela porta. Talvez a saída rápida tenha sido por constrangimento. Afinal, ajudar Bibliotecários visitantes a manterem a discrição era parte do trabalho do Bibliotecário em Residência. Normalmente envolvia um *pouco* mais do que "tome um sobretudo e a loja mais próxima é ali". Irene considerou as possíveis desculpas para o vendedor. *Lamento muitíssimo, mas nossa bagagem foi toda roubada enquanto desembarcávamos do transatlântico...*

Kai se alongou e olhou ao redor com inquietação.

– Você acha que bárbaros canadenses usam calças jeans?

– Espero que mulheres bárbaras canadenses usem calças – respondeu Irene secamente. – É mais fácil correr com elas.

Kai se virou para olhar para ela.

– Você já viu uma infestação de Caos muito ruim? – perguntou ele.

– Não – Irene respondeu baixinho. – Só moderadas. Mas ouvi coisas. Conheci uma pessoa que já entrou em uma e vi alguns de seus relatórios.

Há algo de viciante nisso, ele escreveu. *O mundo em si parece mais lógico e plausível. Há uma sensação de que tudo faz sentido, e sei que isso só acontece porque o mundo em si está se moldando parte a parte para formar um todo, mas ninguém acreditaria no quanto isso me deixa à vontade.*

Kai estalou os dedos na frente do rosto de Irene, e ela piscou para ele.

– Hã, hã. Você podia ao menos me contar em vez de ficar aí sentada pensando e achando que está me protegendo, sei lá.

– Você se dá muita importância – disse Irene, tentando não se sentir irritada. – Tudo bem. Lembra-se dos estágios de infestação? Afetivo, intuitivo, supositivo e conglomerativo?

Kai assentiu.

– Pelo que você e Dominic estavam dizendo, este mundo está afetivo, passando para intuitivo, não é? Então, a teoria sugere que ele está se distorcendo, para em seguida chegar ao estágio em que as coisas tendem a cair em padrões narrativos. Então, em vez de a ordem prevalecer, os eventos começam a seguir o tipo de ritmo ou lógica que podemos encontrar na ficção ou em contos de fadas, o que pode ser apavorante. Mas deve ser difícil de perceber, claro, pois, mesmo em mundos ordenados, os fatos podem ser mais estranhos do que a ficção... Ainda não está totalmente lá, está?

– Não. E isso é interessante. Me faz pensar que Dominic tem razão sobre a teoria de que a ordem está sendo reivindicada. Gostaria de entender melhor. – Irene se afastou da mesa e começou a andar pela sala, olhando distraidamente para as várias estantes de vidro. – Agora, se um mundo *pudesse* ser estagnado nesse ponto para não ir ainda mais para o Caos, seria útil saber como isso pode ser feito. Não sabemos quantos mundos existem, então não sabemos quantos perdemos para o Caos. Mas perdemos o suficiente daqueles que conhecemos. E os dragões não estão interessados em falar conosco sobre como *eles* fazem seja lá o que eles fazem.

Kai tossiu.

– Assim como não estamos interessados em falar com eles sobre como nós fazemos o que *nós* fazemos?

Irene se virou para olhar para ele. Com um olhar fulminante, ela esperava.

– Você acha que é a primeira pessoa a usar esse argumento?

– Claro que não. – Ele deu de ombros. – Mas os fatos permanecem. Nós não falamos.

– Uma vez encontrei um – disse Irene.

– Sobre o que vocês conversaram?

– Ele elogiou meu gosto literário.

Kai piscou.

– Não parece um tipo de conversa muito ameaçadora.

Irene deu de ombros.

– Bem, foi ele quem *pegou* o pergaminho que nós dois queríamos. É que havia uma... – Irene o viu afastar o olhar. – Ah, não importa.

Havia uma sala cheia de madeiras e ossos fabulosos, fui levada até lá por dois criados e estava realmente com medo de morrer. Eu tinha invadido a propriedade particular dele e, sem perceber, negociado o pergaminho com um de seus nobres. Tinha me enfiado em uma enrascada e estava afundando cada vez mais.

– Não quero ser indiscreto – disse Kai de forma nada convincente.

Ele parecia quase humano. Tinha escamas nas bochechas e nas costas das mãos, tão finas quanto penas ou pelos. Tinha garras, com as unhas bem-cuidadas, a ponto de assumirem um brilho de madrepérola. Tinha chifres. Os olhos pareciam pedras preciosas no meio do rosto. A pele era da cor do fogo, mas parecia natural; em comparação, minha pele era manchada e sem vida.

– Não há muito a contar – disse Irene. – Ele me deixou ir.

Ele discutiu os poemas no pergaminho. Elogiou meu gosto. Explicou que não esperava me ver nem a nenhum outro representante da Biblioteca naquela área novamente. Concordei, fiz uma reverência e agradeci a gentileza dele.

– Só isso?

Nenhuma linguagem que eu soubesse teria palavras para descrevê-lo.

Irene tentou parecer indiferente.

– Como disse, ele aprovou meu gosto literário.

Uma hora depois, Irene abotoava uma jaqueta e uma saia longa enquanto Kai esperava em frente ao provador, sentado em uma cadeira bamba e lendo os dossiês. A loja de roupas de baixo custo para a qual Dominic os direcionara era barata, muito barata, e pouco podia ser dito sobre ela além do fato de ser acessível. Se eles fossem se infiltrar na alta sociedade, precisariam de roupas melhores e de trajes que não dependessem de sobretudos.

– Essas listas não fazem sentido – reclamou Kai. – Dizem a mesma coisa dos dois lados da página.

Claro, ele estava olhando para as páginas de vocabulário da Linguagem. Como não era Bibliotecário, veria sua língua nativa em vez de a Linguagem.

– Sim – concordou Irene –, é o que parece para você. Devo ficar surpresa de você estar tentando ler? – Ela ajeitou a gola da blusa para que seus babados ficassem acima da jaqueta e abriu a porta do provador para se juntar a ele.

– Você não pode me culpar por tentar – disse Kai alegremente. Ele a olhou de cima a baixo. – Você vai usar aplique de cabelo? A maioria das mulheres que vimos até aqui tem cabelo mais longo do que o seu.

Irene olhou sem entusiasmo para a meia peruca surrada que estava na mesa, como se fora um esquilo escuro e sujo.

– Usar essa coisa vai causar mais problemas do que ficar sem ela – decidiu. – Vou ser contra a moda. Fiquemos agradecidos por espartilhos não serem mais peças necessárias.

– Por que *eu* deveria ficar agradecido? – perguntou Kai, levantando a sobrancelha.

– Porque você não vai ter de lidar comigo usando um – disse Irene secamente. – Agora resuma para mim o que você estava lendo. Pense nisso como...

Houve um estrondo na rua e o som de gritos. Irene se virou para olhar para a janela. Uma espécie de vento forte soprava a névoa em véus longos e cinzentos, cortando o céu como garras.

– Como? – perguntou Kai. Ele ficou em pé em um único e fluido movimento, assumindo uma atitude plácida de superioridade e objetividade.

– Desastres iminentes têm prioridade sobre os testes práticos – disse Irene. – Vamos ver o que está acontecendo lá fora.

CAPÍTULO 4

Kai desceu a escada e saiu primeiro, mas prontamente parou, seu rosto virado para olhar o céu como todo mundo na rua. Irene, um passo atrás, também olhou para cima.

Cinco zepelins pairavam no céu enevoado, com as hélices cortando as nuvens. Enquanto todos exibiam a mesma identidade visual azul-escura e vermelha, um era bem maior do que os outros que haviam assumido posições ao redor dele. Esse zepelim, em particular, exibia faixas douradas cintilantes e meio espalhafatosas e também um brasão de armas em sua lateral.

Irene apertou os olhos, mas não conseguiu identificá-lo.

– Kai – murmurou ela –, você consegue ver o desenho pintado naquela aeronave?

Kai protegeu os olhos do sol com as mãos e os apertou.

– Há uma águia no alto, à esquerda, em preto e branco sobre dourado. No alto, à direita, uma coroa verde com listras pretas e douradas na diagonal. Embaixo, à esquerda, há um escudo vermelho e branco dividido verticalmente, e, à direita, uma espécie de harpia, também em preto e branco sobre dourado. Há uma trompa bem embaixo, com um escudo vermelho e dourado dividido horizontalmente ao meio.

68

Irene franziu a testa, tentando relembrar seus conhecimentos de brasões, pois esteve em alguns lugares onde isso tinha sido importante, mas uma coisa tão carregada deveria ter ficado em sua mente... ah, espere, pronto.

– Parece – disse Irene lentamente – Liechtenstein.

– Achei que isso não existisse – comentou Kai, inexpressivamente.

– Claro que existe! – repreendeu um jornaleiro que estava empoleirado em um banco velho ao lado dos seus jornais e de uma placa dramática que dizia: ASSASSINO RONDA LONDRES. – São os melhores construtores de zepelins do mundo, não são?

– Lamento muitíssimo – disse Irene. – Meu amigo é do Canadá e não sabe muita coisa sobre a Europa.

– Ah. Então, tá. – O homem idoso assentiu, como se isso fizesse perfeito sentido. – Quer comprar um jornal, amor? Tenho todas as notícias sobre o terrível assassinato do Lorde Wyndham.

– Pague ao homem, Kai – instruiu Irene, e pegou um dos jornais, de papel fino e áspero, e com uma densa tinta preta que ameaçava manchar suas luvas.

Kai entregou ao homem algumas das moedas de Dominic.

– Já fizeram alguma prisão? – perguntou ele.

– Que nada! – O homem se inclinou para a frente e bateu na lateral do nariz enquanto olhava para os zepelins. – Mas sabe o que dizem?

– Que os liechtensteinenses estavam envolvidos? – palpitou Irene, apontando com o jornal enrolado para os zepelins acima.

– Isso mesmo. Faz sentido, não faz? Com eles aparecendo tão pouco tempo depois que aquele lorde morreu e tudo mais. E dizem ainda que o embaixador deles era amigo do Lorde Wyndham. Um amigo muito pessoal, se você me entende. – O velho piscou. – E dizem que também era seu arquirrival e que eles – ele fez uma pausa para verificar a primeira página do jornal – viviam fazendo intrigas um contra o outro da maneira mais diabólica possível.

– Esse embaixador também é um vampiro? – perguntou Irene. Seria totalmente inapropriado da parte dela usar Kai como isca se os gostos do embaixador fossem por esse caminho. E lembrou a si mesma de que esse era o tipo de coisa que Bradamant faria.

– Que nada. Onde você anda passando seu tempo, amor? Não, ele é do povo feérico, sabe. Sempre tem de mandar artistas desenharem suas imagens nos jornais, porque nenhuma das câmeras funciona com ele, nem mesmo essas que os gênios fazem.

– Povo feérico – disse Irene, com uma sensação fria surgindo na boca do estômago. Isso era ruim.

O Caos gostava (se é que gostar era a palavra) de se manifestar em um mundo em que podia tirar vantagem de leis ilógicas. Vampiros e lobisomens eram particularmente vulneráveis ao Caos. Afinal, estritamente falando, por que lobisomens deveriam ser alérgicos a prata, ou vampiros a alho, arroz grudento ou a um monte de outras coisas? O mesmo se aplica ao raciocínio por trás dos vampiros se erguerem três dias após a morte, ou mesmo por trás de boa parte do que havia sobre *Drácula*... a questão era que o Caos usava criaturas que obedeciam às leis ilógicas de forma lógica. Feéricos ou fadas ou elfos ou youkai, ou como quer que fossem chamados, estavam entre seus agentes favoritos. Alguns eram até personificações vivas do Caos, mantendo-se obscuramente entre vários mundos e tomando a forma presente nos sonhos humanos e histórias. Se houvesse um povo feérico se manifestando naquele mundo e sendo aceito pela população, Irene precisava saber. Dominic havia feito uma anotação no dossiê sobre Liechtenstein ser um "potencial portal de Caos", mas não entrou em detalhes. Ela gostaria que ele tivesse entrado. Liechtenstein podia ser a essência de todo o Caos nesse mundo se, por acaso, tivesse sido enfraquecido por sobrenaturais ou feéricos demais vivendo lá, embora a essa altura ela só pudesse especular. De todo modo, isso transformava qualquer agente ativo operando de Liechtenstein em um suspeito em potencial.

– Certo – disse ela bruscamente, se afastando um pouco para o homem velho não ouvir e fazendo sinal, com um aceno de jornal, para Kai se aproximar. – Vamos nos separar. Quero que você descubra tudo que puder sobre o embaixador de Liechtenstein, a embaixada e o envolvimento dele na situação atual. Vou verificar a casa de Wyndham. Vamos nos encontrar no hotel que fica em Russell Square, no máximo às oito. Se for se atrasar, encontre uma forma de me enviar uma mensagem.

– Espere – disse Kai lentamente. – Você vai simplesmente me mandar embora assim?

– Claro – respondeu Irene com firmeza, e tentou ignorar a leve sensação de inquietação. – Você já era competente quando a Biblioteca o recrutou. Não nos ajudará em nada você ficar grudado em mim o tempo todo. – *E vou enlouquecer se tiver de trabalhar com alguém espiando por cima do meu ombro o tempo todo.* – Precisamos de informações o mais rápido possível. Conto com você. Algum problema com isso?

Kai olhou para Irene por um momento, depois levou o punho direito ao ombro esquerdo e fez uma reverência.

– Pode contar comigo para fazer minha parte do trabalho.

– Excelente. – Irene sorriu para ele. – Então vejo você em algumas horas.

Kai sorriu para Irene, com o rosto surpreendentemente caloroso por um momento, depois se virou e desceu bruscamente pela rua, pronto para agir.

Irene só conhecia Kai há poucas horas, mas havia alguma coisa de confiável nele. E ela precisava admitir que a forma como ele disse "fazer a parte dele" do trabalho foi um modo equilibrado de elaborar a frase. Sem tentar fazer a parte dela também, sem pensar em pular fora...

Irene estava mesmo começando a *gostar* dele? Não seria difícil. Kai era simpático. Ela gostaria de dividir uma missão com alguém de quem gostasse, seria uma boa mudança.

Irene puxou o véu para cobrir parcialmente o rosto e proteger a boca e o nariz da fumaça e do vapor. A maioria das outras mulheres na rua também usava véus sobre a parte inferior do rosto, que variavam de peças finas de seda nas mais abastadas, a peças de algodão e linho nas pobres. Os homens, por sua vez, usavam seus cachecóis levantados até a boca. Ela se perguntou como fariam no verão.

Irene parou para olhar a primeira página do jornal, cuja manchete dizia:

DESENVOLVIMENTOS RECENTES NO CASO DO ASSASSINATO DE WYNDHAM

Nosso correspondente informa que a polícia fez grandes progressos e espera efetuar uma prisão a qualquer momento.

Então havia uma boa chance de a polícia ainda estar perdida. Ótimo. Seria difícil retirar o documento alvo de uma delegacia se, por acaso, pegassem a ladra e a prendessem.

Irene enrolou o jornal enquanto observava a rua. O tipo de táxi local era preto, pequeno, e parecia uma combinação de uma carruagem antiga e um carro elétrico. Com acenos determinados, ela conseguiu fazer sinal para um e pediu ao motorista que a levasse até a estação de metrô de Hyde Park Corner, a algumas ruas da residência de Lorde Wyndham.

A casa de Lorde Wyndham ficava em uma rua abastada, com fachadas de mármore e sarjetas limpas, coisa incomum nessa Londres sempre tão suja. O local estava escuro e vazio, em contraste com as casas dos dois lados, ambas já iluminadas por causa da tarde escura. Lembrando-se de experiências passadas, Irene seguiu para a entrada dos criados, nos fundos.

Estava trancada.

Irene lançou um olhar para trás. Embora o beco fosse bem mais agitado do que a ampla rua da frente, não havia ninguém à vista, ou melhor, ninguém perto o bastante para ouvi-la. Ela levou os lábios para perto da fechadura e ordenou, usando a Linguagem:

– **Fechadura da porta de entrada dos criados, fechada e trancada, abra-se agora!**

Os mecanismos da tranca tremeram e se abriram com um vigor recompensador. A porta estremeceu e o trinco se recolheu, enfim revelando um corredor escuro por trás da porta aberta.

Irene andou pelo corredor dos criados até a parte principal da casa. As marcas das investigações policiais eram evidentes: as gavetas ainda estavam abertas, havia pilhas de panos e roupas por todo o lado e marcas sujas de botas nos luxuosos tapetes vermelhos. O local também não fora arrumado depois da "grosseira interrupção" da festa. Pratos e copos sujos estavam empilhados ou em cima de mesas enceradas, e os cinzeiros transbordavam com bitucas de charutos e cigarros.

Apesar de procurar com certa curiosidade horrorizada, Irene não conseguiu descobrir nenhuma câmara secreta de tortura, nem salas com estranhos dispositivos vampirescos. Mas descobriu que os livros expostos com destaque em todos os aposentos haviam sido limpos, mesmo estando com as lombadas impecáveis e sem marcas. Tinham o ar triste e intocado de literatura feita para ser exibida, mas nunca efetivamente *usada*. Era profundamente deprimente.

O escritório de Wyndham era uma sala ampla com obras de arte e supostos trabalhos do artista Degas em demasia nas paredes; havia mais de dez imagens de mulheres com saias de balé, exibindo as pernas. Cortinas vermelhas pesadas combinavam com o tapete vermelho grosso e com as paredes de madeira escura. Os passos de Irene foram silenciosos.

A pesada escrivaninha de carvalho não tinha nenhum papel, e todas as suas gavetas estavam trancadas. Se precisasse, Irene poderia abri-las mais tarde. Mas uma marca profunda maculava sua superfície. Devia ter sido feita na hora em que cortaram a cabeça de Wyndham. Manchas de sangue penetraram na madeira e escorreram para fora da linha do corte. Irene achou que não poderiam ser removidas. A cadeira grande atrás da escrivaninha (de ébano com almofadas de couro preto – tão vulgar) fora empurrada para trás em algum momento, depois reposicionada, mas ficara caída tempo suficiente para deixar uma marca no tapete fofo.

O sangue também penetrara no tapete, embora não estivesse muito visível, formando uma mancha ligeiramente mais marrom-escura em meio ao vermelho intenso. A estante de madeira e vidro no canto podia ser onde o livro dos Irmãos Grimm ficava, concluiu Irene. Por um lado, o armário era cheio de trancas, ferrolhos e alarmes complicados; por outro, ele agora estava vazio.

Irene se virou pensativa e observou a sala. Wyndham era o tipo de homem que precisaria de um cofre, e que lugar melhor para ter um do que em seu escritório? Ela poderia até apostar algum dinheiro nisso. Agora, só precisava encontrá-lo.

Sem surpresas, o maior dos supostos Degas escondia o cofre. Ela puxou a moldura e examinou a pesada porta de ferro. Tranca de combinação. Bem, ela sempre podia usar a Linguagem para abri-lo, mas...

Ela ouviu passos se aproximando rapidamente na escada principal. Devia ser homem; uma mulher não andaria dessa forma, não com uma saia como a dela. Mas não deveria haver ninguém na casa! Talvez outro ladrão? Que momento maravilhoso para isso.

Rapidamente ela disfarçou o cofre e se escondeu atrás de uma das pesadas cortinas. Suas dobras eram tão grossas que não precisava ter medo de ser descoberta, só de se sufocar.

A porta se abriu com um rangido pesado. O intruso não se dava ao trabalho de ser cauteloso. Irene esperou até ouvir o som do quadro sendo puxado para espiar com cuidado pela beirada da cortina.

O homem estava de costas para ela. Tinha altura pouco maior do que a média, com ombros largos e cintura fina. Seu cabelo pálido, um tom entre cinza e lilás, estava preso em um rabo de cavalo curto que descia até o paletó bem ajustado. As calças também eram bem cortadas e se ajustavam de forma elegante ao seu corpo. Seria um traje social para uma visita formal, se o anfitrião não tivesse sido assassinado. Sua cartola estava inclinada despreocupadamente para o lado e ele usava luvas de pelica cinza claras.

Ele esticou a mão para tocar delicadamente no botão giratório do cofre, mas afastou os dedos com um chiado furioso.

Um aroma leve de carne queimada pairou no ar, mesmo ele estando de luvas.

Irene recolocou a cortina no lugar e pensou. Estava claro que, se Lorde Wyndham havia tomado o cuidado de fazer o cofre de ferro frio, à prova de feéricos, então havia mais em sua aliança com o povo feérico do que se podia perceber. Isso sustentava a teoria de "intriga diabólica" do jornal e se encaixava no que ela sabia dos feéricos. Eles gostavam de relacionamentos complicados, não importando se eram amados ou odiados, desde que a outra pessoa tivesse sentimentos fortes por eles. Fortes o bastante, por exemplo, para instalar um cofre totalmente à prova de feéricos. E, se ela pudesse ter escolhido suas opções algumas horas antes, ficar presa no escritório particular de um vampiro morto com um feérico irritado definitivamente não seria uma delas.

E então, de forma mais alarmante, Irene o ouviu fungar. Não era o barulho de alguém resfriado assoando o nariz, era uma fungada faminta, como que sentindo o sabor do ar.

– Ahhh. – A voz dele pairou no ar como incenso. – Saia, saia, ratinho. Ou devo ir procurá-lo?

Irene respirou fundo, compôs a expressão de despreocupação educada, puxou a cortina e comentou.

– Embaixador de Liechtenstein, presumo?

O rosto dele era tão bonito quanto o corpo sugeria, mas as íris tinham fendas como as de um gato e eram douradas.

– Ora – disse ele, com um tom suave como mel –, você está absolutamente correta. Mas que tipo de ratinha se esconde atrás de cortinas? Você é uma chantagista, ratinha? Espiã? Detetive? Uma ratinha no meio da tapeçaria, esperando ser esfaqueada?

Irene aproveitou a oportunidade para utilizar seu atual disfarce.

– Sou jornalista e vim investigar o assassinato de Lorde Wyndham, senhor. Tinha esperanças de entrevistar o senhor, mas não esperava conseguir contato tão rápido. Se puder perguntar sua visão da situação...

Ele deu um passo na direção dela.

– Para qual jornal você trabalha?

– *The Times* – Irene respondeu. Havia um *The Times* em praticamente todos os alternativos que ela já visitara.

– E como você soube que eu viria aqui, ratinha bonita? – Agora havia algo de predatório em seu rosto.

– Ah, mas é claro que eu não fazia ideia – respondeu Irene rapidamente, colocando a mão em sua pequena bolsa. – Foi uma surpresa encontrá-lo aqui, senhor. Mas acho que não é surpreendente que, ao saber da morte, o senhor naturalmente tenha corrido para a residência dele, com a intenção de expressar suas condolências para os...

Ele segurou o pulso dela.

– Nada de armas, ratinha. Acho que não queremos a polícia vindo aqui. Não, isso tudo será tranquilo e silencioso, e você vai me contar exatamente o que está acontecendo...

Irene podia mentir para ele. Podia tentar resistir. Ou podia simplesmente tirar aquela mão leve, elegante, enluvada e fina de seu pulso.

– Tire suas mãos de mim, senhor – disse ela, com a raiva se insinuando em sua voz. – Ou vai se arrepender.

Ele fez uma pausa.

– Você é muito segura – disse o embaixador, e pela primeira vez houve algo diferente de maldade e autossatisfação na sua voz. Talvez um pouco de insegurança. – Estou curioso. Seria você um pouco mais do que parece?

– Não somos todos? – respondeu Irene.

– E há alguém apoiando você?

– Alguém que você não gostaria de contrariar – Irene respondeu. Agora ela já entendera a desconfiança dele. Até então, ela só conhecera feéricos inferiores, e praticamente todos podiam ser definidos como "tão desonestos e erráticos que cairiam se tentassem andar em linha reta". Mas esse pensava em termos de conspirações e agentes. Ela podia fazer esse jogo tão bem quanto qualquer pessoa. – Mas não posso dar nomes. Nem mesmo para um embaixador. O que eu talvez possa oferecer é um certo grau de cooperação.

O embaixador soltou o pulso dela e levantou uma delicada sobrancelha.

– Você me intriga.

Irene entendia esse tipo de linguagem. Recebia com clareza a mensagem de que ele talvez a achasse útil, e ficar intrigado não tinha nada a ver com isso. Então, ela indicou o cofre.

– Talvez estejamos procurando a mesma coisa, senhor.

Ele assentiu uma vez, com firmeza.

– Talvez estejamos. E então? Abra.

– O senhor tem a combinação?

Ele pegou uma lista de números enquanto Irene trabalhava no mecanismo de combinação do cofre. E, então, ela pensou: foi mesmo só o ferro que o impediu. Ela se perguntou o que ele teria feito se ela não estivesse ali; talvez enfeitiçado ou coagido algum passante na rua ou levado um agente humano mais tarde.

Os dedos enluvados roçaram sua nuca e ela tremeu. *Ele precisa de você agora, ele não vai tentar nada enquanto não obtiver o que está procurando; a melhor maneira de lidar com ele é dar-lhe alguma coisa mais interessante em que se concentrar...*

– Abra – sussurrou ele de muito perto.

Irene abriu a porta do cofre e se afastou do feérico, sentindo fisicamente o foco se desviar dela para o conteúdo do cofre.

Havia várias pilhas de papéis arrumadas na grande cavidade de ferro. Acima delas, um pequeno cartão com o desenho de uma máscara dourada e assinado com o nome *Belphegor*.

Silver sibilou. Suas mãos se fecharam e Irene ouviu as luvas de pelica se rasgarem. Ele se virou para ela com uma expressão furiosa.

Dizer *"Não ponha a culpa em mim"* ou *"Não foi minha culpa"* só a apontaria como vítima. Da forma mais calma que conseguiu, e desejando mais algumas dezenas de centímetros de distância entre os dois, ou melhor, alguns metros, talvez até alguns quilômetros, Irene disse:

– Isso não faz sentido. Se Belphegor roubou o livro e queria destacar o fato, por que deixaria o cartão dentro do cofre e não na escrivaninha?

Ele piscou uma vez e pareceu dar, mentalmente, um passo para trás.

– Realmente – disse o embaixador, andando pela sala. – O importante aqui é o livro. Continue falando, ratinha, me conte o que sabe, o que vê aqui. Conte-me o que você sabe sobre o livro, me explique. Faça meu tempo com você valer a pena.

– Havia duas facções – supôs Irene. Era uma teoria tão boa quanto qualquer outra. Talvez fosse até verdade. Ela precisava de mais dados. O embaixador também parecia estar procurando o livro, então por que não outras pessoas? Talvez ela pudesse usar isso. – E Belphegor não estava necessariamente atrás do livro, talvez estivesse atrás de alguma coisa que Lorde Wyndham guardava no cofre. E se a pessoa ou pessoas que roubaram o livro e mataram Lorde Wyndham fossem completamente diferentes? Se estivessem esperando aqui no escritório enquanto ele dava a festa lá embaixo? – Irene andou até o armário de vidro onde o livro já estivera. – Não sei dizer se tiraram o livro primeiro e depois o mataram, ou vice-versa. – Bem, claro que ela não sabia dizer, estava deduzindo tudo ali na hora, ou, para ser mais precisa, palpitava loucamente. – Mas sabemos que ele foi decapitado na escrivaninha. Depois, saíram pela casa e deixaram a cabeça dele na grade em frente à porta de entrada.

– Por que não saíram pela janela? – interrompeu o embaixador.

– Não abria. – Ela havia olhado para o trinco quando se escondeu no vão da janela. Foi soldada. – Deve ter sido uma das precauções do Lorde Wyndham. Além do mais, tinha uma festa acontecendo. Seria bem simples andar pela casa e sair pela porta da frente se escondessem suas cabeças e caso se parecessem o suficiente com convidados ou criados.

– Hum. – O embaixador se virou e apontou para ela. – E Belphegor?

– Se ela fugiu agarrada à corda de um zepelim que passava, deve ter subido para o telhado.

Ele assentiu.

– E agora, um ponto crucial, ratinha. Não estou pedindo o nome de ninguém, mas, se você não me disser para que grupo está trabalhando, serei relutantemente obrigado a... Ah, para que aliviar as coisas? Não vou ficar nem um pouco relutante sobre isso. – O sorriso dele cortava como uma faca.

Irene tinha quase certeza de que podia invocar a Linguagem contra ele antes de ele chegar até ela ou, simplesmente, bater com a porta do cofre na cara dele, mas quase certeza não era o suficiente. Ela tentou se lembrar do dossiê de Dominic, que oferecera uma lista das sociedades secretas mais conhecidas.

– Para a Catedral da Razão, senhor – disse Irene com relutância, deixando que as palavras saíssem contra a sua vontade. Esse era um dos grupos mais neutros, mais preocupados com o progresso científico em geral do que com matar demônios horrendos e acabar com perigos à humanidade. Ou mesmo ser um perigo à humanidade.

Ele assentiu, como se ela tivesse confirmado uma hipótese.

– Muito bem. Agora, ratinha, tenho uma proposta para você. Ou melhor, para seus chefes. Nós dois queremos o manuscrito, mas vamos consegui-lo mais rápido se trabalharmos juntos. Uma cópia pode ser providenciada. Um acordo pode ser feito. Você concorda?

O que Irene realmente queria dizer era que não gostava de ser chamada de *ratinha*. Ela nem era assim tão pequena: tinha um metro e setenta e cinco, uma altura boa para uma mulher na maioria dos mundos. Independentemente de ser do povo feérico, aquele homem era um cafajeste arrogante, ofensivo e vulgar, e, se ela pudesse, pessoalmente o faria correr uma maratona na frente de uma locomotiva desenfreada.

Mas o que Irene disse foi:

– Sim, senhor. – Ela baixou o olhar de forma submissa. Os feéricos estavam tão acostumados a exagerar e a fazer drama que esperavam que os humanos fizessem a mesma coisa, e sempre ficavam felizes ao verem suas expectativas atendidas. Eles pensavam em tudo em termos de histórias, atuando eles próprios como protagonistas. Eles interpretavam papéis... não, eles *viviam* papéis, e viam o mundo ao redor nos termos do filme mental que estrelavam. Ele queria que ela fosse uma reles agentezinha. Muito bem, ela interpretaria o papel para ele e o usaria para fazer o trabalho, tentando ignorar sua raiva latejante e o começo de uma úlcera.

O embaixador sorriu para ela. Dessa vez foi mais um sorriso sedutor do que um rosnado zangado. Ele foi caloroso o bastante para Irene quase sorrir em resposta, se ela já não soubesse o quanto aquilo era uma máscara. O sorriso era, de alguma forma, convidativo, sugerindo penumbra, luz de velas, proximidade, uma hesitação na respiração, uma mão quente na dela, uma pressão contra seu corpo...

– Boa menina. Espere um momento. – Ele foi até a escrivaninha e começou a abrir as gavetas, a remexê-las em busca de papel, caneta e tinta. – Onde ele guardava... ah, sim. – O embaixador colocou uma folha de papel sobre o sangue seco, abriu um vidro de tinta roxa, molhou a pena e rabiscou um bilhete curto. – Pronto. Vamos dar um baile na embaixada amanhã. Aqui está um convite particular para você. Leve um amigo, até mesmo um amante, se quiser. Encontre-me lá e me dê a resposta de seus superiores à minha pequena proposta. E lembre-se...

Ele deixou a frase pairar no ar. Obedientemente, Irene perguntou:

– O quê, senhor?

– Lembre-se de que eu seria um superior melhor para você do que a Catedral da Razão. – Havia nele um brilho, uma aura, como se a luz que caía sobre ele viesse de outro lugar, de algum lugar mais bonito, mais *especial*. Seus olhos eram puro ouro, tranquilizadores, encantadores, abrangentes. Até as pupilas compridas de gato agora pareciam mais naturais do que qualquer olho humano era capaz de parecer. Ele deu um passo à frente e colocou as mãos nos ombros dela, puxando-a para perto. – Vou ser tudo para você, pequenina. Vou protegê-la e abrigá-la. Você será minha adorada, meu amor especial, meu doce, meu bichinho, minha boneca, o deleite do meu coração.

O embaixador tinha cheiro de especiarias e mel. Irene conseguia sentir o frio das mãos dele esvaindo-se pelas luvas rasgadas e pelo tecido da roupa.

– Diga que será minha – murmurou ele, com os lábios próximos aos dela.

As marcas nas costas de Irene explodiram em uma dor repentina e ela se afastou rapidamente, ofegante. Ele deu um passo em sua direção, mas Irene levantou a mão e ele parou.

– Pertenço...

À Biblioteca.

– À Catedral da Razão – disse Irene com desdém. – Me seduzir para que eu traia meus superiores *não* vai convencê--los a fazer uma aliança.

– Ah, bom. – O embaixador levou os dedos aos lábios e jogou um beijo. – Achei que valia tentar. Vejo você amanhã, ratinha. Não se esqueça, senão vou atrás de você.

Ele se virou, andou até o cofre e pegou os papéis e o cartão de visitas. Irene conseguiu observar o cuidado que ele teve de não tocar no metal frio.

– É apenas nossa correspondência particular, minha querida – disse ele por cima do ombro. – Sobre livros de biblioteca. Nada que possa lhe dizer respeito.

Na tentativa de manter o rosto sem expressão, e ao mesmo tempo curioso, Irene mordeu a língua com tanta força que doeu. Ele podia ter usado a palavra "biblioteca" sem querer. Não necessariamente desconfiava dela. Ou talvez estivesse falando para manter a atenção dela nele, e não em outra coisa...

Uma paranoia foi surgindo na mente de Irene. Algumas pessoas do povo feérico sabiam da Biblioteca. As poderosas. Será que esse feérico em particular era poderoso?

A porta se fechou atrás dele.

Irene quase perdeu o controle. Ele foi mais do que ela esperava, em todos os sentidos. Se não fosse seu vínculo com a Biblioteca, ela talvez não tivesse conseguido resistir a tempo. E o que aconteceria? Só a ideia já lhe deu calafrios. Houve outros casos de Bibliotecários perdidos para o Caos. As histórias não eram muito encorajadoras. Os casos não documentados, menos ainda. E havia também a história de terror, que todo Bibliotecário conhecia, sobre o homem que traiu a Biblioteca. Ele nunca foi pego e *ainda estava solto por aí...*

Irene enfiou as unhas nas palmas das mãos enquanto se obrigava a assumir uma conduta e uma compostura adequadas. Depois atravessou a sala para olhar o documento na mesa; era um bilhete básico de admissão na Embaixada de Liechtenstein para o Grande Baile da noite seguinte.

Assinado, *Silver*.

CAPÍTULO 5

— Descobri tudo – disse Kai enquanto partia um pãozinho ao meio. – Ei, isso é manteiga de verdade. Legal.

– Temos sorte por ela não ser instantaneamente congelada, com vários aditivos químicos suplementares – disse Irene. Eles tiveram dificuldade para encontrar um restaurante que não se anunciasse como novíssimo e superespecial, equipado com os dispositivos científicos mais modernos para conservar, incrementar e cozinhar a comida que serviam. A condição dos clientes após a refeição não era mencionada.

– Essa é uma boa mudança – comentou Kai. Ele colocou a faca entre os dois pedaços de pão com manteiga. – E então, você quer falar primeiro ou falo eu?

Kai estava explodindo de entusiasmo para contar tudo sobre sua investigação. Irene não pôde deixar de se perguntar o quanto ele era discreto como criminoso no alternativo dele, antes de entrar para a Biblioteca. Ela o fez ficar em silêncio até o garçom trazer o vinho e voltar para dentro das cortinas no fundo do restaurante, e tentou não achar muita graça de tudo. Cinco anos de estudo obrigatório claramente o tinham deixado com energia suficiente para acender as lâmpadas de toda Londres.

– Você primeiro – disse Irene –, me conte tudo.

– Certo. Primeiro: neste mundo, Liechtenstein é uma grande potência. Eles fazem os *melhores* zepelins, e todo mundo sabe disso. Aquele vendedor de jornais estava certo. E eles vendem sim informações, mas não os seus grandes segredos.

– Nada de espionagem industrial? – perguntou Irene. – Nada de engenharia reversa de tecnologia, nem tentativas de invadir outros países?

– Não, mas há um motivo para isso. – Kai tomou um gole de vinho. – Ei, até que não é ruim para um buraco como este.

Irene assentiu.

– E qual é o motivo, então?

– O povo feérico os mantém a distância. Eles deixam todo o país bem protegido para esconder as coisas que fazem, o que também mantém os espiões industriais e nacionais longe. Lembra-se daquela história de o embaixador ser do povo feérico? – Kai apertou os lábios por um momento em um gesto de pura repulsa. – Não é só ele. Há muitos em Liechtenstein. Eles proliferam lá, procriam, sei lá. Isso é uma sacanagem lá deles. A população local os tolera. Foi comprada com bugigangas e feitiços chamativos.

Irene franziu a testa. Não parecia que Kai ficaria empolgado com a ideia de irem ao baile da embaixada na noite seguinte.

– Ah – disse Irene de forma neutra, e tomou um gole do vinho. – Então é normal haver gente do povo feérico entre os funcionários da Embaixada de Liechtenstein?

Kai assentiu.

– Eles são até conhecidos por isso. Repórteres de jornal tentavam obter entrevistas nos portões da embaixada. Um deles disse que outras nações em negociação com o país carregavam talismãs de ferro frio agora – de tão ruim que a situação estava.

– Que bom saber que funcionam– disse Irene –, mas funcionam mesmo?

– Bom, as pessoas não os teriam se não funcionassem – respondeu Kai. – A não ser que... – Ele fez uma pausa. – A não ser que o povo feérico esteja fingindo a coisa toda para fazer as vítimas terem uma falsa sensação de segurança.

– Bom, isso também é possível – concordou Irene com certo pesar. E levantou a mão para fazê-lo parar quando o garçom chegou com a sopa, e ficaram em silêncio até ele ter ido embora. – Tudo bem – retomou ela, pegando a colher – continue.

– O embaixador atual está no posto há oitenta anos – explicou Kai, pegando a colher. – Seu nome é Silver. Ou melhor, as pessoas o chamam de Silver. Parece que ninguém fora de Liechtenstein sabe seu verdadeiro nome, isso se alguém souber. E aparentemente é um fato relevante sobre ele que ninguém saiba o seu verdadeiro nome... hum, feéricos. O repórter com quem conversei disse que ele não mudou nada nos últimos oitenta anos, exceto pela renovação de seu guarda-roupa. Ele tem uma reputação típica do povo das fadas. É sedutor, arrogante, festeiro, e patrocina vários artistas.

Irene pensou nisso.

– Ele também patrocina engenheiros? – perguntou ela.

– O repórter não mencionou isso – respondeu Kai. – Por quê?

Irene deu de ombros.

– Só me pareceu relevante considerando que soubemos que esse alternativo privilegia a tecnologia, e que a economia de Liechtenstein é baseada em aeronaves. Aliás, você sabe muito sobre o povo feérico.

Kai parecia estar pensando em cuspir no chão.

– Aquelas *criaturas*... tínhamos algo parecido no alternativo de onde venho. São ladrões invasivos, esbanjadores, destruidores... se insinuam na sociedade e a destroem por dentro. Desestabilizam a realidade. São ferramentas do Caos. *São* o Caos. Você não pode esperar que eu aprove coisas assim.

– Olha, calma – disse Irene. – Tome um pouco de sopa. Concordo que são malignos. Mas não estamos aqui em uma campanha de extermínio. Lembre-se da missão. – Irene ficou surpresa com a veemência de Kai; era mais do que ela esperava de um aprendiz. Por trás daquilo deveria haver uma experiência pessoal. Ela se perguntou o quanto essa experiência poderia ter sido pessoal. Envolvimento com um deles? Perda de um amigo ou amante? – Nosso trabalho é conseguir o texto, depois podemos cair fora daqui.

Kai olhou para ela por um momento e baixou os olhos.

– Peço desculpas pelo meu comportamento inadequado – disse ele, de modo repentinamente formal. – Você é a chefe da missão, claro. Só queria transmitir meus sentimentos sobre o tema, meus sentimentos extremamente fortes sobre o tema.

Irene tentou pensar em uma forma de responder que não parecesse menosprezo. E ele estava mudando os padrões do discurso outra vez, de coloquial a formal e depois coloquial de novo. Ela se perguntou se ele tinha reparado nisso. Talvez fosse a influência da Biblioteca em comparação ao seu estilo de vida mais tumultuado de antes?

Irene deixou esses pensamentos para avaliação posterior e fez o melhor que pôde para sorrir.

– Tudo bem, de verdade. Você não é o único que teve problemas com o Caos. Mas não podemos avaliar como lidar com a situação até termos todas as informações. Por favor, me fale mais sobre Liechtenstein e a embaixada.

Kai deu um sorrisinho, mas ficou claro que foi por obrigação, e não por prazer.

– Bem, como eu ia dizendo, a infestação de feéricos em Liechtenstein parece ajudar a manter os países vizinhos fora de lá. Talvez por não terem certeza do que o povo das fadas é capaz de fazer ou por terem medo de que eles comecem a migrar para seus próprios países. E Liechtenstein é como se fosse um belo pêssego: se não houvesse essa infestação feérica, pode ter certeza de que várias pessoas estariam muito interessadas em arrancar esse belo fruto de sua árvore para cravar os dentes.

Irene levantou as sobrancelhas.

– Tudo bem – disse Kai, balançando a colher –, uma associação dramática, mas você reparou no quanto esse mundo é balanceado e contrabalanceado? Se pensar em Liechtenstein, há cientistas malucos para todo lado. As pessoas que interroguei sugeriram a existência de uma raça de cientistas malucos. Sei que sou apenas um aprendiz, mas é possível que ali a influência da ciência só exista para equilibrar o volume de Caos que o povo feérico traz, principalmente em Liechtenstein mesmo?

– Ou talvez o povo feérico esteja contando histórias sobre ciência – pressupôs Irene. – Ou esteja envolvido em histórias sobre ciência. Ou talvez Liechtenstein esteja assumindo o papel da Bélgica nesse alternativo. Meu pai uma vez fez uma verificação no máximo de alternativos que pôde encontrar, e a Bélgica sempre parece ser invadida, vítima de meteoritos ou infestada por fungos alienígenas ou alguma outra coisa assim... e não olhe agora, mas um homem acabou de entrar e está olhando para nós.

– Deve estar olhando para você – disse Kai com esperança, virando a colher em uma tentativa inútil de captar algum reflexo da sala atrás dele. – Faça alguma coisa esquisita e veja se ele reage.

– Ele está vindo para cá – disse Irene rapidamente. Ele parecia o exemplo perfeito do aristocrata rico, da cartola à capa forrada de seda e à bengala com punho de prata (uma bengala-espada, desconfiava Irene). – Rápido – murmurou ela – você fez alguma coisa que devia ter me contado?

– Claro que não. – Kai se virou para acompanhar o olhar de Irene. – Hum. Espere, eu o vi na embaixada.

– Assim como eu vi você, senhor – disse o homem, tirando a cartola em uma pequena reverência para Kai, seguida de outra para Irene. – Posso me reunir a vocês nessa mesa?

Kai lançou um olhar para Irene. Ela assentiu de leve e ele então se virou novamente para o homem.

– Claro – respondeu Kai. – Mas acho que não fomos apresentados.

Um garçom apareceu correndo com uma cadeira e levou o chapéu e a capa do homem.

O homem se sentou e inclinou-se para a frente, entrelaçando os dedos.

– Posso falar abertamente na frente de sua colega? – Ele apontou para Irene. – Parte do que tenho a dizer pode não ser adequado aos ouvidos de uma pessoa do sexo frágil.

Kai olhou para Irene por um momento. Ela hesitou, depois olhou para o prato de um jeito dócil. Já desempenhara esse papel antes, embora não ao mesmo tempo em que orientava um aprendiz.

– Por favor, deixe que eu fique, senhor – ela disse a Kai. – Só vou tomar nota, como sempre.

Kai assentiu para ela de forma arrogante e se virou para o convidado.

– Garanto que a senhorita – ele quase nem hesitou – Winters aqui é totalmente de confiança, além de ser uma colega estimada. Pode falar abertamente na frente dela. Estou interessado em saber o que o senhor deseja discutir.

Parte da mente de Irene ficou surpresa com a elegância repentina no discurso de Kai. Ele mudou novamente para aquela formalidade extrema que ela notara antes. E, embora fosse capaz de fazer essas mudanças linguísticas com facilidade por conta da experiência em vários alternativos, ela não achou que fosse tão capaz. Cada vez mais estranho para um garoto que alegava ser de um alternativo cibernético, onde fora um mero ladrão de galinhas. Ela queria muito falar sobre isso com Coppelia. A outra parte de sua mente se perguntou por que ele a chamou de "Winters", e de qual referência cultural aquilo poderia ter vindo.

Irene observou o convidado com um olhar submisso. Ele relaxara um pouco agora e recostara na cadeira. Tinha um tipo físico esguio, com nariz bem definido, fundos olhos escuros, maçãs do rosto altas e dedos longos e delicados. Era o exemplo perfeito do protagonista de alguns tipos de livros de detetive. Na verdade, ela se perguntou se...

– Muito bem – disse o estranho. – Permitam que eu me apresente, meu nome é Peregrine Vale, décimo quinto conde de Leeds.

Kai fez um aceno leve.

– Kai Strongrock a seu serviço. Posso perguntar a natureza de seu negócio?

O garçom levou os pratos de sopa e trouxe o prato principal para Irene e Kai. Também levou uma taça para o visitante e, antes de se afastar, encheu-a sem que ninguém pedisse. A intromissão permitiu que Irene mordesse o lábio e se segurasse para não chutar Kai por baixo da mesa, pois acabara de descobrir de onde ele havia tirado o pseudônimo deles. *Strongrock: Rochefort. Winters: De Winter*. Ela teria de explicar a ele por que era uma má ideia tirar pseudônimos de fontes literárias. Se a outra pessoa tivesse lido o livro, acabaria obtendo informações demais. Começaria a procurar três possíveis mosqueteiros ou misteriosos manipuladores nos bastidores ao estilo Richelieu. Se bem que Irene tinha de admitir que ser comparada a *milady* de Winter tinha seu lado lisonjeiro.

– Eu o observei esta tarde, senhor Strongrock – declarou o conde de Leeds. – O senhor estava em frente à Embaixada de Liechtenstein. Chegou quando descarregavam os zepelins. Verifiquei que o senhor observou os repórteres de jornal e os interrogou depois.

– Vossa senhoria parece ter prestado muita atenção aos meus movimentos – disse Kai, com um tom de ameaça na voz.

O conde de Leeds inclinou a cabeça.

– Me chame de Vale, por favor. Afinal, é um encontro puramente particular, nem um pouco oficial.

Kai levantou uma sobrancelha e cortou um pedaço do bife.

– É mesmo?

– De fato – afirmou Vale. Ele deu um sorrisinho.

E foi nesse momento que Irene lembrou onde vira seu rosto antes. Ela comprou alguns jornais mais cedo para ter uma noção das dinâmicas políticas e temporais do momento. Vale estava na terceira página de um deles, uma imagem parcial de perfil, com ele se virando para ir embora, nada disposto a aparecer na fotografia. A legenda era: RENOMADO DETETIVE VIRA CONSULTOR DO MUSEU BRITÂNICO.

Irene continuou a comer, pensando furiosamente. Se o companheiro deles era mesmo um famoso detetive, investigando a Embaixada de Liechtenstein e trabalhando com o Museu Britânico, ou eles tinham uma sorte absurda ou estavam seriamente encrencados.

– Então – começou Kai –, deixando de lado que não vi sinal do senhor me seguindo...

– Isso – confirmou Vale suavemente – é o que o senhor pode esperar quando o estiver seguindo.

Kai engasgou de leve com o vinho.

– Me perdoe. Mas então, senhor, porque estava me seguindo? O que era tão interessante nas minhas atividades?

O sorriso de Vale encolheu-se ainda mais.

– Ora, senhor Strongrock, o fato de espelharem as minhas. Desconfio que estejamos investigando a mesma questão. Para ser sincero, senhor, se estivermos caçando a mesma lebre, eu preferia que o senhor não a assustasse e fizesse com que nós dois acabássemos perdendo.

Kai lançou um olhar para Irene. Ela não teve dificuldades de reconhecer em seus olhos um pedido desesperado por ajuda.

– Humm – disse ele, meditativo.

Irene engasgou. Talvez tenha sido um tanto teatral, mas torcia para que não tivesse sido muito.

– Senhor Strongrock, nossa investigação é estritamente particular! Mesmo que este lorde... quer dizer, mesmo que o senhor Vale seja um detetive particular famoso, podemos estar investigando assuntos totalmente diferentes!

Irene esperava ter transmitido a mensagem *precisamos de mais informações.*

Kai deu um tapinha tranquilizador na mão dela.

– Minha colega tem razão, senhor Vale – observou ele. – Estamos operando em condições de rigorosa confidencialidade.

– Assim como eu, senhor – disse Vale com serenidade, sem parecer aborrecido. – Quaisquer conjecturas menores que eu possa fazer sobre os senhores são apenas resultado de alguma coisa que os senhores mesmos podem ter revelado para mim, e não de investigação da minha parte.

Kai levantou as sobrancelhas.

– Mas não lhe revelamos nada – disse ele um momento antes de Irene poder chutar seu tornozelo.

– Me perdoe quando digo que é óbvio que os senhores são estrangeiros em Londres – disse Vale. Ele virou o copo na mão e o olhou com seca arrogância. – Não estou falando apenas da necessidade de o senhor Strongrock verificar a placa das ruas quando saiu da Embaixada de Liechtenstein. Nenhum dos senhores tem o sotaque de um londrino nativo, e, para ser sincero, não consigo colocar nenhum dos dois como um membro das ilhas Britânicas. – Ele franziu a testa de leve. – O que é incomum. A senhorita Winters talvez tenha um traço de brutalidade germânica no uso dos verbos, possivelmente resultado de uma governanta ou de um colégio interno em uma idade impressionável. O senhor Strongrock, por outro lado, tem o sotaque e as características de certas famílias nobres de Xangai. Apesar de nenhuma das duas coisas ser incomum em Londres, ambos estão vestidos de uma forma que sugere escolha apressada de roupas em uma loja de segunda. As luvas da senhorita Winters, por exemplo.

Irene olhou para suas luvas, que estavam ao lado do seu prato, sem conseguir resistir ao impulso. Sabia que contrastavam com o vestido, mas não havia muitas opções na loja.

– Exatamente – disse Vale. – Uma mulher tão cuidadosamente apresentável como a senhorita Winters não cometeria esse erro tão elementar de vestimenta. Do mesmo modo, os sapatos do senhor Strongrock – Kai enfiou os pés mais embaixo da cadeira – foram claramente usados antes por um homem com o hábito de chutar a cadeira com a lateral direita de seu pé, mas o senhor Strongrock não faz isso. E se ambos estivessem em Londres há algum tempo, e fazendo perguntas sobre

Lorde Wyndham e sobre a Embaixada de Liechtenstein, garanto que eu saberia.

Kai abriu a boca e Irene percebeu que ele ia dizer alguma coisa do tipo *como o senhor sabe que perguntei sobre Lorde Wyndham?* Aparentemente, ninguém lhe ensinara a primeira defesa na ciência do interrogatório provocativo: ficar com a boca fechada. Dessa vez, ela conseguiu chutá-lo por baixo da mesa. Ele fechou a boca de novo.

– Hum– disse Vale, aparentemente satisfeito. – Um compartilhamento de informações poderia ser útil. Por outro lado, como a senhorita Winters disse, talvez estejamos investigando questões totalmente diferentes. Acredito que chegamos ao ponto em que decidimos se vamos ou não confiar uns nos outros.

– É o que parece – disse Kai, recuperando-se. – Mais vinho?

– Obrigado – respondeu Vale, esticando o copo para que ele o enchesse.

Ficaram em silêncio por alguns minutos. Em pensamento, Irene avaliou várias estratégias. Infelizmente, a maioria envolvia um breve afastamento de Vale da mesa para que ela pudesse falar com urgência com Kai, e isso parecia improvável de acontecer. Ela estava simultaneamente impressionada com as habilidades de observação do homem e significativamente preocupada com elas. Esse tipo de intelecto era esplêndido em personagens fictícios, mas, na prática, arriscava tornar a tarefa deles bem mais complicada.

Felizmente, a situação foi interrompida por gritos e barulhos metálicos altos vindos da rua. Todos os clientes largaram suas facas e garfos para virar para a porta. Dois homens até se levantaram abruptamente, com as taças de vinho ainda nas mãos.

Kai conseguiu dar uma piscadela incrivelmente sutil para Irene, e depois se virou para Vale.

– O senhor acha que devemos investigar?

– Claro! – exclamou Vale, se levantando. Ele pegou a bengala e a equilibrou casualmente na mão esquerda. – Madame, faça a gentileza de ficar aqui. Senhor Strongrock, se você puder me acompanhar... – e se dirigiu para a porta.

– O que eu faço? – cochichou Kai para Irene.

– Fique com ele – sussurrou Irene. – Ficarei aqui. Descubra o que está acontecendo. Seja cuidadoso, ele é um detetive.

– Isso eu percebi – murmurou Kai. Mas exibiu grande entusiasmo quando saiu atrás de Vale, ansioso por ação.

Irene olhou ao redor enquanto os dois homens saíam correndo. Ninguém saiu das sombras para tentar abduzi-la quando a atenção deles já não estava mais com ela. Bom. Ela pegou a bolsa e saiu atrás deles.

A área da recepção do restaurante tinha grandes janelas de vidro que ofereciam uma vista conveniente da rua. O lugar estava um caos. Uma centopeia mecânica gigantesca (bem, uma espécie de inseto segmentado com múltiplas pernas, Irene não ia ficar ali contando todas elas) provocava uma enorme destruição na estreita passagem lá fora. Ela viu uma carroça destruída e várias janelas quebradas. Mal havia espaço para a criatura se deslocar, menos ainda para se virar, e ficava dando alguns passos para a frente e para trás, enquanto as antenas da frente pareciam procurar por algo ou alguém. De suas fissuras escorria óleo, ao mesmo tempo que um certo vapor subia do segmento da cabeça e se misturava com a neblina do ambiente. Irene reparou que algumas pessoas já estavam machucadas, e outras que estavam passando por lá agora gritavam e corriam em todas as direções. E depois, claro, paravam a uma distância teoricamente segura para ver o que a centopeia faria em seguida.

Kai e Vale estavam na porta, avaliando a centopeia. Pelo menos Vale parecia fazer isso. Kai só parecia perplexo.

– Como essa coisa passou pelas ruas? – perguntou Kai.

Vale fungou.

– Deve ter vindo dos esgotos. O programa recente de reformas foi uma dádiva para os criminosos de toda Londres.

– *Vale!* – ecoou pela rua a voz trovejante da criatura. – *Prepare-se para encarar seu destino!*

– Ah – disse Vale com alegria –, é para mim.

Kai pareceu magoado.

– Pode ser que tenha nos confundido – disse ele. – Talvez seja para mim.

– Não, não, garanto que é para mim – respondeu Vale. – Mas o senhor se importaria de observar a parte de trás enquanto distraio a da frente? Às vezes esses bichos têm cintilotermômetros localizados lá.

– Claro – disse Kai –, sem problema.

Irene se encostou na parede e tentou não suspirar. Talvez Vale fosse uma pessoa ética, visto que seu inimigo estava disposto a arriscar vidas inocentes para caçá-lo. Supondo que ele não tivesse encenado a coisa toda, claro... mas também era mais uma distração. Como ela poderia fazer uma investigação com essas interrupções constantes?

Os dois homens correram para a rua: Vale para a direita, na direção da cabeça da criatura, e Kai para a esquerda, na direção da traseira. Irene ficou em dúvida entre qual dos dois seguir. Kai estava sob sua proteção, mas seguir Vale poderia fornecer mais informações.

A dúvida foi resolvida quando o centípede se lançou em um rápido recuo, com as garras de metal arrastando-se no asfalto enquanto se deslocava para trás. A cabeça apareceu: um modelo monstruoso de mandíbulas de aço e enormes olhos de vidro facetado, grandes o bastante para um homem se sentar dentro, com vapor saindo dos dois lados em explosões densas e barulhentas. Vale parou na frente daquilo com a espada desembainhada da bengala e estalando de eletricidade. Cada vez que a centopeia baixava a cabeça para tentar mordê-lo, ele se defendia, e fagulhas voavam e estalavam no chão e nas paredes.

Com uma impressionante explosão de velocidade, Vale se adiantou entre as mandíbulas abertas e pulou na parte principal da cabeça da centopeia, equilibrando-se ali por um momento. Em seguida, levantou a espada e golpeou um dos olhos da criatura.

A eletricidade se espalhou como em uma grande coluna de energia. A centopeia deu um grito metálico e se debateu toda, um segmento atrás do outro, com vapor saindo de todas as fendas. Um alçapão se abriu embaixo da criatura e um homem com um macacão preto, sujo de graxa, saiu rolando de lá, tossindo e cuspindo.

Vale pulou da cabeça e caiu com um chacoalhar da aba de seu casaco. Ele apontou a espada para o homem.

– Fale, senhor, senão...

Nesse momento, a atenção de Irene foi desviada por alguém tentando puxar a bolsa de seu braço. Ela se virou e viu um dos garçons... não, *não era* um dos garçons. Era um homem com traje de noite, com um guardanapo colocado apressadamente no braço, posando de garçom. O relógio era caro demais para ele ser garçom, o bigode grisalho estava muito bem cuidado e a mão direita, reparou ela, tinha finas linhas de queimadura dos dedos até o pulso.

Ele puxou a bolsa novamente. Dessa vez Irene soltou-a, mas segurou sua alça, deixando que ele a puxasse. Ela se agachou um pouco, equilibrando-se no calcanhar esquerdo e golpeou-o com a perna direita em um giro bem amplo. O golpe o desequilibrou e ele caiu no chão, xingando.

Irene se ajeitou rapidamente, puxou a bolsa para perto do corpo e pegou uma das cadeiras frágeis do restaurante. Era de qualidade duvidosa e, quando seu antagonista tentou se levantar, a cadeira se quebrou por inteiro quando se chocou contra o corpo dele.

Ele cambaleou para trás e ela pegou outra cadeira.

Lá fora, houve mais explosões. Lá dentro, as pessoas ofegavam e apontavam para ela e para o falso garçom.

Irene tentava decidir se era mais importante manter o disfarce de secretária indefesa ou bater na cabeça do ladrão com a cadeira e fazê-lo prisioneiro. Afinal, não estava claro que ele estivesse envolvido em conspirações maiores, podia ser apenas um ladrãozinho...

... mas que se dane, e bateu com a cadeira na cabeça dele, fazendo-o cair para trás como um saco de batatas.

Irene largou o que sobrou da cadeira e levou a mão livre ao peito, hiperventilando. – Eu... – ofegou ela – ... venho aqui de férias e este homem, este *ladrão,* tenta roubar minha bolsa, e ninguém tenta me ajudar. Nenhuma pessoa vem em auxílio de uma mulher indefesa...

– Minha querida senhorita Winters, me desculpe. – Vale tinha voltado para o restaurante embainhando a espada. – Lamento que a senhorita tenha passado por um ataque nas mãos de um delinquente... – Ele olhou para o rosto do homem desacordado e piscou.

– Devo entender que foi esse homem que a atacou?

– Ele tentou pegar minha bolsa – respondeu Irene, fungando um pouco. – Eu... eu só reagi por instinto...

– Vocês. – Vale estalou os dedos, e dois garçons responderam. – Levem este homem para a prisão mais próxima agora mesmo.

É bom ser um conde e um detetive famoso, Irene lembrou a si mesma com certa melancolia.

Kai entrou no restaurante, tirando cinzas e pó do paletó.

– Bem, isso parece ser... Irene! Quer dizer, senhorita Winters! O que aconteceu? – Ele olhou com cautela de Irene para Vale e novamente para ela, se perguntando se tudo não havia sido uma espécie de distração.

Irene apontou para o homem sendo arrastado pelos garçons.

– Aquela pessoa tentou roubar minha bolsa. Eu resisti.

– Sugiro que voltemos para nossa mesa agora mesmo – disse Vale, baixando a voz. – Isso só confirma minhas desconfianças.

Cinco minutos depois, eles estavam à mesa de novo. O bife tinha esfriado, mas o vinho ainda estava bom. O barulho generalizado das conversas ao redor voltara ao nível anterior. Irene ficou surpresa com a rapidez com que as pessoas pareceram esquecer o ataque da centopeia. Dava a entender que essas coisas eram comuns, o que não era um pensamento lá muito reconfortante.

– Perdoem minha discrição anterior – disse Vale. – E obrigado pela ajuda, senhor Strongrock. Mas esse ataque à senhorita Winters só prova o que eu desconfiava.

– E o que é? – perguntou Kai, se virando para Vale. Irene teve a impressão de que ele estava ligeiramente zangado por ela não ter perguntado sobre o seu corajoso confronto com o rabo da centopeia. Ela fez uma nota mental de pegar todos os detalhes em um outro momento, quando um contato valioso não estivesse mais concentrado em compartilhar informações úteis com eles.

– Que as suas investigações sobre o povo feérico foram percebidas. – Vale se inclinou para a frente. – Observei seus questionamentos na embaixada, senhor Strongrock. E agora, um homem que sei ser um agente feérico tenta roubar a bolsa da senhorita Winters. Estou errado ao desconfiar de uma ligação?

Kai lançou um olhar agitado para Irene. Ela acenou de leve.

– O senhor não está errado – disse Kai com firmeza. – Há uma ligação.

– Foi o que pensei! – disse Vale firmemente. – Nesse caso, estamos investigando o mesmo assunto, embora possivelmente por ângulos diferentes. Eu também estou preocupado com o povo feérico, senhor Strongrock. Com os roubos recentes de materiais misteriosos. E com Belphegor.

– Belphegor? – ofegou Irene. – A misteriosa ladra?

– Ela mesma. – Vale uniu as sobrancelhas. – Tenho desconfianças sobre a identidade dela. Além do mais, acredito que todas essas coisas estejam ligadas. Apesar de ambos serem visitantes na cidade... – Ele parou a frase no meio, como se esperando que suas deduções fossem desafiadas, depois continuou. – Apesar de não estarem aqui há muito tempo, os jornais têm falado abertamente sobre os roubos. Não dá para abrir um jornal sem que haja uma nova manchete. Vou ser franco: é isso que estão investigando?

Irene chamou a atenção de Kai e deu um aceno leve. Ela desconfiava que Vale perceberia, mas torcia para que interpretasse como sugestão e não a ordem que realmente era.

– O senhor está correto – disse Kai.

– Então, sugiro que somemos forças. Meu cartão. – Ele pegou uma caixinha de prata, tirou um cartão de dentro e deslizou-o sobre a mesa. – Por favor me ligue amanhã de manhã, quando poderemos conversar mais particularmente. Sua colega também é bem-vinda, claro. – Ele acenou secamente na direção de Irene, o que a fez se perguntar exatamente o quanto ele *tinha* percebido. – Obrigado por seu tempo e ajuda.

Vale se levantou. Kai e Irene também se levantaram. Houve uma confusão rápida de reverências e acenos, seguida da saída de Vale e do garçom que ia atrás dele com o chapéu e a capa.

Kai e Irene se sentaram.

– Me desculpe – disse Kai. – Não vi mesmo ele me seguindo mais cedo.

– Não se preocupe – respondeu Irene –, desconfio que ele raramente seja visto. Mas acho que pode ser um contato muito útil.

Kai se animou.

– Então tivemos sorte?

– Acontece – disse Irene –, de tempos em tempos. Agora termine seu vinho e me fale sobre a centopeia.

Irene já estava elaborando uma lista de coisas que precisava perguntar a Kai mais tarde, em particular. Mas, no momento, a centopeia era o suficiente.

CAPÍTULO 6

—Certo – disse Irene quando terminaram o café. – Temos de supor que nosso disfarce já era.
– Por causa de Vale? – perguntou Kai.
– Não. – Irene inclinou a xícara, olhando para a borra. – Por causa do homem que tentou roubar minha bolsa. Se ele estiver trabalhando para o povo feérico, só posso pensar que me viu na casa de Lorde Wyndham. E, se for esse o caso, então sabe qual é meu rosto, deve saber qual é meu hotel e agora conhece você também. Precisamos encobrir nossos rastros.
– Mas todas as nossas coisas estão no quarto do hotel! – contestou Kai. – Todas as roupas que compramos...
– Quantas você comprou?
Kai tentou olhar nos olhos dela, mas baixou o rosto para a xícara de café.
– Só estava me preparando para várias identidades possíveis, para o caso de precisarmos nos deslocar em círculos diferentes da sociedade – respondeu, de forma nada convincente.
Irene deu um tapinha na mão dele.
– Não se preocupe. Nesse caso, eles terão certeza de que vamos voltar, e você terá ocupado parte dos espiões deles.
Kai suspirou.

– Então – disse Irene bruscamente –, medidas padrão. – Elas eram ensinadas na Biblioteca, junto com línguas e pesquisa, mas eram mais difíceis de praticar dentro dos limites da Biblioteca. Mas a experiência pessoal de Kai devia significar que ele era bom nesse tipo de coisa. – Vamos sair daqui separados; vou primeiro e atraio a atenção de qualquer pessoa. Pode ser que só haja uma pessoa vigiando. Você vai até o hotel, pega nossos papéis e dinheiro e sai pela porta dos fundos. Faça o melhor possível para despistar qualquer pessoa que o esteja seguindo.

– Me encontre em frente a... – ela pensou, depois olhou o novo relógio mecânico. Não fazia sentido usar uma coisa eletrônica se ela talvez tivesse de levar para a Biblioteca. – ... à estação de metrô de Holborn às onze horas. Lá deve haver movimento suficiente para despistarmos qualquer pessoa que esteja vigiando. Droga. Nunca sei se prefiro mundos em que foram inventados equivalentes dos celulares ou não.

– Tornaria a comunicação mais fácil – afirmou Kai.

– Mas também tornaria mais fácil nos localizar – retrucou Irene. – E daria poder a qualquer pessoa tentando nos alcançar. Então, você está de acordo com essas instruções?

Kai assentiu.

– O que faço se você não aparecer em Holborn?

– Entre em contato com Dominic – respondeu Irene. – Ele o colocará em contato com Coppelia e ela decidirá o que deve ser feito em seguida. Mas não espero que isso seja necessário.

Kai concordou. Ele pegou a xícara e a inclinou com tristeza, olhando a borra no fundo.

– Não estamos indo muito bem até agora, não é?

Irene olhou para ele e piscou.

– O quê? De onde você tirou essa ideia?

– Bom, o livro foi roubado, inimigos estão atrás de nós, temos de abandonar nossa base...

– Tire isso da cabeça imediatamente – disse Irene. – Você esperava que entraríamos aqui valsando e pegaríamos o livro?

Kai deu de ombros.

– Eu meio que achei que seria o apropriado para uma missão envolvendo um novato como eu.

Irene se inclinou para a frente na cadeira.

– Primeira coisa: a Biblioteca nunca tem gente suficiente para poder dar aos novatos missões "fáceis". Nunca espere que uma missão seja "fácil". Segunda coisa: sim, o manuscrito foi roubado, mas já temos várias pistas para seguir, inclusive um compromisso para encontrar um detetive famoso. – A ideia a fez sorrir. Talvez desejos se tornassem realidade. – Terceira coisa: não é uma base, é um quarto de hotel. Quarta: o fato de haver pessoas nos seguindo é, por si só, uma pista e significa que podemos inverter as coisas e usá-*los* para encontrar o livro. E quinta: temos um convite para ir a um baile na Embaixada de Liechtenstein, que deve ser bem interessante.

Kai congelou.

– Temos *o quê*?

– Vejo você em Holborn – respondeu Irene, levantando-se e pegando a bolsa.

Havia mesmo uma pessoa esperando em frente ao restaurante. Irene avistou-a enquanto olhava seu reflexo em uma vitrine de loja: o brilho das lâmpadas de actínio as tornava espelhos melhores do que aquele manchado que havia no quarto do hotel. *Não estava perdendo nada.* O perseguidor era um sujeito de aparência comum, com chapéu-coco de baixa qualidade e paletó puído na lapela e nos cotovelos. Ele também não era muito bom em passar despercebido. Talvez este costumasse ser o trabalho do colega que tentou roubar a bolsa dela.

Na esquina seguinte, Irene conseguiu lançar um olhar discreto para trás enquanto esperava para atravessar a rua e o viu murmurando nas mãos unidas. Ao abri-las, uma coisa saiu zumbindo e circulou sua cabeça antes de subir com um bater de asas mecânico.

Duas ruas depois, reforços se uniram a ele de forma bem óbvia. Irene parou para olhar um chapéu em outra vitrine de loja e teve outro vislumbre dele, claramente fazendo um sinal para três recém-chegados e apontando na direção dela.

Irene ajeitou um alfinete do chapéu com irritação e pensou em como se livrar deles. Aquela Londres tinha uma geografia semelhante à da maioria das outras Londres, e ela estava nos arredores do Soho. Seria fácil se livrar de perseguidores lá, mas uma mulher sozinha atrairia o tipo errado de atenção, e talvez ela demorasse demais para passar despercebida. Uma loja de departamentos talvez servisse, mas, se tivessem bom senso, poriam gente vigiando nas portas da frente e de trás antes de procurá-la lá dentro. Além do mais, agora havia pelo menos quatro, e podia haver outros que ela não vira. O metrô mesmo era uma possibilidade, mas Irene ainda não o tinha investigado. E, apesar de uma multidão poder permitir que se escondesse dos perseguidores, também podia ser a cobertura ideal para um "acidente" ou sequestro. Ela estava na metade do caminho até Piccadilly agora, então precisava começar a voltar se quisesse encontrar Kai às onze horas em Holborn.

Hum. Espere. Covent Garden costumava ter algum tipo de mercado na maioria das Londres alternativas, fosse de flores ou de curiosidades ou mesmo um chamariz para turistas. Mesmo que não houvesse muitas barracas àquela hora da noite, devia estar movimentada o bastante para Irene despistar os perseguidores. Devia ser suficiente.

Irene devia ter imaginado: o mercado de Covent Garden era um espetáculo tecnológico. Barracas se equilibravam em pernas dobráveis e espalhavam luz de lâmpadas de éter. O caminho entre elas era um labirinto que mudava constantemente quando cada barraca procurava mais espaço com os pés automatizados, quicando e empurrando as que estavam à sua volta. Assim como na maioria dos Covent Garden que ela vira nos outros lugares, havia vários pátios abertos e uma área central com um telhado alto de vidro e várias fileiras de lojas permanentes. As várias lojas de café na calçada contribuíam com seu próprio fluxo de pessoas, e jatos regulares de vapor eram disparados por grades de esgoto e bueiros.

Irene apressou o passo quando entrou no meio da multidão, antes que os homens que a seguiam conseguissem chegar mais perto. Em seguida, permitiu-se ser absorvida por um redemoinho de espectadores circundando uma exibição de máquinas extratoras de sangue. (Decidiu que as pequenas agulhas perfurantes não eram especificamente desagradáveis por si sós, mas a oleosidade dos antissépticos que se espalhavam sozinhos de alguma forma tornava a coisa inexplicavelmente horrenda. Era algo na forma como brilhavam debaixo do clarão elétrico.)

Havia tanto mulheres quanto homens ali, mas a verdadeira diferença estava entre os que Irene desconfiava serem artesãos e engenheiros genuínos e todo o resto. Aqueles tinham arrumadas maletas de equipamentos debaixo do braço ou acorrentadas aos pulsos. O resto incluía peregrinos em busca de uma barganha interessante, pessoas curiosas de classes mais altas ou observadores fascinados. Assim como Irene, todas as mulheres usavam lenços ou véus para se protegerem da névoa com fuligem, escondendo suas bocas ou até mesmo o rosto inteiro. Muitos dos homens, da mesma forma, haviam enrolado cachecóis em volta da parte inferior do rosto. Isso dava uma sensação decadente ao lugar, algo como uma feira para ladrões de banco vitorianos, um mercado questionável para pessoas questionáveis.

Ali perto, movimentadas barracas de feira exibiam cadernos portáteis com ferramentas adesivas, e Irene viu vários relógios de bolso com laser embutido (ela quase comprou um para Kai). Havia também kits de construção de robôs seguidos de donuts fritos na hora e kits de autotatuagem (bastava acrescentar tinta!), assim como mantas com unidades de aquecimento portátil embutidas e...

Irene foi atingida como que por uma chicotada nas costas, o que a fez cair de joelhos na calçada suja. Ela pôde sentir cada centímetro de sua tatuagem da Biblioteca queimando, mapeada em suas costas de forma tão clara que quase podia vê-la. O mundo tremeu ao seu redor. Ela sentiu gosto de bile na boca e lutou para não vomitar.

As palavras estavam em toda a parte. Irene conseguia vê-las nas bancas de jornal, se espalhando por toda a brancura do papel. Conseguia vê-las na parte de trás do livro que o homem em sua frente enfiara no bolso, nas propagandas impressas de forma rudimentar em cada barraca e nos recibos que a mulher à esquerda verificava. Elas se imprimiram sozinhas em tudo que era legível, formando um círculo ao redor dela.

CUIDADO COM ALBERICH

As pessoas gritavam e xingavam alarmadas, culpando os engenheiros e donos de barraca por algum tipo de efeito colateral experimental (e o que isso dizia sobre esse lugar, pensou Irene em um canto distraído da mente, não queria nem imaginar). Em alguns casos, os compradores chacoalhavam os itens afetados, na esperança de que as palavras pudessem cair deles. Que bela esperança. Irene nunca havia sido vítima de uma mensagem urgente da Biblioteca, mas sabia que as palavras ficariam permanentemente marcadas. Era uma coisa chocante de se fazer com todos esses meios impressos, e era por isso que só era usado nas situações mais desesperadoras. Pessoas comuns poderiam lê-las, mas ninguém saberia o que aquelas palavras queriam dizer.

Se Alberich estava envolvido nisso, então o aviso era definitivamente desesperado e necessário.

Ela se recompôs com um esforço tamanho que deixou até seus dentes doendo, e rapidamente olhou para trás para verificar os homens que a seguiam. Droga, estavam se aproximando rapidamente. Deviam ter decidido pegá-la agora em vez de correr o risco de perdê-la.

Irene se permitiu dar um sorriso malicioso. Então eles queriam incomodar uma agente da Biblioteca, é? Perturbá-la quando acabou de receber uma mensagem urgente? *Ficar no seu caminho*? Ah, eles iam lamentar.

Ela esperou um sufocante meio minuto até que o movimento das barracas fizesse com que elas se posicionassem atrás dela, bloqueando os perseguidores. O bloqueio se abriria em um momento, é claro...

Ela vociferou na Linguagem, alto o bastante para que se espalhasse:

– **Pernas mecânicas das barracas que se movem, fiquem imóveis, parem e não se mexam!**

– Oi? – disse o homem ao lado dela. – Você estava falando comigo...

Ele parou de falar na hora em que, em um amplo círculo dentro do alcance da voz de Irene, as barracas todas pararam, com as pernas dobráveis enrijecendo-se abruptamente, permanecendo imóveis onde estavam. O movimento geral de pessoas e barracas virou uma chocante e repentina confusão, bem mais dramática do que o incidente anterior. Pessoas que estavam se preparando para ir, de repente se viram forçadas a vir. Pilhas de mercadorias oscilavam na beirada das barracas e quase não foi possível evitar que caíssem... e, em alguns casos, não deu mesmo, o que aumentou a confusão geral.

Antes que qualquer pessoa pudesse chegar a conclusões inconvenientes sobre o centro do círculo, Irene saiu correndo e abriu caminho a cotoveladas por vários amontoados de fregueses reclamando. Ela conseguia ouvir o barulho de mecanismos e alavancas lutando contra suas pernas mecânicas desobedientes. O fluxo de pessoas a levou para a frente, para fora da área fechada onde estava, deixando os perseguidores presos atrás do obstáculo de barracas imóveis (e, esperava, sendo pisoteados por compradores furiosos). Irene seguiu para a abertura mais próxima no labirinto de mesas e, de lá, entrou em uma travessa. Depois de ajeitar um pouco o véu e o casaco, saiu na rua principal de novo, deu meia-volta e seguiu na direção de Holborn, dessa vez sem que ninguém a seguisse.

A cada passo, a realidade da mensagem da Biblioteca ia mais fundo nas entranhas de Irene. *Cuidado com Alberich. Cuidado com Alberich. Cuidado com Alberich.*

Irene não precisava disso. Realmente não precisava. Já estava no meio de uma missão complicada e, ainda por cima, com um aprendiz. Tinha feito um resumo otimista para Kai para mantê-lo animado, mas isso não queria dizer que as coisas seriam *fáceis*.

E agora, isso.

Alberich era uma figura saída de um pesadelo. Ele era o Bibliotecário que traiu a Biblioteca, conseguiu escapar e ainda estava por aí. Seu verdadeiro nome já tinha se perdido, e só o nome que havia escolhido como Bibliotecário era lembrado. Ele se vendeu ao Caos. Traiu os outros Bibliotecários que trabalhavam com ele e ainda estava vivo. De alguma forma, apesar da idade, do tempo e da passagem dos anos, que afetaria qualquer Bibliotecário que vivesse fora da Biblioteca, ele ainda estava vivo.

Irene se viu tremendo. Puxou o xale ao redor dos ombros e tentou controlar os pensamentos, levando-os para longe de uma série de imagens extravagantes desnecessárias. Pensamentos idiotas. Afinal, Alberich não estava atrás dela nesse momento...

... estava?

A mensagem da Biblioteca não podia ser falsa. Devia ter sido enviada por um dos Bibliotecários seniores, provavelmente Coppelia. E não teria sido enviada se as coisas não fossem urgentes, o que significava que Irene tinha de supor que Alberich estava na área. Era o pior cenário possível.

Irene olhou para trás por uma vitrine de loja. Não parecia que alguém a seguisse.

Precisava falar urgentemente com Dominic, mas a Biblioteca Britânica estaria fechada àquela hora da noite. Ele estaria em casa, e o endereço ficou nos papéis que Kai estava guardando. Na manhã seguinte seria mais fácil. No momento, ela e Kai tinham de encontrar um novo hotel e se esconder.

Irene queria se esconder nas profundezas. Tão fundo que seria preciso uma escavadeira mecanizada a vapor para retirá-la de lá. Também tinha de decidir o quanto contar a Kai. Era perigoso demais deixá-lo no escuro, sem mencionar o quanto isso era injusto, mas, ao mesmo tempo, não queria deixá-lo em pânico. Afinal, ela mesma já estava em pânico e bastava uma pessoa em pânico. Duas seria demais.

Talvez Kai fosse ingênuo o suficiente, a ponto de não perceber o quanto a situação podia ser ruim. Talvez não tivesse ouvido as histórias de terror contadas por aí sobre algumas das coisas que Alberich tinha feito.

E talvez, concluiu Irene quando avistou a estação de Holborn e viu Kai esperando embaixo de um poste de luz, porcos também pudessem voar, o que ao menos significaria bacon no café da manhã. Bom. Um hotel primeiro. Explicações dramáticas depois.

CAPÍTULO 7

— Não quero reclamar nem nada – disse Kai –, mas no momento estamos entocados em um hotel barato.
— Estamos – concordou Irene. Ela se sentou e começou a soltar os botões de suas botas com um suspiro de alívio.
— Este lugar não é só barato, é imundo! – Kai indicou o papel de parede amarelado e descascando, a janela suja, a colcha puída na cama de casal, o espelho sem brilho na cômoda bamba. – Você não pode realmente esperar que a gente...
— Kai – disse Irene com firmeza. – Você é mimado. O que aconteceu com o seu passado obscuro, mas útil? O que aconteceu com ser um cara das ruas descolado que sabia lidar com esse tipo de coisa? Cinco anos na Biblioteca realmente deixaram você tão sensível assim?

Kai olhou ao redor e franziu o nariz.
— Sim – finalmente disse. – Deixaram. – E se sentou na beirada da cama. – Esse esconderijo tão distante de tudo é mesmo necessário? A gente não podia, sabe, se esconder no hotel mais caro da cidade, alegando sermos canadenses?
— Não – respondeu Irene. Ela tirou uma bota e começou a mexer na outra. – Um esconderijo longe de tudo. No momento,

112

quero que sejamos irrastreáveis. Amanhã a gente junta tudo e procura um lugar melhor.

– Há algo errado?

Irene tirou a segunda bota.

– Hum. – Irene tinha de contar para ele. Não era seguro deixá-lo no escuro. – Há um problema em potencial – ela admitiu lentamente. – Não sei se é uma questão imediata.

Kai só ficou olhando para ela.

– Recebi uma mensagem urgente da Biblioteca. – As palavras seguintes eram difíceis de dizer, e ainda mais difíceis de proferir com calma e racionalidade. – A mensagem me avisou para tomarmos cuidado com Alberich. Você pode me servir um pouco daquele conhaque agora.

A mão de Kai parou na metade do caminho até a garrafa de conhaque, que fazia parte da lista de itens essenciais de Irene.

– Espere – disse ele lentamente. – Quando você diz Alberich está querendo dizer o que supostamente é... – parou de falar e deixou a frase no ar. E, para seu absoluto desprazer, Irene reparou que ele também não continuou a servir o seu conhaque.

– Não – disse Irene. – Não estou falando do que supostamente é. Estou falando do que realmente é. Não que eu já o tenha encontrado, e com sorte não vamos ter de encontrá-lo, e isso é só uma precaução. – Era o que ela esperava. – Agora você pode me servir o conhaque?

– Ele existe mesmo? – perguntou Kai. Nada de conhaque ainda.

– Ele está registrado na Biblioteca. Como poderia não existir?

Kai parecia estarrecido.

– Ele não poderia ser fictício?

Irene trincou os dentes.

– Não. Ele recebeu formalmente a marca da Biblioteca, passou pela iniciação e tudo. É por isso que não pode voltar. A Biblioteca saberia se ele entrasse lá. Mas prova que ele existe, que não é uma espécie de lenda urbana como aquela sobre os canos e o monstro com tentáculos. – Aquela era uma das mais populares quando ela era aprendiz. A lógica era que, se as salas da Biblioteca podiam ser interligadas pelo encanamento, haveria uma espécie de cisterna escura central com um enorme monstro cheio de tentáculos morando nela, que comia Bibliotecários velhos. E claro que tudo isso era encoberto por ordens superiores... Ela e outros aprendizes passaram várias horas cheios de esperança batucando em canos, tentando transmitir mensagens ou encontrar tentáculos. – Conhaque? – disse ela.

Kai finalmente lembrou-se de levantar e abrir a garrafa. Ele virou um pouco na xícara de porcelana velha e ofereceu a ela.

– Obrigada – disse Irene, e bebeu de um gole só, depois ofereceu a xícara para ele colocar mais. – Um pouco mais desta vez, por favor.

Kai ficou olhando para ela.

– Tem *certeza* de que você está bem?

– A noite foi agitada – respondeu Irene. – E vou ficar sentada nas próximas horas estudando as listas da Linguagem local que Dominic nos deu. Você pode dormir um pouco.

– Mas devíamos contar para Dominic agora! Afinal, se Alberich está aqui, isso só prova o quanto o livro é importante! E devíamos avisar Dominic...

– Como? – perguntou Irene. Ela decidiu um bom tempo atrás que o método socrático de questionamento, com o uso de perguntas simples e quase ingênuas, era uma boa ideia porque: a) fazia os alunos pensarem por si mesmos, b) às vezes eles tinham ideias nas quais ela mesma não tinha pensado, e c) dava mais tempo para ela pensar enquanto eles tentavam encontrar respostas.

– Podemos ir até a Biblioteca Britânica... ah, espere. Não estará aberta a esta hora da noite.

– Não estará – concordou Irene –, o que será irritante se precisarmos entrar lá escondidos em algum momento para voltar à Biblioteca. E ele não nos deu o seu endereço de casa.

– Devia estar nos papéis que ele lhes dera. Mas não estava. Uma voz crítica no fundo da mente de Irene observou que foi descuido de Dominic, quase a ponto de ser uma negligência no cumprimento de seu dever em um local tão perigoso. Ela podia precisar da ajuda dele com urgência.

– Podemos usar a Linguagem para fazer contato com ele – disse Kai triunfante.

Irene considerou a ideia.

– Posso organizar algumas palavras e enviá-las para avisá-lo, mas será preciso que elas se movimentem e encontrem-no.

– Magia – disse Kai.

– Não é meu campo – respondeu Irene. – Você é bom nisso?

– Consigo comandar alguns espíritos – disse Kai modestamente. – Mas não tive tempo de me apresentar para nenhum dos locais. Não gostaria de tentar isso se tivermos outra escolha.

Irene assentiu.

– E Dominic disse que eles podiam ser perigosos. Então, vamos para a Biblioteca Britânica de manhã falar com Dominic em pessoa. A Biblioteca já o terá deixado a par de qualquer novidade, como fez comigo. Não é como se o estivéssemos deixando em perigo. Isso não é um filme ruim de terror. – Irene sorriu, torcendo para ser reconfortante.

– Ah – disse Kai. Ele olhou para a pequena pasta junto à porta com os documentos. – Então – perguntou com exagerada informalidade –, você pode me mostrar algumas das palavras da Linguagem que estão ali?

– Eu poderia, mas não adiantaria nada para você. – Irene colocou a xícara na mesa. – Não será diferente do que é dentro da Biblioteca. Não vai parecer nada diferente de um discurso normal para você.

– Doeu?

Irene piscou pela mudança de assunto.

– O que doeu?

– Receber a marca da Biblioteca. – Kai se deitou na cama, que rangeu com seu peso. – Se é que é a única forma de entender a Linguagem.

– Doeu, e é sim. – Como ficou claro que Kai não ia levar a pasta até ela, Irene se levantou e foi pegá-la. – Olha, você devia ir dormir um pouco. Não faz sentido nós dois passarmos a noite acordados.

Kai se deitou de bruços, apoiou o queixo nas mãos e olhou para Irene.

– Irene – disse ele, e havia algo de grave e carinhoso em sua voz. – Quando você diz dormir, está mesmo querendo dizer só dormir?

Irene olhou para ele com a pasta nas mãos e ergueu as sobrancelhas de forma exagerada.

– Sim. Estou mesmo querendo dizer só dormir.

– Mas você, eu... nós estamos compartilhando um espaço bem pequeno, você não acha? – Ele se esticou, e ela reparou que as calças dele eram justas de uma forma atraente. – Você não está sentindo nenhum tipo de responsabilidade paternal em relação a um novato, está? É esse o problema?

– Não – respondeu Irene brevemente. – Mas, de qualquer modo, isso é irrelevante.

– Mas...

– Olha – disse ela, interrompendo-o antes que ele tivesse ideia de se levantar e tomá-la nos braços ou qualquer coisa do tipo. – Kai, eu gosto de você, você é extremamente bonito e espero que sejamos bons amigos, mas você não faz meu tipo.

– Ah – disse ele.

Irene voltou até a cadeira, se sentou, abriu a pasta e logo começou a mexer nos papéis.

– Qual é o seu tipo? – perguntou Kai, esperançoso.

Irene levantou o rosto e viu que ele tinha tirado a gravata, desabotoado a camisa e exibia o peito musculoso, liso e pálido. Ela conseguia imaginar qual seria a sensação daquele peitoral debaixo dos seus dedos.

Irene engoliu em seco.

– A gente tem mesmo de fazer isso?

– Não estou só tentando lisonjeá-la – disse Kai. Agora havia um tom de irritação em sua voz. – Mas eu gosto de você, acho você inteligente, sagaz e encantadora, e tenho um grande respeito por você. E acredite quando digo que sou *maravilhoso* na cama.

– E eu acredito em você – Irene respondeu, procurando um jeito de fugir da situação. – Tenho certeza de que teríamos uma noite ótima juntos. Mas não conseguiria estudar nadinha.

– Depois do estudo – disse Kai, esperançoso.

Irene massageou a testa com as costas da mão. Estava ficando com dor de cabeça.

– Olha, agradeço sua educação em relação a isso, aprecio o fato de você ser supercharmoso e queria poder ser mais educada na hora de recusar. Mas o dia foi longo e ainda tenho trabalho a fazer, e você não faz mesmo meu tipo.

E, antes que isso vá mais longe, meu tipo é sombriamente perigoso e fascinante, de moralidade duvidosa. E, sim, isso causou um problemão no escândalo que mencionei antes. O que foi muito constrangedor na época. Ainda é. Além disso, quero deixar bem claro que, se você repetir isso, vou *esfolá-lo vivo*. Entendido?

Kai olhou para ela com grandes olhos decepcionados.

– Eu teria gostado de ficar com você – disse ele. – De verdade. E você também.

– Me permita informar-lhe que sou uma parceira de cama *fantástica* – disse Irene, com certa arrogância. – Viajei por centenas de alternativos e tive parceiros de muitas culturas diferentes. Se eu fosse com você para a cama, você não reclamaria.

Kai olhou para ela profundamente com aqueles seus penetrantes olhos escuros.

Irene suspirou.

– Mas agora temos um livro para encontrar, eu tenho de estudar e você precisa dormir, por favor.

Kai acabou dormindo e Irene pôde trabalhar em paz, apenas com um ou outro pensamento ocasional sobre ofertas tentadoras e músculos muito bem delineados.

Duas horas depois, com Kai dormindo profundamente, Irene colocou os papéis na mesa e massageou as têmporas doloridas. Ela acabara de decorar doze advérbios diferentes para a forma como um dirigível se deslocava e quinze adjetivos para tipos de neblina. Precisava de uma pausa.

Infelizmente, a pausa trazia pensamentos.

Alberich era famoso por ser aliado de pessoas do povo feérico; ele os procurou quando se tornou um renegado.

Agora, supostamente tocava os negócios de várias facções com a energia de um músico lunático tocando um órgão de tubo. Os poucos e fragmentados relatos que a Biblioteca tinha sobre ele, pelo menos os acessíveis a juniores como ela, sugeriam que ele estava atrás da imortalidade.

Irene olhou para os papéis sem realmente vê-los. Imortalidade. A Biblioteca oferecia um tipo efetivo de imortalidade, ou pelo menos uma vida prolongada até a pessoa envolvida se cansar dela. Enquanto um iniciado da Biblioteca que carregasse sua marca estivesse *dentro* da Biblioteca, ele não envelhecia. Nos múltiplos mundos, a pessoa envelhecia, mas, dentro da Biblioteca, o envelhecimento simplesmente era interrompido. Ela mesma passou anos na Biblioteca enquanto realizava seu treinamento. Teve anos de experiência que não eram visíveis em lugares óbvios, exceto talvez nos seus olhos às vezes, mas ela tentava não pensar nisso.

Era por isso que a hierarquia da Biblioteca funcionava daquela forma. Bibliotecários juniores operavam nos mundos divergentes enquanto ainda tinham vários anos pela frente. Quando envelheciam, passavam a trabalhar na Biblioteca pelo tempo que quisessem, apenas com viagens ocasionais para fora, quando necessário. Havia pessoas como Coppelia e Kostchei, que passavam os dias naquelas infinitas salas, finalmente podendo fazer suas pesquisas adequadamente. Alguns Bibliotecários iam vivendo, vivendo, até decidirem que não queriam mais ou então irem para algum dos mundos alternativos terminar a vida em um lugar de que gostassem. A Biblioteca pagava por tudo, por mais caro ou exótico que fosse o lugar, afirmando que "nada é bom demais para aqueles que passaram suas vidas a serviço da Biblioteca". Claro que eram os Bibliotecários nessa mesma faixa etária que votavam nos fundos para esse tipo de coisa...

Irene não ia começar a pensar nisso agora. Ainda tinha anos de trabalho de campo pela frente. Décadas. Coisas a fazer, pessoas a ver.

Mas também havia Alberich, que abandonou a Biblioteca *quinhentos anos atrás*. Não era possível que estivesse vivo pelos métodos normais da Biblioteca. Devia ter feito alguma barganha com os feéricos, criaturas definidas por sua impossibilidade. A literatura comum de horror e fantasia oferecia algumas ideias desagradáveis sobre como Alberich ainda podia existir, embora algumas delas não pudessem ser consideradas efetivamente "viver".

E o que Alberich queria fazer com essa existência prolongada? A Biblioteca podia usar livros especiais para se ligar e se unir a determinados mundos alternativos. Mas o que outra pessoa, alguém de fora da Biblioteca, podia fazer com esses livros de ligação? Não era uma área sobre a qual Bibliotecários juniores fossem encorajados a especular. A melhor resposta em que ela conseguia pensar no momento era *alguma coisa ruim*.

Afinal, o que poderia significar se Alberich pudesse *influenciar mundos inteiros só por ser dono de certos textos-chave...?*

Irene considerou seriamente tomar mais conhaque. Tudo estava ficando complicado demais: Bradamant querendo assumir sua missão, envolvimento de feéricos, Alberich... e também havia Kai.

Irene olhou para seu corpo adormecido. Kai não roncava; respirava gentil e regularmente, como em uma propaganda de travesseiros particularmente confortáveis. E adormeceu numa posição que podia exigir que ela acariciasse sua testa ou o acordasse com um beijo. Quanto à mudança de personalidade anterior, de delinquente de rua a um quase aristocrata... ele interagiu com aquele detetive como um cavalheiro nato. E o interesse atual por roupas, sedução e aventura em geral não combinava com o jovem que se apresentou a ela como o mais recente aluno de Coppelia. Havia alguma coisa errada. Coppelia *tinha* de ter reparado ela mesma.

Irene percebeu que batia os dedos nos papéis e, deliberadamente, se obrigou a parar. Hábitos eram perigosos; podiam te levar à morte.

Será que o interesse de Bradamant em Kai era suspeito?

Irene tinha sua própria história com Bradamant, que não discutiria na frente de Kai, nem atrás dele, nem em nenhum lugar em que Kai pudesse ouvir. A mulher era uma cobra venenosa. Não, isso era uma injustiça com as cobras. Irene fora aluna de Bradamant durante um tempo e sabia exatamente o que isso significava: ser usada como isca viva, não receber nenhum crédito e levar toda a culpa. Depois, passar anos recuperando as credenciais de pesquisa, por causa da mancha no registro causada por rejeitar a proposta de uma Bibliotecária mais velha de levá-la em uma outra missão.

Com esforço, Irene parou de bater nos papéis novamente.

Eram só três da madrugada; ela podia ouvir o som distante de sinos de igreja e relógios se espalhando pela neblina lá fora. Mais uma hora de estudo e ela dormiria, então Kai poderia ficar vigiando. Irene era suficientemente paranoica para sempre querer alguém vigiando, embora fosse muito improvável que Alberich ou qualquer outra pessoa pudesse encontrá-los ali.

A paranoia era um dos poucos hábitos que valia a pena ser mantido.

Às oito da manhã do dia seguinte, as portas do Museu Britânico e da Biblioteca Britânica foram abertas. Irene e Kai se somaram à multidão que entrava. Por sorte, ninguém estava com humor para conversar àquela hora da manhã. As pessoas estavam com os olhos grudados nas próprias botas, olhando sem muita expressão para a frente ou com a cara enfiada em seus próprios cadernos.

O Departamento de Manuscritos Clássicos estava aberto, mas a sala de Dominic Aubrey, fechada. A porta estava trancada e com trinco, e possivelmente até barrada por dentro, pelo que Irene podia perceber. Ela não se lembrava de ter visto uma barra quando esteve lá dentro, mas podia não ter reparado.

– Devo arrombar a fechadura? – perguntou Kai, enquanto eles (não pela primeira vez) se endireitavam depois de espiar pelo buraco e faziam o melhor para imitar estudantes esperançosos, bem a tempo de sorrir para os funcionários que passavam.

– Pode deixar que eu abro – respondeu Irene. – Ele pode ter colocado alguma proteção contra arrombamento físico ou mágico, mas não pode protegê-la contra a Linguagem. – Irene fez uma pausa. – Afaste-se.

– Ah? – disse Kai, fazendo o que ela mandou.

– Bem, proteções são uma coisa, mas armadilhas e alarmes são bem diferentes. – Irene ignorou a expressão de consternação repentina de Kai (ele devia ficar agradecido, estava recebendo uma educação excelente) e se apoiou rapidamente em um joelho. Ali, ela informou à porta, usando a Linguagem, que todas as trancas e travas que houvesse nela estavam desfeitas, todas as fechaduras e todos os trincos, abertos, e todas as proteções, apagadas.

A porta se abriu silenciosamente quando Irene colocou a mão na maçaneta e fez sinal para Kai entrar rapidamente, fechando a porta atrás dele.

A sala estava como no dia anterior. A luz do sol da manhã entrava pelas janelas, abafada pela neblina lá fora, e brilhava nos armários folheados a ouro e com painéis de vidro. A porta da Biblioteca ficava fechada por uma corrente e um cadeado, com a corrente passando pelos dois puxadores e por um aro de metal na parede. Seria inútil para impedir alguém que viesse do outro lado, pois o poder da Biblioteca prevaleceria, mas era eficiente o bastante para impedir que as pessoas tentassem deste lado.

– Irene – disse Kai, inquieto.

– O quê?

– Se a porta estava trancada por dentro e a porta da Biblioteca tem um cadeado também colocado por dentro, como alguém saiu da sala?

– Boa pergunta – disse Irene. *Encoraje o útil da reflexão.* – Deve haver uma porta secreta aqui, ou ele saiu por meio de feitiçaria.

– E você pode usar a Linguagem para encontrar a porta secreta?

Irene se sentou na cadeira atrás da mesa. Claramente era a cadeira pessoal de Dominic Aubrey, e cedeu facilmente, devido ao longo uso, com apenas um rangido gracioso; tinha cheiro de tabaco e café.

– Não exatamente. Exame prático: diga-me por quê.

– Ah, não é justo... – respondeu Kai, depois olhou para a expressão dela e fechou a boca para pensar. – Certo – disse ele um momento depois. – Me desculpe, acho que já sei. Tudo ao alcance da Linguagem reage a ela, a não ser que a ordem ou a frase especifique o contrário, certo? Então, se você mandar tudo ao redor se destrancar...

Irene assentiu.

– Vou acabar abrindo os armários, as gavetas, as estantes na parede ali, o cadeado da porta da Biblioteca e, possivelmente, minha bolsa, sua carteira e as janelas também. É uma sugestão lógica, mas não adianta a não ser que não tenhamos nenhuma outra escolha. Agora me diga por que eu não vou usar feitiçaria.

Kai pensou e deu de ombros.

– Porque Dominic pode ter colocado proteções em qualquer porta secreta, que vai explodir quando você usar feitiçaria para detectá-la?

– Na verdade, não. – Irene apoiou os cotovelos na mesa. – Mas porque sou ruim em feitiçaria.

– O quê? Mas qualquer um pode fazer feitiçaria!

Ela levantou as sobrancelhas.

– É sério – disse Kai. – Você só pode estar brincando. Feitiçaria é uma das habilidades mais simples que existem. Até meu... meu irmão mais novo conseguia comandar os espíritos mais simples e invocar os elementos. Você não está me dizendo que... – Ele ficou sem palavras no meio da frase, com a expressão inquieta de uma pessoa que percebeu que tinha dito a coisa errada.

Irene também percebeu.

– Seu irmão mais novo – repetiu ela delicadamente.

– Irene, eu...

– *Se eu tivesse família*, você me disse antes. – Irene se lembrou da conversa na Biblioteca, pois esquecer era a última coisa que uma Bibliotecária treinada devia fazer. As lembranças eram tão importantes quanto livros e quase tão importantes quanto a catalogação adequada. – Kai, você tem mentido para mim sobre algumas coisas e escondido outras. Eu sei e você sabe. – Irene queria poder passar a mão pelo cabelo como ele fazia agora, mas ela era a Bibliotecária mais velha e ele seu aprendiz, e ela não podia se dar ao luxo de demonstrar fraqueza. Tinha de estar no controle. Irene gostava dele, e não gostava de muita gente, então não queria acusá-lo. Não queria... afastá-lo. – Quer conversar sobre isso?

Kai se levantou e parou na frente dela, parecendo de repente muito alto, mas, de alguma forma, muito frágil.

– Não posso – disse ele.

– Você pode – corrigiu Irene –, mas parece que não vai.

– Irene – ele engoliu em seco –, juro que não tem nada a ver com a situação atual. Juro pelo meu nome, pela minha honra e pela minha linhagem.

Dizer *até onde você sabe* seria a resposta óbvia, mas seria um descaso com seu esforço e sinceridade tão evidentes. E Irene tinha certeza de que ele estava sendo sincero.

Claro que isso não queria dizer necessariamente que ele estava certo, ou que não era um idiota.

Irene suspirou.

– Aceito sua palavra e não perguntarei mais nada a não ser que a situação atual exija o contrário. Mas vou ter de contar para Coppelia, Kai. Não posso guardar segredo.

– Esperava por isso – disse ele, e ergueu o olhar para observar com nobreza a parede oposta. – Devia saber que você relataria para ela, por...

– Supondo que ela já não saiba – disse Irene, pensativa.

Kai se agitou.

– Ela não pode saber – retrucou ele, em um tom que era mais uma esperança desesperada do que uma convicção genuína.

– Se consegui reparar que havia alguma coisa estranha em dois dias, ela deve ter conseguido reparar em cinco anos. – Irene se levantou e deu um tapinha no ombro de Kai. – Relaxe. Agora vamos encontrar a porta secreta. Eu olho os armários desta parede e você olha as prateleiras daquela.

Irene conseguia ouvir Kai resmungando atrás dela enquanto andava para o outro lado da sala para olhar os armários, que estavam cheios de papéis cuidadosamente presos, pedaços de cerâmica, canetas, penas, máquinas de escrever e outras peças que não eram limpas havia pelo menos uns dois anos. As trancas dos armários eram boas, mas a madeira estava seca e frágil. Qualquer ladrão sério (como ela, em mais de uma ocasião) simplesmente quebraria a moldura ou cortaria o vidro em vez de tentar arrombar a fechadura.

Kai espirrou.

– Encontrou alguma coisa? – perguntou Irene, sem se virar para olhar.

– Só poeira – respondeu Kai, e espirrou de novo.

Irene apoiou suas mãos e joelhos no chão para olhar na parte de baixo dos armários, procurando sinais de que tivessem sido arrastados. Se não desse em nada, ela esqueceria a confidencialidade e reviraria as gavetas da mesa de Dominic. Não esperava que ele guardasse ali qualquer coisa incriminadora ou importante, mas podia ao menos conter o endereço da casa dele. Se isso não desse certo, eles poderiam verificar com a administração da Biblioteca Britânica. Se isso não desse certo...

Kai espirrou de novo.

– Se há tanta poeira – disse Irene –, qualquer porta secreta deve ser bem óbvia.

– Não é só poeira – disse Kai. Ele deu um passo, parou e deu outro. – Há alguma coisa nesta sala com cheiro estranho.

Irene desistiu dos armários, se levantou e limpou a saia.

– O que é?

Kai fungou.

– Não tenho certeza. É picante. Salgado. Alguma coisa por aqui... – Ele andou perto das estantes, fungando de novo.

Irene foi atrás dele, fascinada por essa nova abordagem na busca de portas secretas.

– Achei! – Kai se inclinou e apontou para o pequeno armário depois das estantes. Seis volumes de *O Jardim Perfumado*

Resumido para os Jovens estavam empilhados em cima, mas a porta do armário era acessível, embora estivesse trancada.

– Me deixe ver. – Irene apoiou seus joelhos no chão de novo para examinar. – Hum. Parece um armário normal. Há alguma coisa de estranho na tranca?

– Não que eu consiga ver – respondeu Kai, se juntando a ela no chão. – Quer abrir, ou devo eu fazer isso?

– Ah, me permita. – Irene se inclinou e, usando a Linguagem, mandou a tranca se abrir. A porta do armário não abriu.

– Que interessante – disse Irene.

– Como pode *não* abrir? – perguntou Kai.

– A explicação mais fácil é que está fechada por algum outro método além da tranca – Irene explicou. – Alguma coisa que não é óbvia, para que eu não saiba que está aí e não possa mandar abrir. Por outro lado... você disse que conseguia sentir um cheiro. De que lado do armário o cheiro está mais forte?

Kai olhou para Irene indicando que não estava ali para ficar fungando as coisas por ela, mas obedeceu depois de um momento.

– Deste lado – Kai disse, batendo no painel direito do armário.

– Certo. – Irene chegou perto para olhar melhor, depois cutucou com cuidado os cantos e o desenho embutido. – Hum. Foi o que achei. Quando uma porta não é uma porta?

Kai só ficou olhando para ela.

– Quando – disse Irene de forma triunfante – é falsa. Aqui. – Ela apertou os cantos superiores simultaneamente e a lateral toda do armário se abriu com uma dobradiça oculta. – Pronto. Agora... – Ela teria dito mais, mas um fedor forte de vinagre chegou até ela, e de joelhos ela balançou para trás, sacudindo a mão na frente do nariz.

– Que cheiro azedo – disse Kai. – É algum jeito de a Biblioteca preservar documentos?

– Não que eu saiba. – Irene recuperou o autocontrole e pegou o que havia no armário. Era um único vaso canópico, uma espécie de urna no estilo egípcio usada nas mumificações. – Vamos ver o que há aqui.

– Devemos mesmo? – perguntou Kai.

– Kai – disse Irene delicadamente –, se Dominic quisesse mesmo manter esse segredo da gente, não teria escondido e depois se atrasado para o trabalho, pois sabia que viríamos xeretar.

– Só para eu saber mesmo – disse Kai –, todos os Bibliotecários são assim com relação a coisas particulares?

Irene não respondeu. Além do mais, Kai aprenderia. A missão de um Bibliotecário de procurar livros para a Biblioteca desenvolvia, depois de alguns anos, uma necessidade de saber tudo sobre o que estava acontecendo ao seu redor. Não se tratava nem de uma curiosidade pessoal, apenas da simples, impessoal e incontrolável necessidade de saber. Logo todos acabavam aceitando isso. Irene tirou a tampa estilizada em forma de cabeça de chacal do vaso.

– Há alguma coisa aqui – afirmou ela.

Kai esqueceu os escrúpulos morais e chegou mais perto.

– O que é?

– Uma espécie de couro. – Irene dobrou as mangas e puxou o que havia dentro. Era maior do que parecia, uma coisa fina e delicada, com longos anexos. Ela sacudiu a peça para ter uma ideia do tamanho e do formato, depois ficou paralisada, horrorizada. Atrás, conseguiu sentir a imobilidade e o choque de Kai.

Era uma pele humana completa, inteira, com um único corte na frente, do queixo à virilha.

Era a pele de Dominic Aubrey.

CAPÍTULO 8

Kai recuou, inspirando e levantando as mãos na frente do corpo como se fossem garras. A pele estava ali, caída, flácida e úmida, manchando o chão encerado com vinagre.

Irene engoliu em seco, se agarrando ao cheiro de vinagre para tentar controlar a própria náusea. As feições de Dominic Aubrey estavam muito diferentes. O rosto achatado era reconhecível, mas sem a forma, o espírito e o calor agradáveis que dele faziam parte no dia anterior.

– É algum tipo de pele falsa? – perguntou Kai.

Irene virou a pele. A marca da Biblioteca percorria as costas em um traçado complexo e floreado. Era inconfundível; a Linguagem não podia ser falsificada, mesmo que alguém tentasse copiá-la. Ela sentiu a marca entre seus próprios ombros tremer em uma espécie de solidariedade.

– Não – disse, entorpecida. – É real. Mas não é *possível* alguém soltar a pele assim... Quer dizer, até pode ser possível remover sua própria pele, se você considerar alguns textos fictícios mais loucos, mas não seria possível remover a marca da Biblioteca e sobreviver.

– Alberich – disse Kai.

Irene não precisou perguntar o que ele queria dizer.

– Certamente é possível – concordou Irene. – Até provável. Mas temos de considerar os feéricos também, e pode haver outras facções agindo. Bom, precisamos reportar isso.

Kai suspirou profundamente em alívio.

– Eu estava com medo de você dizer que tínhamos de investigar nós mesmos.

– Não seja ridículo – disse Irene bruscamente. – Podemos colecionar ficção, mas não temos de imitar as partes mais burras dela. – *E vamos torcer para não nos mandarem investigar isso sem reforços.* – Uma coisa de cada vez. Vamos esconder esse troço de novo, depois vou abrir a porta da Biblioteca.

A maçaneta da porta externa começou a girar.

Irene mal teve tempo de pensar: *Mas eu sei que a tranquei!* Ela enfiou a pele e o vaso com rapidez atrás de uma das mesas de exibição e se levantou para escondê-los melhor com a saia.

Kai conseguiu dar dois passos na direção da porta antes de ela ser totalmente aberta.

Uma mulher alta e jovem apareceu, segurando alguns livros contra o peito, e olhou para os dois.

– Me desculpe – disse Irene rapidamente. – O senhor Aubrey ainda não chegou. Podemos ajudar?

A mulher ficou olhando para os dois.

– Como? – disse lentamente. – Quem são vocês? – O cabelo castanho estava preso de qualquer jeito na parte de trás da cabeça, sujo de poeira e havia marcas de pó e cinzas em sua saia e em sua jaqueta cinzenta.

– Fiscalização e extermínio de insetos – inventou Irene rapidamente. – Estamos passando em todas as salas procurando sinais de infestação. Me diga, senhorita... – Ela fez uma pausa convidativa.

– Todd – completou a mulher. – Rebecca Todd. Ele me disse para vir esta manhã para falar do manuscrito de *Lamia*. – E mudou a posição dos livros nos braços.

– Ele deve chegar daqui a pouco – informou Irene. – Lamento muitíssimo, mas não posso permitir que espere aqui porque precisamos usar produtos perigosos enquanto testamos a presença de traças de livros. Você se importa de esperar no corredor? Sairemos em um minuto.

– Claro – disse a senhorita Todd na mesma hora. – Se o senhor Aubrey chegar enquanto vocês ainda estiverem trabalhando, eu o aviso.

– Obrigada – respondeu Irene com um sorriso, e esperou até a senhorita Todd sair da sala para suspirar aliviada.

– Traças? – murmurou Kai.

– Shh – disse Irene. – Estaremos longe daqui antes que ela perceba. – Irene se ajoelhou de novo, evitando a poça crescente de vinagre, e enfiou a pele de volta no vaso de qualquer jeito. – Ugh. Preciso lavar as mãos. Na verdade, vamos levar isto. Talvez Coppelia ou um dos outros saiba o que significa – Irene entregou o vaso para Kai. – Segure.

– Preciso mesmo? – perguntou ele, pegando o vaso com repulsa.

– Eu preciso abrir a porta. – Irene foi até a porta da Biblioteca. Ela se lembrava de ter visto a corrente da última vez, mas achava que não estava em uso, talvez aberta pela própria passagem deles pela porta. Estava ali mais como um aviso do que por sua funcionalidade, presumivelmente para desencorajar pessoas de fora a usá-la. E, claro, qualquer pessoa como Irene podia simplesmente usar a Linguagem.

– **Corrente, se abra** – disse Irene colocando a mão no cadeado.

Ele não explodiu, mas abriu de repente, se desmanchando como as trezentas pétalas de um crisântemo e cravando-se na palma da mão dela, espalhando-se por sua pele na forma de um metal quente e branco. Mas havia mais naquilo do que só calor. Através da dor intensa, Irene sentia maldade efetiva e vontade própria. Por trás de tudo, enquanto quase perdia a consciência, notou um brilho fugaz, mas que logo se tornou escuridão.

– Irene – disse Kai, mas ela já havia caído de joelhos e não havia espaço em sua mente para registrar as palavras e a expressão dele. Ou nenhuma outra coisa além da dor ardente estalando em sua mão e subindo pelo braço. – Irene!

A marca em suas costas ardeu vivamente, resistindo automaticamente às forças caóticas invasivas ligadas ao cadeado. Ordem e Caos agora lutavam pela autoridade sobre seu corpo. E era tarde demais para reconhecer a armadilha criada para alguém que usasse a Linguagem, embora, em retrospecto, isso parecesse tão claro.

Irene sentiu o cheiro de alguma coisa queimando. Era seu vestido, o tecido era altamente inflamável.

– Ajude-me a me soltar – ofegou. Se Irene pudesse romper a ligação física que a prendia ao cadeado, ou às forças que o controlavam, talvez conseguisse recuperar o controle e terminar de se purificar.

Kai fechou a mão ao redor do pulso dela e puxou-a, tentando não tocar no cadeado.

O cadeado estava preso à mão dela, Irene não conseguia sequer mudar a posição que segurava, seus dedos estavam fechados ao redor dele em um espasmo que ela não conseguia controlar. Em meio à dor, ela reconheceu aquilo como uma armadilha alimentada pelo Caos. Um ser humano normal, que não tivesse a marca da Biblioteca, já teria sido transportado para um lugar improvável. Ou teria sido rapidamente alterado até se tornar uma coisa que não poderia existir nesse alternativo e seria destruído. Se bem que um ser humano normal não dispararia a armadilha...

Irene sentiu a mão afrouxando.

No momento, a marca da Biblioteca a estava salvando, mas isso não duraria. As duas forças concorrentes a queimariam como um fusível fraco se ela não conseguisse romper a ligação.

– Irene! – gritou Kai no ouvido dela, como se o volume fizesse alguma diferença. – Eu posso te fazer entrar na Biblioteca? Isso ajudaria?

Irene balançou a cabeça.

– Não – ofegou ela. Irene não podia entrar na Biblioteca nesse estado. – Estou poluída... não posso... – ela tentou pensar em algum ensinamento sobre aquilo, mas só conseguia se lembrar de que ele se chamava "Princípio do Peixe Babel", o que não adiantava nada. E estava doendo, *doendo*...

Uma solução lhe ocorreu. Mas, se a porta da Biblioteca não fosse a fonte da energia da armadilha, ela ficaria com um problema ainda pior.

– Quebre minha ligação com a porta... quebre a corrente!

– Certo – respondeu Kai, e puxou a corrente, usando força bruta, tentando soltá-la do aro de aparência frágil que a prendia à parede. A corrente se mexeu, mas não o bastante, e ele tirou uma faca de sua manga para tentar quebrar os elos. Um se partiu com um estalo repentino, enfraquecido pelas forças que fluíam para o cadeado. E, então, a corrente se soltou, e ele a puxou pelo que restava do cadeado original.

Sem a corrente, o circuito de energia foi rompido, e o cadeado se abriu, caindo da mão de Irene no chão. Ela ficou ali ajoelhada, respirando fundo e choramingando, incapaz de olhar para sua própria mão e ver o tamanho do dano causado.

– Irene – disse Kai –, que porcaria era essa? Você está bem? E como se soltou?

Irene olhou para Kai. Sua visão estava meio embaçada; talvez por isso ele parecesse oscilar.

– Era uma armadilha – tentou explicar. – Armada para reagir à Linguagem e aderir ao usuário, usando a porta da Biblioteca como fonte de energia. Foi por isso que parou de funcionar quando você partiu a corrente. Era muito eficiente do ponto de vista energético. – Os ouvidos dela zumbiam. – Kai? Você está ouvindo alguma coisa? São as traças?

– Irene – disse Kai. Ele se apoiou em um joelho ao lado dela. – Você está bem?

Irene olhou para a mão: os dedos e a palma estavam vermelhos.

– Ah – disse ela, compreendendo o que acontecia. – Kai, acho que... – O zumbido estava ficando mais alto. – Acho que tenho de me deitar um pouco.

– Irene!

O mundo virou de lado. Irene sentiu quando ele a pegou, e então tudo ficou escuro.

Quando as luzes se acenderam novamente, foi de modo lento, embaçado por uma névoa de fumaça e com uma mistura de odores esquisitos. Irene estava deitada em um ângulo estranho, com a saia cuidadosamente puxada até os pés para esconder seus tornozelos. Seus ombros afundavam nas costas de um sofá e sua cabeça estava inclinada para o lado, com o chapéu ainda no lugar. Alguém colocara uma almofada sob sua bochecha. Era de crina de cavalo, e pinicava.

Erguendo seus olhos, Irene viu uma sala que havia sido arrumada de modo arrojado por alguém que acreditava em fazer grandes pilhas de coisas: livros, documentos, roupas, copos. Um apanhador de sonhos com curvas de Lissajous feitas de arame e ébano girava na janela, rodando lentamente num sopro de brisa e névoa. As paredes também estavam lotadas de livros, e alguém havia pendurado pinturas e desenhos na frente deles, empilhando pequenos objetos no alto das estantes. O lugar estava lotado de... coisas. Estava surpresa que houvesse espaço para ela no sofá.

Agora a mão doía menos. Alguém havia passado alguma coisa molhada nela e a enrolara com ataduras, e agora ela repousava como um objeto estranho em seu colo. Irene mexeu um dedo, sufocando um grito, e ficou satisfeita de ver que ele ainda funcionava.

– Irene – disse Kai atrás dela, alto demais –, você está acordada?

– Sim – murmurou ela –, mas não grite, por favor. – Irene se endireitou e conseguiu empurrar a almofada de crina de cavalo para o chão. – Me desculpe, onde estamos?

– Nos meus aposentos. – Peregrine Vale deu um passo à frente. – O senhor Strongrock a trouxe para cá uma hora atrás. Senhorita Winters, a senhorita foi vítima de um terrível ataque. Está se sentindo bem o suficiente para falar?

Irene levou a mão ilesa à cabeça.

– Peço mil desculpas. Estou com uma dor de cabeça horrível – respondeu, não mentindo totalmente – e não sei o que está acontecendo. A última coisa de que me lembro foi de tocar numa espécie de maçaneta adulterada...

– Foi algum tipo de choque elétrico – disse Kai, solícito. Ele se apoiou em um joelho ao lado dela e olhou para o seu rosto. – Eu não sabia o que fazer. Eu queria tentar chegar a algum lugar seguro para podermos resolver os próximos passos, Irene. A única pessoa em quem eu tinha certeza de que podíamos confiar era no Conde de Leeds aqui...

– Por favor – interrompeu Vale –, me chame de Vale. O título não tem importância. O que *tem* importância agora é localizarmos e prendermos os demônios que armaram essa armadilha letal.

– Bem, eu... – Irene tentou pensar no que dizer – Eu...

Vale levantou uma mão imperativa.

– Não diga mais nada. Estou ciente de que o senhor Strongrock aqui é seu subordinado.

– Ah – disse Irene.

– Ficou mais do que evidente – prosseguiu Vale. – Seus sinais para ele no restaurante, sua capacidade de se defender em combate e a recusa dele de dizer qualquer coisa enquanto a senhorita estava inconsciente... Tudo isso deixou bem claro que a senhorita estava no comando da missão. Senhorita Winters, sei que tem seus próprios objetivos, mas eu peço, eu rogo que confie em mim. Acredito que nossas metas são convergentes e acho que podemos nos ajudar.

– Então Kai lhe contou... – Irene parou no meio da frase de propósito. Não era isso que ela queria. O homem era quase um total estranho. Por mais impressionantes que fossem suas habilidades e por mais que ele tivesse o perfil de um nobre, capaz de entender bem os princípios de ajuda aos mais fracos e necessitados, ainda havia riscos. Sempre havia riscos. Ela devia ser a manipuladora, não a manipulada.

Sua mão estava doendo e isso a distraía.

– Ele não me contou nada – disse Vale, e Kai assentiu em concordância. – Apareceu em um táxi na minha porta com a senhorita inconsciente nos braços e pediu abrigo até que a senhorita acordasse.

Irene empurrou mechas de cabelo da testa. Não precisava fingir dor, nem confusão.

– Acho que não somos os únicos guardando segredo aqui, senhor Vale. O ataque ao senhor ontem à noite aconteceu em um momento deliberado demais para ser coincidência. – Era palpite da parte dela, mas acertou no alvo: as pálpebras dele tremeram levemente. Ela olhou para ele. – Acho que tem mais nisso tudo, o assassinato, o roubo do livro, Belphegor, do que um simples crime de ganância. Quando nos conhecemos ontem à noite, o senhor se referiu a roubos de materiais místicos. Esse não foi o único livro a sumir, não é?

Vale sentou-se em outra poltrona.

– A senhorita está correta. Ah, sente-se, sente-se, Strongrock. Para ser sincero, preciso de pessoas em quem possa confiar. O povo feérico tem contato em todos os níveis da sociedade. Meus inimigos têm ainda mais. Vocês são dois estranhos em Londres, e apesar de aparentemente não terem ligações com os feéricos, não têm ninguém para atestar quem são, nem para falar em seu favor. Posso ter motivos para acreditar que são de confiança... – ele franziu a testa. – Não. Deixemos isso de lado por enquanto. Vou explicar minha parte nesse assunto e depois, talvez, expliquem a sua.

Irene olhou para sua mão. Queria poder arrancar as ataduras e ver o quanto estava ruim... O ferimento seria permanente? Essa vontade infernal acompanhava todo ferimento, ver como ele "estava" a cada minuto do dia, como se ela pudesse identificar se estava melhorando ou piorando. E se piorasse, e tivesse se machucado de forma permanente? Ela não conseguia suportar a ideia de ficar aleijada... mas verificar sua mão agora interromperia o fluxo das confidências de Vale, e ela precisava daquelas informações.

– Por favor – Irene disse baixinho, levantando o olhar da mão e tentando se impedir de mexer nas ataduras. – Por favor, prossiga.

Vale entrelaçou os dedos.

– Quando me apresentei como conde de Leeds, disse a verdade, mas não é um título que goste de usar com frequência.

As associações sombrias da cidade de Leeds e seus condes existem desde o reinado do rei Edward, no século XIV. Rompi com a minha família em... em condições um tanto desagradáveis, e não desejo voltar a me ligar a ela. Meu pai está morto, e não posso ser deserdado, mas também não tenho interesse nas terras, nas propriedades e nos segredos da família.

– Por isso que o senhor mora em Londres? – perguntou Kai. Irene lançou um olhar para ele, que estava inclinado para a frente com uma expressão de interesse, mas havia linhas de evidente reprovação em seu rosto. A boca estava repuxada de um tal jeito que parecia quase uma careta de censura.

Vale assentiu.

– Meus familiares não têm interesse em me ver, nem eu a eles. Eles esperam que eu não me case e que o título passe para meu irmão Aquila. No entanto, uma semana atrás, recebi uma carta da minha... – ele hesitou por um momento – da minha mãe. – As palavras saíram com dificuldade. – Ela queria me avisar de um roubo que havia acontecido e me pedir, como detetive, além de filho... – e ficou em silêncio por um momento, olhando para os dedos como se estivessem manchados – me pedir se eu poderia investigar a questão para ela.

– E o que foi roubado? – perguntou Irene delicadamente.

– Um livro – respondeu Vale. – Era um diário da família, ou seja, não um trabalho impresso, mas uma coleção de anotações manuscritas, de estudos, referências de ervas e contos de fadas.

– Contos de fadas – disse Kai lentamente.

Vale assentiu.

– Os senhores vão entender por que estou intrigado com o assassinato do Lorde Wyndham e com o desaparecimento de seu livro. Uma análise em conjunto com outros roubos que aconteceram sugere uma conjunção de eventos. Nenhum dos outros roubos envolveu assassinato. E quanto à explosão ontem à noite abaixo da Ópera...

– O quê? – disse Irene, se sentando ereta.

– Ah, a senhorita ainda não leu o jornal matinal – disse Vale. – O incidente tem todos os indícios de ter sido orquestrado por alguma sociedade secreta. Vários porões desabaram, mas parece que as fundações não foram afetadas. A polícia não pediu minha assistência – Irene quase conseguiu ouvir o *ainda* não dito –, então só posso tirar conclusões com base nos relatos públicos.

– Mas o que o faz pensar que isso tem ligação com os roubos? – perguntou Kai.

– Duas coisas – respondeu Vale. – Primeiro, o momento. Aconteceu na noite posterior à chegada dos dirigíveis em grupo, vindos de Liechtenstein. Acho que não preciso lembrá-los disso – ele ergueu o rosto, que estava contemplando seus dedos. – E segundo... – hesitou novamente antes de continuar – meus familiares estavam envolvidos com uma certa sociedade, e eles acreditam que haja uma conexão com o sumiço de seu livro. O mesmo grupo se reunia abaixo da Ópera.

– Você está sendo bem cuidadoso em não citar o nome da sociedade, senhor Vale – comentou Irene.

– De fato estou – respondeu Vale.

– Ela tem ligação com o povo feérico? – conjecturou Irene.

Vale riu, uma gargalhada alta e surpresa.

– Minha querida senhorita Winters, me mostre uma sociedade que *não* tenha ligação com o povo feérico. Acho que você poderia dizer que ela não tem mais conexão com eles do que a maioria das outras.

– E sua ligação com Liechtenstein? – continuou ela.

– Ah. É agora que chegamos ao cerne do problema – Vale franziu a testa. – Eu provavelmente devia ter oferecido chá para vocês. Peço desculpas. Sempre me esqueço dessas coisas. Mas, de qualquer modo, pelo que soube, o povo feérico de Liechtenstein definitivamente não está ligado a... bem, vamos chamar de Sociedade. Então, a chegada do embaixador, logo antes de a Sociedade ser atacada dessa forma, chama a atenção pela coincidência do momento.

– O senhor acha que *ele* provocou a explosão? – perguntou Kai. – Ou a Sociedade? Ou eles foram o alvo da explosão?

– É possível. – Vale balançou a mão. – É possível. Sem dúvida vale a pena investigar mais. E agora, senhorita Winters, senhor Strongrock, como já cumpri minha palavra e contei por que estou envolvido nisso tudo, peço que façam a mesma coisa – ele se inclinou para a frente na cadeira, com os olhos entreabertos, e Irene se perguntou o quanto do que ele disse fora um blefe cuidadosamente elaborado. *Acreditem em mim. Contei tudo aos senhores. De verdade. Agora é sua vez.* – Se queremos progredir, tem de haver confiança de ambas as partes.

Irene levantou a mão boa antes que Kai pudesse dizer alguma coisa.

– Antes disso, senhor Vale, gostaria que me respondesse mais uma pergunta.

– Dentro do razoável, estou ao seu dispor – disse Vale.

– Por que o senhor acha que pode confiar em nós? – perguntou Irene. Claro que ela gostaria de cooperar com ele. Tornaria as coisas muito mais fáceis; poderia até tornar possível o sucesso daquela missão em vez de fazer disso algo fora de questão. Mas também podia ser uma armadilha.

Ele podia até ser Alberich. Como Irene poderia saber? A mera ideia a fez engolir em seco e a mão enfaixada, latejar e pinicar novamente.

– É uma pergunta justa – concedeu Vale. – Serei sincero com a senhorita. Tenho alguns dons hereditários. Um deles é... bem, não exatamente um presságio, mas uma capacidade de perceber quando uma coisa será importante no meu futuro. Usei-o em meu próprio benefício em vários dos meus casos, embora não discuta com o público. Quando conheci o senhor Strongrock outro dia, eu *soube*, de uma forma que temo não ser capaz de descrever, que ele se envolveria comigo no meu futuro próximo. Tive a mesma sensação quando a conheci, senhorita Winters. Ao avaliar a personalidade dos senhores, prefiro supor que venham a ser meus aliados, e não meus inimigos. Espero que não me decepcionem.

Irene olhou para Kai por um momento. Ele deu de ombros de forma neutra. Mas, de todo modo, não era decisão dele; aquilo não era democracia, e ele não era um parceiro de mesmo nível hierárquico. A decisão, os riscos e o potencial para o desastre eram todos de Irene.

A história de Vale era bem amarrada e fazia sentido, o que era mais do que normalmente se podia esperar desses eventos. Mais do que isso: Irene tinha a sensação de que podia confiar nele. Ela *queria* confiar nele. (Isso por si só não devia deixá-la desconfiada?) E não havia nada que exigisse que eles contassem tudo. Afinal, tratava-se apenas de uma missão. Eles podiam deixar aquele alternativo para trás, e ele não teria como segui-los. Não haveria nenhuma repercussão posterior. E, bem... se ele *fosse* Alberich, eles já estariam mortos, assim como Dominic Aubrey.

Irene tomou sua decisão e se inclinou para a frente para oferecer a mão boa.

– Senhor Vale, fico agradecida pelo que o senhor disse. Acredito que possamos cooperar.

Vale deu um sorriso breve e apertou a mão dela.

– Obrigado. Talvez, então, possam-me falar sobre os senhores.

Irene olhou para Kai.

– O senhor já deixou claro que não acredita que sejamos ingleses.

– Realmente – disse Vale, secamente. – Nem canadenses.

– Ah – disse Irene, e rapidamente reelaborou a frase seguinte. – Somos representantes de... uma sociedade. Espero que compreenda se não citarmos seu nome.

O sorriso de Vale foi meio amargo.

– Se puder garantir as boas intenções dela, isso já bastará.

– Posso garantir a não interferência dela – disse Irene, meticulosamente. – Estamos atrás de uma coisa: o livro que foi roubado da casa do Lorde Wyndham. Chegamos aqui com a intenção de comprá-lo – *bom, essa seria uma opção* –, mas demos de cara com o homem, quer dizer, vampiro assassinado e o livro roubado. Agora, queremos recuperá-lo. Se juntos pudermos descobrir a verdade por trás dos roubos dos livros, do assassinato e da explosão, bem, esse seria o melhor dos resultados possíveis. – *E*, pensou ela, *a Biblioteca talvez tivesse interesse nesses outros livros também. Exceto pelo da família de Vale. Esse eles podiam se dar ao luxo de devolver, e ele agradeceria.*

– E seu inimigo? – Vale indicou a mão machucada de Irene.

– Só sabemos o nome dele – disse Irene. Devia ser seguro o suficiente lhe contar isso. – Alberich.

Vale balançou a cabeça.

– Não conheço ninguém em Londres com esse nome. Mas, por enquanto, sim, acho que podemos trabalhar juntos.

– Com licença – disse Kai. Irene se virou para olhá-lo. Ele claramente estava se controlando com um grande esforço. – Posso falar sozinho com a senhorita Winters por um momento?

– Certamente – respondeu Vale, que se levantou da cadeira. – Vou mandar trazerem chá. Quer dizer... sua sociedade toma chá?

– Sempre – respondeu Irene.

CAPÍTULO 9

— Essa é uma má ideia – disse Kai assim que Vale saiu e a porta se fechou atrás dele.

— Estou ouvindo – respondeu Irene enquanto começava a mexer nas ataduras – e estou prestando atenção, e, se eu gritar, é porque minha mão está pior do que eu pensava. Continue.

— Por que você confia nele? – perguntou Kai.

— Não confio. – Irene não levantou o olhar do curativo apertado. – Não totalmente. Mas acho que ele está dizendo a verdade sobre a família e sobre seu dom. E também não sei se ele confia em *nós*.

— Isso é outra coisa – disse Kai. – Como podemos confiar em alguém que traiu a família?

Irene deixou o curativo de lado e olhou para Kai. Ele apertava as mãos em seu colo com tanta força que ela conseguia ver com clareza todos os ossos e as veias azuis na parte interna de seu pulso, sob a pele pálida.

— Não sabemos se é bem isso – disse Irene. – Não sabemos o que podem ter feito para afastá-lo. Se...

— Mas ele os abandonou! – Kai estava quase gritando. Controlou-se com esforço e se levantou para ficar na frente de Irene. – Ele admitiu isso. Se realmente discordava deles, devia ter ficado e tentado mudá-los. Deixá-los, ir embora, desobedecer aos próprios pais... como isso pode ser justificável?

Irene olhou para a mão de novo, em parte para pensar, em parte para que Kai não pudesse notar sua expressão. Ele não percebia o quanto revelava sobre si mesmo? Ou não se importava? Esse tipo de exposição era, de certa forma... inebriante.

– Raramente vejo meus pais – disse Irene, e se impressionou com o quanto sua voz soou baixa.

– Mas você não os desafiou, nem os abandonou. – Kai ficou de joelhos e olhou no rosto dela. – Você seguiu a tradição deles. Eles eram Bibliotecários e você também é. Não estou dizendo que ele devia *amar* a família, se eram realmente pessoas do mal, mas ele não devia tê-la abandonado. Não dá para confiar em um homem que faz isso.

– Não estou dizendo que devíamos confiar nele – afirmou Irene. – Estou dizendo que precisamos trabalhar com ele. – Ela sentiu muito frio, e não sabia se era por causa da mão, do choque de antes ou de suas próprias palavras. – Para servir à Biblioteca, eu trabalharia com assassinos, ladrões, revolucionários, traidores ou qualquer pessoa que me desse o que eu preciso. Você me entende, Kai? Isso é importante – Irene esticou a mão ilesa e tocou a face dele. – Estou subordinada à Biblioteca. Posso fazer minhas próprias escolhas até certo ponto... mas, no fim das contas, levar o livro à Biblioteca é meu dever e minha honra, e isso é tudo que importa.

– Você já foi obrigada a escolher entre a Biblioteca e sua honra? – perguntou Kai.

– Kai – explicou Irene –, a Biblioteca *é* minha honra. E se você sacramentar sua ligação com ela, também será a sua. – Ela sentiu que estava dando um sorriso triste. – Mas você já me contou que não tem família viva, não é? Então, não é uma escolha que vai ter de fazer.

Kai nem mudou de expressão, só ficou olhando fixamente para Irene.

– Você está confundindo os assuntos. Tem de haver um jeito de encontrarmos nosso livro sem nos aliarmos a uma criatura sem honra e traidora de sua família como ele. Irene, por favor. Vá lá fora agora e diga para ele que não. Não precisamos desse tipo de ajuda.

Irene tentou pensar em uma forma de fazê-lo entender. Talvez estivesse sendo vaga demais na tentativa de fazê-lo compreender esse caso específico... mas, que se dane tudo, Kai ia ter de encarar escolhas morais difíceis um dia se realmente quisesse ser Bibliotecário, se sobrevivesse.

– Deixando de lado a questão da honra pessoal dele – disse Irene –, não estamos em boa situação. Dominic Aubrey está morto. Há um inimigo na cidade, possivelmente Alberich, e talvez outros também. Estamos sem possibilidade de recuar, e, embora eu talvez consiga abrir um caminho de volta...

– Talvez? – interrompeu Kai. – O que você quer dizer com talvez?

Irene levantou a mão machucada.

– Quero dizer que posso estar contaminada pelo Caos. Preciso descobrir. Devo melhorar em alguns dias, mas, no momento, posso não conseguir abrir passagem para a Biblioteca. Ela me impediria de entrar da mesma forma que impediria qualquer coisa contaminada pelo Caos. Então, não temos uma rota de fuga conveniente.

– Ah – disse Kai, e mordeu o lábio.

Irene não queria admitir, mas não sabia quanto tempo podia demorar para ter acesso à Biblioteca de novo. Nunca tinha passado por isso. Ela sabia a teoria, mas esse era seu primeiro caso de contaminação. Só de pensar a respeito sentia-se mal. Queria paz e silêncio e uma oportunidade de olhar a mão, além de uma pequena biblioteca onde pudesse fazer alguns testes.

Infelizmente, o que havia ali no momento era um subordinado nervoso e cheio de princípios que precisava ser tranquilizado. Não era papel de um líder se apoiar, trêmula, no ombro de um júnior e confessar suas incertezas. Também não era papel de líder sugerir que podiam estar em uma posição indefensável e que deviam estar agradecidos por qualquer aliado que pudessem conseguir. O papel de líder era transmitir uma sensação de controle da situação e, ao mesmo tempo, encorajar seu subordinado a desenvolver a capacidade de tomar decisões. Se é que eles tomariam a decisão certa.

O papel de líder era uma merda.

De todas, essa estava se tornando uma das missões menos favoritas de Irene em todos os tempos. E isso incluía aquela com anões malignos na Bélgica (qual era o problema da Bélgica?) e a outra em que precisou transportar uma carroça com placas de âmbar entalhadas por toda a Rússia. E até mesmo aquela missão com a ladra.

– Ajudaria se conseguíssemos descobrir mais sobre a família dele? – sugeriu ela. – Se descobrirmos que não é tão ruim quanto ele diz, podemos reavaliar o quanto confiamos nele.

Kai balançou a cabeça de forma decisiva.

– Isso não faz diferença. Temos de recusar a proposta de ajuda dele.

– Essa – Irene disse baixinho – não é uma opção.

Eles se entreolharam por um momento. Os lábios de Kai estavam contraídos, os olhos sombrios e furiosos, e ele ficou ali, encarando-a. Naquele momento, havia nele algo quase desumano, algo feroz, mais primitivo talvez. Pela primeira vez, Irene achou que ele efetivamente a desobedeceria.

No final, ele foi o primeiro a baixar o olhar.

– Como você ordenar – disse ele. *Mas não aprovo essa decisão* não foi dito por ele e não era necessário.

Irene conheceu outros Bibliotecários que tentavam controlar seus subordinados usando táticas mais rasas, como Bradamant. Ela não gostava delas e não ia enfeitar tudo isso para Kai tornando-se delicada agora ou fazendo cara de coitada.

– Você trouxe nossas coisas quando me tirou da Biblioteca Britânica? – perguntou ela.

– Trouxe – respondeu Kai rigidamente. – Sua pasta de documentos e o vaso com a... pele.

– Estou impressionada – disse Irene. – Deve ter sido difícil cuidar dessas duas coisas e de mim.

Kai deu de ombros, mas Irene teve a sensação de que ele ficara satisfeito.

– Encontrei uma mala maior na sala e consegui colocar nela o vaso e a pasta de documentos. Vamos contar a Vale sobre *essas duas coisas*?

– Não – respondeu Irene rapidamente. – Isso ele não precisa saber. Aconteceu mais alguma coisa enquanto você estava me tirando de lá? Pessoas nos seguindo, ataques, alguma coisa?

– Nada que valha ser mencionado – disse Kai com arrogância. – Enrolei seu rosto no véu, apoiei-a no meu ombro e passei o braço por sua cintura, e meio que te carreguei, e fiquei repetindo que você não devia ter bebido tanto gim ontem à noite. Ninguém nos olhou duas vezes.

– Pensamento rápido – disse Irene. – Muito bem. Bom trabalho. E boa escolha de lugar para me trazer.

– Se soubesse antes o que sei agora... – murmurou Kai, mas não com o mesmo mau humor de antes.

– Você fez o melhor que pôde com as informações que tinha – disse Irene, e recomeçou a soltar a atadura.

– Tem certeza de que é seguro fazer isso? – perguntou Kai. – Não queremos que infeccione.

– Só quero ver o quanto está ruim... – uma parte da atadura caiu e revelou uma camada de curativo encharcado de unguento. Porções de carne viva, vermelha e úmida, apareciam nas bordas. Uma pontada de dor se espalhou por sua mão e Irene conteve uma careta. – Tudo bem – disse ela entredentes. – Quem cuidou disso?

– Eu – respondeu Kai. – Aquela armadilha arrancou a pele de sua mão de forma tão uniforme quanto... bem, quanto se fosse uma luva sendo arrancada. – Ele se apoiou em um joelho e segurou a mão dela, enrolando a atadura de novo. – Vale me deu antissépticos e ataduras, e usei alguns feitiços de cura, mas tente não usar muito essa mão. – O toque dele era cuidadoso e preciso, enquanto seus dedos secos e quentes roçavam em seu pulso. – Normalmente, eu diria que você poderia tirar a atadura em poucos dias, mas não sei nada sobre contaminação do Caos.

– Posso avaliar isso com facilidade – disse Irene com confiança. – Esta sala tem livros suficientes para eu tentar verificar a ressonância básica.

Kai olhou para as paredes cheias de prateleiras.

– Você não precisa estar em uma biblioteca de verdade para fazer isso?

Irene deu de ombros, depois fez uma careta de dor quando o movimento torceu a mão dela na de Kai.

– Me desculpe – disse ela, quando ele a olhou com reprovação. – Não exatamente. Preciso estar em uma biblioteca de verdade para abrir passagem, mas uma sala de livros basta para reafirmar meus elos. Claro que é preciso que haja muitos livros... – Irene deu um sorriso momentâneo, se lembrando do cheiro de celuloide velho e ar sem poeira. – Na verdade, qualquer armazenamento significativo de conhecimento ou ficção pode ser usado. Já fiz em um depósito de filmes uma vez, um arquivo de velhos programas de televisão. Não havia nenhum livro por perto, só rolos de filme e dados de computador, mas a similaridade no propósito e na função bastou.

– Então ande – Kai se inclinou para a frente com ansiedade. – Faça.

– Tudo bem. – Irene estava nervosa agora que a hora havia chegado. Ela falou com eloquência sobre contaminação e, apesar de conhecer a teoria da questão (vai passar, só seja sensata, evite mais exposição e fique longe da Biblioteca até estar descontaminada), nunca havia tido essa experiência. – Talvez você queira ficar longe das paredes.

– Não estou perto das paredes – observou Kai.

– Ah, certo – Irene engoliu em seco. – Tudo bem.

Ela respirou fundo, molhou os lábios secos e invocou a Biblioteca por seu nome e sua posição como Bibliotecária, dizendo as palavras na Linguagem que a descreviam. Diferentemente de substantivos e outras classes gramaticais, as palavras que descreviam a Biblioteca e a própria Linguagem estavam entre as poucas partes da Linguagem que nunca mudavam.

As ataduras em sua mão começaram a pegar fogo. As prateleiras nas paredes tremeram e rangeram, balançando e estalando como árvores vivas em uma tempestade de inverno, enquanto livros caíam no chão. Jornais espalhados e pilhas de anotações se mexiam, arrastando-se pelo chão por centímetros, se contorcendo para longe dela como mariposas esmagadas. A caneta-tinteiro na escrivaninha pulou e rolou pelo caderno que estava aberto, deixando uma linha escura e molhada de tinta no caminho.

– Mas que diabos?! – Vale entrou de repente, carregando uma bandeja de chá esmaltada. – O que você pensa que está fazendo...

– Com licença – cortou Kai, pegando a jarra azul e branca de leite na bandeja. Ele segurou o pulso de Irene com a outra mão e enfiou a mão em chamas dentro da jarra, com fogo e tudo.

Houve um chiado e um filete de vapor, e a mão dela foi apagada.

– Obrigada – disse Irene, tentando regular a respiração novamente. Sua mão doía como se tivesse sido toda picada por vespas e depois deixada no sol, queimando. – Peço desculpas pelo leite, mas tomo meu chá puro mesmo... – Ela sabia que estava dizendo coisas sem sentido, mas tinha de dizer alguma coisa para tentar explicar a situação, e, além do mais, a mão dela estava *doendo*.

– Meus livros! – exclamou Vale, horrorizado, olhando a sala. – Minhas anotações! Meu... meu... – ele ficou ali, com a bandeja tremendo nas mãos, olhando para ela, furioso. – Senhorita Winters, *faça a gentileza de se explicar*!

Irene pensou em várias coisas. Pensou em desmaiar, em alegar que tinha sido um ataque mágico, em desistir de Vale e sair pela porta. Com uma pontada de arrependimento, pensou no que sentiria se fossem os *seus* livros espalhados pelo chão. Finalmente, disse:

– Me desculpe, senhor Vale. Estava tentando uma coisa, mas deu errado.

Vale colocou a bandeja no espaço que havia na mesa mais próxima com um baque e um tilintar audíveis.

– Algo. Deu. Errado – disse ele friamente.

– Deu – disse Irene. Ela retirou a mão da jarra de leite, pingando. – Lamento muitíssimo.

151

Vale bateu com os dedos na superfície da bandeja.

– Posso perguntar se alguma coisa vai dar "errado" de novo num futuro próximo?

– Acho bem improvável – respondeu Irene, esperançosa. – Lamento muito. Posso pedir umas ataduras limpas, por favor?

Vale ficou olhando para ela.

– Nunca a vi fazendo isso antes – disse Kai. – Foi um acidente.

– Apenas um acidente – concordou Irene. – Realmente lamento muitíssimo.

– Tenho certeza de que lamenta – disse Vale rispidamente. – Muito bem, ataduras.

E bateu a porta ao deixar a sala.

– O que isso quer dizer? – demandou Kai. – Os livros! Os papéis!

– Quer dizer que estou mesmo contaminada – admitiu Irene em voz baixa. – Não podemos entrar na Biblioteca enquanto eu não estiver limpa. E não posso usar a Linguagem de forma confiável.

Kai ficou olhando fixamente para ela.

– Você está reagindo com muita calma a isso.

– Estar com a mão pegando fogo realmente coloca as coisas em uma outra perspectiva... – respondeu Irene. Qualquer palavra servia, qualquer coisa que a impedisse de entrar em pânico. Ela não podia se dar ao luxo de entrar em pânico. Estava contaminada pelo Caos, *doente* por causa dele, e só podia torcer para estar certa: que com o tempo isso passaria. Mas, agora, tinha de se acalmar e manter o controle. – ... percebi que isso me distrai.

Kai olhou para ela por mais alguns segundos, depois se virou para verificar a porta.

– Acho que Vale não engoliu nada dessa história.

– Eu diria que é uma prova conclusiva de que ele precisa muito da nossa ajuda – comentou Irene.

Vale voltou com uma bacia de água e algumas ataduras.

– Longe de mim querer criticar – disse ele –, mas pôr fogo na parte ferida do corpo não é uma forma habitual de tratamento. Embora eu tenha ouvido que leite tem muito cálcio.

Kai lançou a Vale um de seus olhares afrontadores.

– Está questionando as ações da senhorita Winters, senhor?

– Ah, não, não – respondeu Vale. – O máximo que vou fazer é passar mais ou menos a próxima meia hora recolhendo os livros que, por algum motivo, estão espalhados no chão e deixar que o senhor cuide da mão dela. A não ser que a senhorita tenha algo com o que contribuir.

– Na verdade – disse Irene –, tenho. Mas posso fazer isso enquanto Kai cuida da minha mão, se o senhor não se importar. – Felizmente, olhar para a mão forneceu-lhe uma desculpa para não olhar para Vale. Ela sabia que devia estar corando. De todas as coisas estúpidas e ridículas que podiam acontecer, isso definitivamente não fora calculado para impressioná-lo.

Kai emitiu um som debochado, sentou-se ao lado dela e começou a retirar as ataduras molhadas. – Vá em frente – disse ele. – O que você tem em mente? – *Além da sua incapacidade de fazer contato com a Biblioteca,* estava claramente implícito naquelas palavras.

– Acho que todos concordamos que a Embaixada de Liechtenstein está envolvida nisso... *ai, cuidado* – disse Irene, apertando a mão boa.

– Desculpe – disse Kai, mais por obrigação do que como um pedido de desculpas real. – Fique parada.

– Eu concordo – afirmou Vale. Ele pegou dois livros no chão e limpou as capas com carinho. – Principalmente considerando que Lorde Silver deu, por meio de um de seus representantes, um lance bem alto quando aquele livro foi leiloado. Interessante, não acham?

Irene assentiu. Era mesmo muito interessante.

– Então, sugiro irmos ao Baile da Embaixada esta noite – disse ela com firmeza.

– O quê? – disse Kai, horrorizado. – Nos misturar com os... você está falando sério? Percebe o perigo em que estaríamos nos colocando?

– O senhor Strongrock exagera a situação – observou Vale –, mas, de qualquer modo, não é possível. Concordo que valha a pena investigar, mas infelizmente não poderemos entrar. O evento é apenas para convidados, e mesmo eu conseguindo entrar disfarçado, não sei se os dois conseguiriam.

– Concordo que os feéricos provavelmente estão por trás de tudo isso – disse Kai –, mas tem de haver uma forma melhor de investigá-los, pois essa não vai funcionar.

– Não – disse Irene. – Ela vai funcionar. Porque eu tenho um convite.

– Excelente! – exclamou Vale.

– E – acrescentou ela – vou precisar de um vestido novo.

– E de uma mão nova? – perguntou Kai entredentes.

Irene conseguiu chamar a atenção dele.

– Confie em mim – disse Irene.

– Ah, confio – disse Kai. – Mas acho que esse é um dos planos mais descuidados, desmiolados e arriscados que já ouvi desde... – ele parou de falar. – Deixe para lá. Estou sob suas ordens. Mas é melhor que o convite seja para três pessoas.

– Será – disse Irene serenamente, tentando acalmar-se, recompor-se e sentir tudo que ela não sentia.

CAPÍTULO 10

Irene recuou e observou Kai no bufê. Havia algo de fascinante na pura e focada concentração que ele dedicava ao caviar: ele parecia elevar os grãozinhos pretos ao nível de algo sagrado, até mesmo divino. A curva de seu pulso, quando colocava uma porção em um triângulo de torrada, era a última palavra em elegante eficiência. Claro, havia outros motivos para observá-lo. Graças às recomendações de vestuário de Vale, Irene estava adequadamente vestida de verde-escuro, mas Kai... bem.

Ele conseguia vestir trajes de noite com tanto estilo que ela teve de se esforçar para reprimir certa inveja... e para sufocar um desejo já parcialmente formado de que deveria ter aceito sua proposta na noite anterior. Não era da conta *dela* Kai ter um ar inato de poder, além da elegância de um nobre mesclada a um certo toque de vulgaridade...

Isso a fez pensar. Quando o vira pela primeira vez, ele estava de jaqueta de couro e calças jeans, acompanhados da atitude de um jovem criminoso. Mas assim que se estabeleceram naquele alternativo, ele mudou de estilo e linguagem com a eficiência de um bom espião (o que não era um pensamento reconfortante), passando para uma cortesia mais alegre que certamente a amolecera. No baile, ele novamente se ajustou sem hesitar em nenhum momento. Irene tomou um gole da taça de vinho que segurava na mão esquerda. Branco e seco, apropriado ao bufê quase todo de frutos do mar.

Irene ainda confiava nele. Aquele entusiasmo, aquela oferta vigorosa e animada da noite anterior e até a recusa em aceitar o que ele achava ser uma escolha de ação perigosa, tudo parecia verdadeiro para ela. Fosse ele quem fosse, *o que* fosse, era sincero e estava ao lado dela.

Kai não podia ser um Bibliotecário plenamente desenvolvido. Não estaria tão disposto a dividir a cama com ela se precisasse esconder as marcas obrigatórias da Biblioteca. Essa era uma das poucas coisas que a maquiagem não escondia, como Irene sabia por experiência própria, e não achava que ele era uma criatura do Caos. Sua desconfiança de todas as coisas feéricas parecia bem real. Talvez um espírito da natureza? Mas, pelo que ela havia lido, espíritos não humanos não *gostavam* tanto assim de tomar forma humana. Por outro lado, havia uma outra alternativa importante. Ela olhou para a nuca de Kai e pensou em tudo que sabia sobre dragões, e desejou saber mais.

Afinal, havia dragões com aparência de... bem, de dragões. Mas dragões também podiam assumir uma forma parcialmente humana. Irene conheceu um assim e sentiu nele um orgulho tão graciosamente inconsciente que chegava a ser elegante. Mas tinha sentido um ser diferente, definitivamente não humano. Ela não sentia isso em Kai, mas ele tinha essa mesma dignidade. E Kai parecia humano. Absurdamente bonito, mas totalmente humano. Mas já tinham lhe dito que dragões também podiam assumir essa forma se quisessem. Irene sentiu uma fúria crescente pela ideia de que Coppelia devia saber... se isso fosse verdade. Então, por que não disse nada, e por que Bradamant o queria para si?

– Minha ratinha, acredito – disse uma voz atrás dela. – Que bom que você veio.

Irene teve autocontrole suficiente para não derramar o vinho. Só o suficiente. E não estava tão absorta no aprendiz a ponto de se esquecer de observar as pessoas. Só não o tinha visto se aproximar. Ela se virou e fez uma reverência, lançando um breve olhar para o rosto dele antes de baixar os olhos.

– Lorde Silver – ela não fazia ideia se ele merecia o título ou não, mas achou que o agradaria. Ele estava vestido tão formalmente quanto Kai, com uma ordem militar não especificada no peito, e o cabelo claro caído nos ombros. – Obrigada pelo gentil convite.

– Você escolhe pessoas muito interessantes para acompanhá-la – disse ele. Seu tom foi mais brincalhão que perigoso. – Mas gostei. Eu mesmo teria convidado Leeds se tivesse pensado no assunto.

– Não sabia que era tão próximo dele, senhor – disse Irene.

– Não sou – ele curvou os lábios em um sorriso contido. – Definitivamente, não sou.

Irene saiu de sua reverência e se endireitou.

– O baile parece ser um grande sucesso – disse ela num tom neutro.

Silver olhou por todo o salão com um sorriso casual de alguém que está no domínio. Pegou um prato no bufê e encheu-o distraidamente com folheados de patê de siri, depois ofereceu-o a ela.

– Espero que sim – disse ele. – Convidei todas as melhores pessoas. Lordes, damas, autores, embaixadores, libertinos, ladrões de túmulos, pervertidos, feiticeiros, cortesãos, cientistas loucos e fabricantes de bonecas. E algumas inocentes socialites, claro, mas, em geral, recebo bilhetes educados de recusa dos pais delas, ou convites para ser chicoteado.

– Convites? – perguntou Irene.

– Bilhetes propondo que eu seja chicoteado em frente ao meu clube se eu chegar perto das filhas deles...

Irene engoliu em seco, nervosamente. Seria uma piada? Ela devia tocar nos folheados de patê de siri?

– Algumas pessoas chamariam isso de ameaça, senhor.

– Ameaça? – Ele a olhou com genuína perplexidade. – Mas por que você pensaria isso?

Irene não conseguiu olhar nos olhos dele quando respondeu. Se esse era um exemplo dos gostos dos feéricos, ela não ia forçar mais.

– Obviamente, devem ser pessoas de visão bem limitada, senhor.

Ele deu um tapinha carinhoso no ombro dela. As luvas eram brancas e de pelica, macias na pele dela, e Irene conseguiu sentir o calor da pele dele pelo tecido. Era mais uma demonstração informal de poder, como um tubarão mostrando a barbatana, do que uma tentativa deliberada de encantá-la e seduzi-la, mas, mesmo assim, ela conseguia senti-la.

Kai ainda estava perto do caviar, mas a observava com olhos apertados, atento como uma cobra. Irene balançou a cabeça de leve, avisando-o para *ficar longe*. Vale parecia entediado e conversava, do outro lado da sala, com um homem corcunda cujo monóculo de metal ia preso no olho direito.

O salão era grande o bastante para acomodar confortavelmente umas cento e cinquenta pessoas, com mesas de bufê ao seu redor e garçons circulando em silêncio. Espadas e lanças inacreditáveis se encontravam penduradas pelas paredes em um cintilante arranjo, com bandeiras de Liechtenstein penduradas acima. Um quarteto de cordas no canto tocava algo leve e discreto. O salão inteiro transmitia uma certa sensação doentia, um sentimento de proximidade e abafamento digno de uma estufa, mesmo com a temperatura perfeitamente normal. Irene se perguntou se todos os presentes escondiam segredos, algo que afetasse todas as suas palavras e ações.

Até eu, pensou Irene com mais do que um toque de ironia.

Silver apertou o ombro dela novamente.

– Eu volto – disse ele delicadamente. – Não vá embora.

Num piscar de olhos ele sumiu.

Irene pôs o copo em uma mesa antes de se sentir tentada a beber ainda mais vinho. Tinha de haver uma forma de atrair Belphegor, ou quem quer que tivesse matado o vampiro e levado o livro. E se, como ela esperava, o baile estivesse cheio com os principais suspeitos da sociedade, esse seria o local perfeito para obter informações.

Depois de diversas conversas com várias pessoas por mais quinze minutos, Irene chegou ao embaixador de Iorubá, um homem de aparência gentil, bem mais alto do que ela, que usava um tipo de traje cerimonial, com pulseiras douradas que pesavam mais do que o vestido dela. Ela se perguntou como Silver o convencera a ir.

– Como eu estava dizendo – mentiu Irene com toda a sinceridade –, estou escrevendo um artigo sobre figuras importantes do mundo literário. Ia entrevistar Lorde Wyndham, mas sua morte trágica... – E parou no meio da frase de forma dramática.

– Não sabia que Lorde Wyndham era um aficionado do mundo literário – observou o embaixador.

– Bem, não exatamente. Mas parece que ele conhecia muito bem os novos romancistas. Soube que patrocinou alguns.

– Ah – disse o embaixador, de forma compreensiva. – Eu só sabia de sua coleção.

Como Irene tinha inventado toda essa parte sobre o patrocínio de novos escritores, não ficou surpresa.

– Era uma excelente coleção – concordou ela. – E ele sempre foi muito bom ao colocar livros à disposição de outros especialistas na área, não era como alguns bibliófilos que só acumulam e ficam se gabando em particular.

O embaixador fez uma expressão um pouco furtiva, mas continuou.

– Todos hesitam na hora de falar mal dos mortos – disse ele em tom suave –, mas acho que isso é dar crédito demasiado ao cavalheiro. Ele tinha inclinação para se gabar. Era a natureza dele, sabe? Vampiros. Eles simplesmente não conseguem resistir. Já conheci alguns muito agradáveis, claro – acrescentou rapidamente.

– Ah, claro – concordou Irene rapidamente, de forma inexpressiva. – Mas acho que Vossa Excelência está certa. Eles sentem muito orgulho de suas superioridades.

– Exatamente – disse o embaixador com aprovação. – Fico feliz por nosso anfitrião não ter trazido nenhum aqui hoje. Eles sempre exigem ser servidos de forma tão insolente: o sangue, as veias abertas, todas essas coisas. Atrapalha uma simples conversa.

Irene assentiu, sufocando a irritação por Silver não ter convidado nenhum. Ela gostaria da oportunidade de interrogar alguns. Na verdade, por que Silver não os convidou se gostava da companhia deles? Mesmo se estivesse brigando com eles? Pelo que Silver disse sobre a lista de convidados, convidar alguns vampiros adversários seria exatamente o tipo de coisa que ele faria.

– Torna tudo mais simples para todos – concordou Irene.

– E somos poupados dos manifestantes contrários aos esportes sangrentos. – O embaixador pegou uma taça de vinho da bandeja de um garçom que estava passando. – Mas, se você é repórter, já deve ter entrevistado alguns! – Ele deu uma gargalhada grave.

– Gosto de pensar que há algo a ser dito pelos dois lados – contemporizou Irene. – Mas, quanto às ostentações de Lorde Wyndham, senhor... ah, peço perdão. – Vale estava andando na direção deles com certa urgência nos movimentos. – Se Vossa Excelência me der licença...

– Claro – disse o embaixador. – Quanto àquela entrevista mais tarde...

– Faço contato com a equipe de sua embaixada, senhor – disse Irene, e se afastou com outra educada reverência.

Vale levou Irene até a mesa do bufê (ela conseguiria se afastar dela em algum momento?) e pegou alguns canapés para ela com movimentos exagerados.

– Senhorita Winters, precisamos tomar cuidado – murmurou ele. – Um dos meus contatos me disse que haverá um ataque aqui, à Embaixada de Liechtenstein, esta noite.

Irene sufocou um gemido. Quantas facções estavam envolvidas naquilo? Como ela poderia conduzir uma investigação racional com esse tipo de interferência?

– Quem vai promover o ataque? – perguntou Irene em um murmúrio. – Será que poderemos usá-lo como distração para fazer uma busca na embaixada?

Vale mirou-a com sobrancelhas baixas.

– Senhorita Winters, essa é uma sugestão criminosa.

– Mas muito prática – respondeu Irene, lembrando a si mesma que ele *era* um detetive particular. Mas Vale não pareceu reprovar a ideia. Talvez o fato de ela ter sugerido isso primeiro, e não ele, foi o que o forçara a condená-la.

– Hum. – Vale colocou mais salmão no prato de Irene. Naquele ritmo, ela teria uma indigestão. – Em resposta à sua primeira pergunta, os manifestantes são a Irmandade de

Ferro; são notórios antifeéricos, então não seria estranho da parte deles.

– O senhor acha que valeria a pena notificar os funcionários da embaixada? – perguntou Irene.

Vale balançou a cabeça.

– Eles já esperam alguma coisa assim. Verifiquei mais cedo, e tomaram todas as precauções habituais: armas antizepelins, glamoures contra feitiços, tudo. Mas tome cuidado, senhorita Winters. Se me der licença, preciso falar com aquela dama que acabou de chegar.

A dama em questão estava no momento invisível atrás de um esquadrão de admiradores masculinos; Irene viu Vale atravessar o salão e tentou esconder o seu prato lotado atrás de uma tigela de sopa.

– Há alguma coisa acontecendo – disse Kai sobre o ombro dela.

Irene quase derrubou a sopa.

– É mesmo? – disse Irene entredentes.

– Sem dúvida – afirmou Kai. – Vou pegar canapés para você. – Ele pegou um novo prato e começou a colocar mais comida nele. – Você precisa comer mais. Vai ajudar na cicatrização.

– Também preciso conseguir andar sem rolar – disse Irene, olhando com crescente inquietação enquanto ele colocava alguma coisa com carne de siri. – Ou dançar.

Kai chegou um pouco mais perto.

– Já descobriu alguma coisa? – murmurou ele.

Irene considerou os fatos que descobrira até o momento.

– Acho que Silver está esperando alguma coisa. Ou alguém. Ele pareceu tenso. Mas está sendo distraído pelos belos e famosos. – Irene conseguia vê-lo do outro lado do salão, conversando com duas voluptuosas mulheres de preto, uma pendurada no ombro da outra, ambas parcialmente bêbadas.

– Andei falando com mais algumas pessoas. Aparentemente, é estranho Silver não ter convidado nenhum outro vampiro hoje. Estou me perguntando se o ataque a Wyndham não poderia ter sido um ato antivampiros e não antifeéricos, e gostaria de fazer mais algumas perguntas a Vale sobre a família dele e se ela tem alguma ligação com vampiros. Ah, e Vale acha que haverá um ataque à Embaixada de Liechtenstein por uma sociedade antifeéricos chamada Irmandade de Ferro, e... ah, Kai, não o *sour cream, por favor*.

– Você precisa, para fazer um contraste apropriado com os canapés – disse Kai com firmeza.

– Você descobriu alguma coisa? – perguntou Irene.

– Nada definitivo – respondeu ele lentamente. – E... bem, não estou *tentando* falar com nenhum dos outros feéricos aqui. Acho que não vão nos contar nada de útil.

– Ahã – concordou Irene, neutra. – Mas você descobriu mais alguma coisa sobre alguém?

– Aquela mulher no canto. – Kai lançou um olhar para a esquerda. A mulher em questão era idosa, estava com a cara cheia de blush, meio escondida sob uma peruca branca enorme, e usava uma criação de cetim listrado preto e branco com um corpete apertado e armação embaixo. – Ela é muito bem informada. E efetivamente *faz* parte do mundo literário, não é só uma exibicionista como Wyndham era.

– Qual é o nome dela? – Irene perguntou.

– Senhorita Olga Retrograde – disse Kai. – A senhorita Olga Retrograde sênior. Ela disse isso várias vezes.

Irene se perguntou como seria a senhorita Olga Retrograde júnior enquanto se deslocava na direção dela.

– É melhor você nos apresentar. O que ela é?

– Uma dama do prazer aposentada – respondeu Kai de forma um tanto seca.

– Bem, pelo menos não vai achar que estou procurando emprego – disse Irene alegremente. – Ah, Kai, não me olhe assim...

A multidão se dispersou e Irene pôde finalmente ver quem havia entrado no salão.

Era Bradamant. Ela estava tão perfeita quanto uma fotografia em preto e branco, seu pescoço magro saía das dobras de seda cinza do corpete como um cisne, a cauda do vestido ondulava em elegância suave e fluida.

Kai franziu a testa quando Irene parou no meio da frase e acompanhou o olhar dela.

– O quê? – sussurrou ele. – Ela? Aqui? Como?

– Quatro perguntas muito boas – disse Irene entredentes. – Meu Deus, ela está usando um vestido Worth. Só pode ser um vestido Worth.

Kai se virou para olhar para Irene.

– O que o vestido tem a ver? – perguntou ele. – É particularmente eficiente para esconder armas, ou algo assim?

– Não – resmungou Irene. – Só é um dos melhores vestidos de um dos melhores costureiros do período, ou seja lá qual for o equivalente neste alternativo. Pelos céus, além de tentar vir aqui roubar a minha missão na cara de pau, ainda tem a *coragem* de fazer isso usando uma coisa que grita *"aqui estou eu, olhem todos para mim"*. Por acaso eu saio colecionando trajes de alternativos só para poder ser a pessoa mais bem-vestida da festa?

– Irene – disse Kai – você está apertando meu braço com muita força.

Irene teve de se controlar para parar de trincar os dentes.

– Um Bibliotecário tem de saber ser sutil – murmurou Irene. – Fazer seu trabalho sem chamar atenção... ah, desculpe. – Ela tirou a mão do braço de Kai e o viu ajeitar com afronta as dobras na manga do paletó. – Hum. – Irene sentiu que estava ficando vermelha. – Peço desculpas. – O que ela queria fazer era gritar *Como ela ousa!* até os candelabros balançarem. Mas não podia.

– Talvez ela tenha informações importantes e queira falar com você – disse Kai.

– Mas como saberia que estávamos aqui? Ou... espere. – Irene franziu a testa. – Dominic Aubrey podia ter lhe contado... Ela entrou neste alternativo antes de ele morrer?

– Ou ela teve alguma coisa a ver com aquilo? – disse Kai devagar, completando o pensamento de Irene.

Irene ficou em silêncio por um longo momento, avaliando mentalmente as possibilidades.

– Nem pensar – disse Irene por fim. – Não vou pensar isso sobre ela.

Naquele momento, as pessoas se deslocaram de novo, e Bradamant virou a cabeça, olhando para o salão de baile e, por um momento, os olhos das duas se encontraram. E, naquele momento, Irene viu uma coisa no rosto de Bradamant que não esperava: choque.

– Ela não esperava que estivéssemos aqui – murmurou Irene.

Bradamant se recuperou quase imediatamente e se virou com um movimento de desdém dos ombros para dar atenção ao homem a seu lado, um sujeito magrelo de cabelo branco, na casa dos oitenta anos, com o peito tão coberto de medalhas militares e insígnias que era impressionante que não tombasse para a frente.

– Por que você não me apresenta à senhorita Olga Retrograde – pediu Irene para Kai, compondo no rosto o que devia ser, com sorte, um sorriso agradável. Ela descobriria o que estava acontecendo. E desta vez não seria testa de ferro, isca ou instrumento de Bradamant.

Não desta vez. Não novamente.

– Muito bem – disse Kai, olhando para Bradamant por cima do ombro de Irene. – Mas o que ela *está* fazendo aqui? Sei que ela disse que queria a missão... – O rosto dele se iluminou quando um pensamento surgiu em sua mente. – Se ela está acima de você, talvez tenha autorização para cooperar na missão. Isso simplificaria as coisas, com a contaminação do Caos.

– Algo assim é possível – disse Irene lentamente, para se dar tempo de pensar, e encontrar uma resposta, por que esse não podia, não *seria* o caso. Ela não tinha certeza se seria fisicamente capaz de obedecer se fosse o caso. O ódio que sentia pela outra mulher era profundo demais para isso. – Mas, se fosse o caso – quanto cuidado, quão condicional –, ela teria alguma espécie de símbolo da Biblioteca e o mostraria para mim. Ela ainda nem tentou vir falar comigo. Então, estou duvidando.

– Confio em você – disse Kai. Ele tocou brevemente na mão dela, de forma tranquilizadora. – Confio mesmo em você, Irene. Queria que você pudesse me dizer por que não confia nela.

Ela podia ter dito: *é particular*, mas alguma coisa lhe fazia sentir que ele merecia coisa melhor. Então, disse:

– É pessoal, e se você quiser mesmo saber, eu te conto mais tarde. Não é nada que a torne pior como Bibliotecária. Só como pessoa, e para mim. Mas depois, certo?

Kai assentiu, e eles chegaram.

– Senhorita Retrograde? – disse ele. – Posso apresentar-lhe minha amiga, a senhorita Winters?

Irene fez uma pequena reverência.

– Senhorita Retrograde, é um prazer conhecê-la.

– É um prazer conhecê-la também, minha querida – disse a mulher idosa. De perto, o rosto dela era todo blush, tinta branca e pintas artificiais. Ela merecia um prêmio pela meticulosidade na hora de esconder as rugas, ou pelo menos pela capacidade artística de fazer isso. O vestido podia ter um corpete apertado e antiquado, mas o tecido era de alta qualidade, e os diamantes em seus dedos pareciam genuínos. – Soube que a senhorita não é daqui.

Kai devia ter usado a história do Canadá.

– Ah, não – admitiu Irene –, no momento estou trabalhando como repórter freelance...

– Ah, não está, não – interrompeu a senhorita Retrograde.

Irene fechou a boca antes que seu queixo pudesse chegar no chão.

– Como? – disse ela apressadamente.

– Minha querida – disse a senhorita Retrograde –, faço questão de conhecer todos os membros do quarto poder em Londres, não teria deixado passar uma garota com cara de inteligente como você.

Irene teria lançado um olhar venenoso a Kai, dizendo mais ou menos *em que você me meteu e por que não me falou mais sobre isso*, mas seria uma traição óbvia demais.

– Sou muito nova na área – disse Irene rapidamente.

– Ando observando Silver – disse a senhorita Retrograde. Ela se inclinou para frente com um estalo de seu vestido. Os olhos brilhantes se concentraram nas órbitas bastante maquiadas. – Ele conversou com você. Gostaria de saber por quê.

Irene desconfiou que bancar a inocente não adiantaria nada ali e conseguiu sentir o braço de Kai contrair-se sob a mão dela, esperando (com esperança) que ela lhe dissesse para que lado pular.

– Acredito que isso dependa do motivo pelo qual a senhorita deseja saber – Irene disse finalmente, deixando o bom humor desaparecer de seu rosto.

– Posso fazer valer a pena – disse a senhorita Retrograde, passando de forma sugestiva o polegar por um dos seus anéis de diamante.

Irene ergueu uma sobrancelha. Havia algum tipo de barulho no corredor lá fora, baques e estrondos, mas ela não tirou o olhar da mulher mais velha. Se a Irmandade de Ferro, ou fosse lá quem fosse, estivesse atacando, ela torcia para que alguma outra pessoa fosse resolver.

– Ah, muito bem – disse a mulher de modo mesquinho. – Isso foi grosseria, admito. Vamos direto ao assunto. Sente-se, minha jovem. Mande seu guarda-costas... eu não sou burra, meu jovem... Mande seu guarda-costas pegar mais vinho para nós. E, em seguida, poderemos discutir as questões...

E, naquele momento, os jacarés entraram no salão.

CAPÍTULO 11

Irene só tinha visto jacarés no zoológico antes disso e se lembrava deles como objetos preguiçosos, parecidos com troncos, deitados em "formações rochosas" de cimento ou cochilando em lagos lamacentos.

As criaturas invadindo o salão se moviam com uma velocidade perturbadora. Se eram troncos, então eram troncos em um rio com uma inabalável correnteza. Alguns tinham quatro metros e meio de comprimento. As bocas se abriam e se fechavam conforme se deslocavam. Um deles fechou a mandíbula na perna de um garçom e rolou de lado; o homem gritou e caiu. A perna simplesmente se soltou na boca do jacaré, arrancada como se fosse uma asinha de frango, borrifando sangue pelo chão encerado. No meio da confusão, antes que a pressão da multidão se tornasse muito intensa, Irene localizou geringonças de metal presas no crânio dos animais e metal aparafusado em suas garras.

Convidados e garçons gritavam e corriam para as outras portas enquanto os jacarés continuavam a entrar pela porta principal. Alguns convidados disparavam armas antes escondidas, uma mescla de pistolas e armas de raios, mas a maioria estava apenas tentando fugir. O cheiro de sangue no ar era intenso e acobreado, e espalhava-se sobre o aroma de perfume e comida.

– Não temam! – gritou Silver, subindo em uma mesa e pisando em uma travessa com ostras. – Os poderes da minha espécie afugentarão essas vis criaturas para que voltem rastejando ao lodo de onde vieram...

Que gramática incrível em meio a uma crise, Irene foi obrigada a reconhecer.

– Contemplem! – Silver levantou a mão. Dramaticamente, fogo surgiu ao redor de seus dedos, pulando depois para acertar os jacarés em ardentes chicotadas.

Mas falhou. Não havia outra palavra. As chamas diminuíram e apagaram como se tivessem sido cobertas por água fria, permitindo que os jacarés continuassem em frente, desimpedidos.

– Maldição! – gritou Silver. – Foram protegidos com ferro frio! Johnson! Minha arma de elefante!

Por mais que Irene tivesse gostado de ver o que aconteceria a seguir, fugir do salão antes de ser pisoteada pela multidão ou comida por jacarés parecia uma ideia melhor.

– Rápido! – Irene disse a Kai. – Ajude a senhorita Retrograde...

– Senhorita Retrograde sênior, por favor, minha jovem – disse a mulher idosa, levantando-se. – Sabia que devia ter trazido minha pistola.

Eles foram sacudidos e empurrados, mas ainda havia um pouco de espaço para fugir, desde que ficassem perto das paredes.

– Isso acontece com frequência nesses bailes? – perguntou Kai. Ele parecia meio fascinado e meio chocado com o caos. Havia gritos, garçons e convidados correndo o suficiente para que os jacarés não chegassem até eles por mais alguns minutos. Com sorte, Bradamant saberia se cuidar.

A senhorita Retrograde sênior estalou a língua.

– As pessoas deviam saber o que esperar de uma festa dada por Lorde Silver – disse ela. – Agora... o que *está* acontecendo ali?

A fuga precipitada estava sendo interrompida e as pessoas voltavam correndo para o salão. No meio da balbúrdia, Irene conseguiu ouvir gritos de pessoas falando sobre as portas externas estarem trancadas.

– Isso tem cheiro de coisa planejada – comentou Kai.

– E é – respondeu Irene. – A Irmandade de Ferro?

– Tem o fedor deles – disse a senhorita Retrograde sênior, farejando. – Vocês repararam no ferro frio nas garras dos jacarés? A forma mais fácil de desviar feitiçaria feérica. Infelizmente, acho que não podemos esperar nada do Lorde Silver esta noite.

– Os subordinados dele não vão tentar salvá-lo? – perguntou Kai, e lançou um olhar pensativo às armas penduradas na parede.

A senhorita Retrograde sênior moveu um ombro franzido.

– Alguns, talvez, mas posso quase garantir que o resto estará pensando em se defender, e só cuidará de salvar alguém quando já for tarde demais. Algum de vocês, jovens, têm talentos contra jacarés? Vocês aprendem treinamento contra jacarés no Canadá?

– Vou tentar uma coisa – disse Irene, dando um passo à frente.

Um jacaré virou a cabeça e a parte superior do corpo. Um olho giratório mirou nela.

Irene engoliu em seco. Não era hora de ceder ao medo crescente que ardia em seu estômago. Não era hora de considerar que tudo que ela sabia sobre jacarés vinha de ler Rudyard Kipling e as aventuras de Mogli. (Ou nesse caso eram crocodilos?) Agora era hora de lembrar que ela era uma Bibliotecária e tinha a responsabilidade de proteger Kai.

Irene sufocou o desejo de cruzar os dedos, levantou a mão e apontou para o jacaré mais próximo, então deu-lhe uma ordem na Linguagem para que travasse as pernas e ficasse parado.

Quase funcionou.

As palavras estavam claras em sua boca, mas alguma coisa no ar, ou ainda presente em seu corpo, as distorceu e tirou-as de foco. Irene sentiu as marcas na mão se reabrirem sob a atadura e viu manchas vermelhas começarem a surgir através da luva.

As pernas do jacaré travaram: isso pelo menos funcionou. Ele comprimiu os olhos com uma expressão reptiliana de ódio frio enquanto deslizava no piso encerado até ela, escorregando como um míssil da desgraça com suas imensas (e que ficavam ainda maiores a cada minuto) mandíbulas.

Havia algo de hipnótico naquelas mandíbulas. Irene devia fugir, mas a visão a segurou até ela achar que podia contar cada um dos dentes que se aproximavam.

– Mas que inferno – disse Kai, que a pegou pela cintura e jogou-a em cima da mesa mais próxima. Irene conseguiu se equilibrar com sua mão boa e puxar a saia para longe de uma tigela fumegante de sopa na hora em que o jacaré deslizou sob a mesa. A toalha branca se rasgou quando o jacaré entrou por um lado e saiu pelo outro, escorregado no piso encerado até dar de cara na parede, e ficou ali, abrindo e fechando a boca e rolando de um lado para o outro, com a cauda se debatendo, aparentemente incapaz de flexionar as pernas.

– Infelizmente, acredito que não está funcionando direito – informou Irene a Kai.

– Bom, isso é óbvio! – Kai ofereceu o braço à senhorita Retrograde sênior. – Senhora, se puder fazer a gentileza de subir na mesa...

– E o que você vai fazer, meu jovem? – perguntou a mulher.

Irene sabia o que Kai *queria* fazer. Estava evidente na posição dos ombros dele, na tensão em seu rosto. *Um dos aspectos mais importantes da liderança é não dar ordens que não serão obedecidas*, lembrou a si mesma.

– Pegue uma espada na parede, Kai – disse ela. – Encontre Vale, ajude-o se ele precisar. Faça o que puder para resolver isso. Eu cuido de mim.

Kai levantou a cabeça e havia uma perigosa satisfação em seus olhos.

– Você quer mesmo dizer isso? – Kai perguntou.

– Sou perfeitamente capaz de ficar fora do caminho de alguns jacarés – disse Irene tranquilamente. Especialmente se ficasse em cima da mesa, mas acrescentar isso estragaria sua declaração. – Acho que eles não conseguem subir.

– Espero que não. – A senhorita Retrograde sênior bateu no ombro de Kai. – Vou aceitar sua ajuda, meu jovem. Vocês dois podem me contar mais tarde por que estão fingindo ser canadenses.

Kai colocou uma das mãos sob o cotovelo da senhorita Retrograde sênior, se inclinou para colocar a outra debaixo de seu sapato e a empurrou para a mesa sem nenhum sinal de esforço.

– Mais tarde – prometeu ele, e saiu correndo. Kai estava indo na direção de uma bandeira baixa, pendurada tentadoramente perto de um par de sabres decorados presos a dois metros e meio de altura.

Em outras partes da sala, Irene conseguia ver mais homens e mulheres subindo nas mesas, algumas das quais quebraram nesse processo. Foi pura sorte só haver umas poucas pessoas no canto da sala em que estavam, assim as mesas estavam comparativamente desocupadas. Aparentemente, não se encontravam em um daqueles mundos alternativos em que o Império Britânico ditava uma tradição de mulheres e crianças primeiro. Era um caso de sobrevivência dos mais preparados, e os jacarés pegavam os que não estivessem.

De seu ponto de vista privilegiado, Irene olhou ao redor e finalmente viu Bradamant, que, atleticamente, subiu em uma mesa vazia e jogou um prato de mariscos na boca do jacaré que a perseguia, com um único movimento. O jacaré parou, grunhiu e sacudiu a cabeça, enquanto Bradamant ajeitava a saia e olhava ao redor.

Os olhares de Irene e Bradamant se encontraram. Por um momento, elas se olharam através da sala, depois Bradamant se virou com um movimento de cabeça e um sorrisinho, observando a multidão, claramente procurando alguma outra pessoa. Irene engoliu em seco sua irritação. Ainda se preocupava tanto com Bradamant que precisava procurar onde ela estava primeiro e ter certeza de que estava segura? O interesse pelo bem-estar de uma colega Bibliotecária ia só até certo ponto.

E onde estaria Vale? Com uma pontada de culpa, Irene observou a multidão à procura dele também, e finalmente conseguiu encontrá-lo. Estava encurralado em um canto por dois jacarés e se defendia com uma bandeja de prata da melhor maneira possível. Claro que teve de deixar a bengala-espada na porta quando chegou. A situação não parecia boa.

– Kai! – Irene se virou para procurá-lo. Ele tinha conseguido subir pela bandeira a uma altura quase suficiente para pegar os sabres. – Ajude Vale! Ali!

A julgar pela testa franzida, Kai conseguia enxergar Vale lutando muito melhor do que ela própria. Ele prendeu a bandeira entre as pernas, esticou as duas mãos e pegou o cabo dos dois sabres; em seguida, apenas se soltou. Os sabres se soltaram dos apoios com um rangido de metal, e Kai despencou dois metros e meio até o chão, girando graciosamente no ar e caindo em pé.

– Vale! – gritou ele, alto o bastante para ser ouvido acima das outras pessoas gritando. – Aqui!

As pessoas se afastaram dele ao ouvirem o grito, e Kai jogou uma das espadas em um arco amplo no ar; a espada girou acima das pessoas em um brilho de aço e Vale a pegou antes que caísse, pois o arremesso foi perfeitamente calculado para bater em sua palma da mão. Em seguida, com um golpe certeiro, ele cortou o dispositivo de metal do crânio de um jacaré que o atacava.

Irene soltou o ar, sem perceber que tinha prendido a respiração. Aparentemente, Kai e Vale tinham excelentes reflexos de luta, desconhecidos por ela até então. Em retrospecto, destruir uma centopeia mecânica gigante parecia comparativamente simples.

Kai gritou alguma coisa em um dialeto chinês que Irene não reconheceu, talvez um grito de batalha ou um xingamento, e se lançou na batalha. Empalou um jacaré, fechando suas mandíbulas com um único golpe de sabre pouco antes de a criatura conseguir morder um garçom.

Irene chegou mais para o lado da mesa e tentou pensar em um plano. Os jacarés não estavam demonstrando interesse nenhum nas pilhas de comida que se acumulavam no chão. E, apesar de não ser especialista em psicologia reptiliana, animais costumavam partir para cima de qualquer abundância de alimento disponível, e não sobre convidados armados em um jantar, estando ou não tomados pelo frenesi da fome. Portanto, talvez as coisas vibrantes de metal presas na cabeça deles estivessem controlando seu comportamento, uma teoria que pareceu nascer da observação do agressor anterior de Vale.

O jacaré que teve seu objeto de metal removido por Vale havia recuado e agora vagava de um jeito perdido. Isso era promissor. Se conseguissem desarmar todos os jacarés, teriam... bem, teriam um grupo de jacarés normais. O que não era muito, mas já seria alguma coisa. Principalmente porque nem a magia feérica nem a Linguagem estavam funcionando. Já Bradamant...

Irene correu pela mesa segurando a saia. Bradamant estava a uma mesa de distância, um caminho curto, mas cheio de jacarés. A mesa não era o problema. O chão era... e havia gente morrendo ali.

Irene não tinha tempo de pensar nisso. As áreas à esquerda e à direita estavam vazias.

– Fique aqui em cima! – gritou um cavalheiro idoso atrás dela. – Caramba, garota, não vá cometer suicídio! É só esperar um minuto e a polícia estará aqui...

Não. Irene não podia esperar. Tentou racionalizar o motivo, pois na verdade todos os gritos, tiros e sons de carne sendo rasgada eram irrelevantes para sua missão de pegar o livro, para seu dever como Bibliotecária. Ela podia ficar onde estava. Mas, ao tentar ignorar todos os barulhos sem importância, se viu agindo. Pulou para longe do homem, caiu no chão e saiu correndo para a outra mesa, embaixo da qual havia um homem, caído em uma dobra de tecido branco, sangrando muito, o que significava que ainda estava vivo.

Irene subiu na mesa, ciente de que sua saia estava suja de sangue e salmão.

– Bradamant! – gritou ela, aumentando a voz para ser ouvida em meio ao barulho.

– Sim? – Bradamant veio andando pela mesa, afastando do caminho outros homens e mulheres com a mera força da personalidade. O cabelo ainda estava perfeito e o vestido só estava sujo na barra. – Espero que você tenha alguma coisa útil a dizer.

Irene sufocou a hostilidade.

– Tenho. Tive uma ideia, mas estou tendo dificuldades com a Linguagem. Preciso de sua ajuda.

Por um momento, Irene se questionou se Bradamant ia impor condições à ajuda, mas a outra mulher nem hesitou.

– O que você tem em mente?

Irene apontou para o candelabro de teto, o elegante, enorme e iluminado por eletricidade candelabro.

– As coisas na cabeça dos jacarés são específicas e independentes. Use a Linguagem para jogar eletricidade nelas. Mesmo que não os mate, destruirá seus sistemas de controle.

Bradamant virou a cabeça para acompanhar o gesto de Irene.

– Também pode matar alguns convidados se estiverem em contato físico – disse Bradamant de modo neutro.

Irene não tinha pensado nisso. Só foi preciso um momento para imaginar Vale ou Kai com as espadas enfiadas em um jacaré.

– Então seja bem precisa na hora de usar a Linguagem! – disse Irene rispidamente. – Ou você quer que eu procure o vocabulário para você?

Bradamant fungou.

– Acho que não vou precisar da sua ajuda para *esta* tarefa. – O tom dela sugeria que a incompetência de Irene fazia de qualquer ajuda uma coisa inútil.

Irene devia ter deixado que ela continuasse, mas uma ideia repentina lhe ocorreu.

– Quando você veio da Biblioteca?

– Não temos tempo para essa discussão – declarou Bradamant. – Afaste-se e me deixe trabalhar.

Irene recuou e observou as pessoas enquanto Bradamant se preparava. Silver foi o mais fácil de achar; ele havia encontrado uma lança decorativa e estava ocupado empalando um jacaré com ele da goela à cauda. Vale e Kai estavam um de costas para o outro, cercados por seis jacarés. Mais ninguém estava sendo tão ostensivamente atacado. Ela não conseguia se lembrar de nada nas anotações de Dominic Aubrey sobre a Irmandade de Ferro. Eles eram claramente antifeéricos, por terem equipado os jacarés com ferro frio e montado o ataque ali, naquele momento. Mas não achava que isso os colocava contra Vale. Ao contrário, na verdade: Vale não gostava dos feéricos, e a presença dele ali era antagônica e não amigável a Silver. Os jacarés estariam sendo especificamente direcionados? Ou estavam só atacando as pessoas que ofereciam mais resistência?

Irene se virou para Bradamant quando a outra Bibliotecária emitiu uma série de ordens cristalinas na Linguagem. Felizmente, as pessoas ao seu redor estavam tão atentas aos jacarés que nem prestaram atenção.

O candelabro tremeu no teto e se estilhaçou, com prismas tilintando e se pulverizando em pó de cristal. Os raios se projetaram em arcos visíveis de eletricidade, mirando nos acessórios eletrônicos dos jacarés. Os répteis tiveram um espasmo e se debateram, com as caudas balançando em curvas amplas enquanto as mandíbulas se abriam e fechavam no ar.

Irene viu com alívio Vale e Kai desviarem dos jacarés que os cercavam.

– Muito bem – disse ela para Bradamant.

Bradamant fungou, conseguindo de alguma forma indicar que as palavras *É claro* estavam simplesmente abaixo dela.

– Não sei por que você mesma não fez isso – disse ela.

– Contaminação pelo Caos – respondeu Irene com relutância. Os jacarés estavam se debatendo devagar agora, com os espasmos amplos se tornando pequenos tremores. – A porta da Biblioteca foi sabotada deste lado. Achamos que deve ter sido Alberich...

– Espere. – Bradamant segurou seu ombro. Parte da cor sumiu de seu rosto. – Alberich está *aqui*?

– Está – respondeu Irene com simplicidade. – Você não foi notificada?

A expressão de Bradamant falou por si só. Com certo atraso, Irene somou dois mais dois.

– Você está aqui sem autorização, não está? Veio para cá apesar de este mundo estar em quarentena e de esta ser a minha missão...

– E acabei de salvar você e seu aprendiz de serem comidos por jacarés – cortou Bradamant. – Você me deve uma. Quero os detalhes precisos sobre a presença de Alberich aqui. Agora.

– Então por que você veio para cá? – perguntou Irene, ignorando a exigência, enquanto verificava se ainda havia confusão suficiente para encobrir a conversa delas. Ela e Bradamant não eram as únicas pessoas ainda em cima das mesas. Várias outras estavam esperando para ter certeza absoluta de que os jacarés estavam mortos antes de descerem. – Para esta festa. Não só para este alternativo.

Bradamant ficou em silêncio por um momento. Talvez até houvesse um sinal de vergonha nos olhos dela, mas Irene não sabia se era vergonha de ter roubado a missão de outra Bibliotecária ou só constrangimento por ter sido pega no flagra. Finalmente, Bradamant disse:

– Precisava investigar a Irmandade de Ferro.

– Parabéns – disse Irene, e indicou os jacarés com um movimento de cabeça. – Você a achou. Eles vinham encontrá-la aqui ou foi só uma coincidência feliz?

– Você está muito insolente hoje – retrucou Bradamant com voz baixa e perigosa.

– Ah, você não acha que tenho motivo? – Irene tinha controle suficiente para manter a voz baixa, mas não para segurar as palavras. – Se você tiver qualquer coisa, *qualquer coisa* a ver com essa loucura sangrenta...

– Eu achava que Alberich era mais importante do que as baixas colaterais de civis – disse Bradamant. Seus olhos brilhavam. – Você não devia estar me explicando isso melhor em vez de perdendo tempo com essas pessoas?

– Você teve alguma coisa a ver com isso? – repetiu Irene.

– Não – disse Bradamant. – Se isso a ajuda a responder minha pergunta.

Irene olhou para os jacarés moribundos de novo. Não confiava em Bradamant, mas não podia se recusar a avisá-la.

– Ontem, em um comunicado direto da Biblioteca, me avisaram para ter cuidado com Alberich. Hoje de manhã, Kai e eu fomos falar com Dominic Aubrey no nosso ponto de entrada da Biblioteca, mas não o encontramos lá, apenas sua pele enrolada em um jarro com vinagre e uma armadilha de Caos na porta que levava à Biblioteca.

Bradamant piscou devagar.

– Dominic Aubrey está morto? Morto mesmo?

– Está – respondeu Irene. – Bem, provavelmente. Considerando as alternativas. Quando você chegou aqui? Você o viu quando entrou? Se pudermos identificar quando Alberich o matou e colocou a armadilha na porta...

– Irene! – Kai e Vale se aproximaram delas inesperadamente. Vale tinha vários cortes, mas Kai estava elegantemente incólume. Ele ofereceu a mão a Irene. – Se quiser uma mãozinha para descer... e Bradamant, claro...

– Claro – disse Bradamant em um tom repentinamente doce; passou por Irene balançando os quadris e colocou as mãos nas de Kai, deixando que ele a ajudasse a descer.

Kai lançou um olhar martirizado para Irene por cima do ombro de Bradamant, mais expressivo do que palavras: *Eu não poderia deixá-la cair nos restos de arenque, poderia?*

Irene suspirou, firmou o queixo, se sentou na beirada da mesa e deu um pequeno pulo para ficar em pé no chão. O vestido já estava estragado mesmo.

– Fico feliz de ver que os dois cavalheiros estão bem e ilesos – disse Irene secamente. Conseguia sentir o olhar avaliador de Vale sobre ela, Kai e Bradamant, e tentou ignorá-lo. Não havia motivo *nenhum* para ela ter sentimentos sobre o assunto.

As portas se abriram. Um esquadrão de homens de uniforme vagamente militar entrou correndo, com fuzis apoiados nos ombros. Eram liderados por um homem de pele escura com turbante e bigode, cujo uniforme se diferenciava por uma larga faixa verde. Eles apontaram as armas para os jacarés e começaram a enchê-los de balas, ignorando o fato de que agora os pobres répteis mal se moviam.

– Ah – disse Silver atrás do ombro de Irene –, a polícia, finalmente. O inspetor Singh continua tão vigoroso como sempre. – Ele segurou a mão de Irene entre as dele. – Minha querida garota, você está ferida.

Irene percebeu Kai e Vale encarando abertamente Silver com olhares fulminantes. Queria poder ter tido mais uns cinco minutos para obter algumas respostas deles e de Bradamant antes de Silver aparecer.

– Um arranhão – disse ela rapidamente, tentando soltar com cuidado sua mão das dele. – Senhor, sem dúvida o inspetor Singh vai querer falar com você...

– E a senhorita precisa me apresentar sua bela amiga – disse Silver com os olhos em Bradamant, segurando a mão de Irene com uma dolorosa firmeza.

Irene olhou para Bradamant, que fez um leve sinal de concordância, curvando os lábios em um doce sorriso.

– Lorde Silver – disse Irene com formalidade –, esta é minha amiga Bradamant; não fazia ideia de que ela estaria nesta festa, mas claro que estou feliz em vê-la. – *E espero que ela leve um tombo e caia de cara em um prato de ovas de salmão.* – Bradamant, este é Lorde Silver, um dos feéricos de Liechtenstein que está visitando a Inglaterra...

– ... e que teria vindo muito antes – interrompeu Silver delicadamente, soltando a mão de Irene e dando um passo para segurar os dedos elegantes de Bradamant – se soubesse que haveria tamanha beleza aqui. Como pude deixar passar uma joia como a senhorita? Minha doce dama, me faça o favor de dizer se posso ter a honra de conhecê-la melhor?

Irene conseguia reconhecer uma oportunidade, ainda mais quando aparecia suplicando em sua frente. Começou a se afastar silenciosamente na hora em que Silver levou a mão de Bradamant aos lábios.

As narinas de Silver se dilataram. Ele farejou a mão de Bradamant e os olhos se iluminaram com um inumano tom amarelo.

– Conheço esse cheiro! – disse ele. – Belphegor! Finalmente a encontrei!

CAPÍTULO 12

—O quê? – disse Bradamant, mas a atitude dela foi toda errada. Era de negação, não de total incompreensão.

– O quê? – disse Vale, com um tom de voz muito diferente e dando um passo à frente.

– Impossível! – disse Irene, sem muita esperança de acreditarem nela.

– Eu também a estaria acusando, ratinha – disse Silver –, mas você estava lá quando abrimos o cofre, e sei que ficou tão surpresa quanto eu. Você deveria ficar feliz de eu ter identificado uma das nossas inimigas. Esta mulher é Belphegor. Ela é responsável pelo roubo de um livro muito valioso de Lorde Wyndham e talvez pela morte dele. Reconheço seu aroma do cartão que ela deixou no cofre dele. Johnson, meu chicote!

Um homem magro de rosto pálido se aproximou e ofereceu um chicote enrolado a Silver.

– Isso tudo é um terrível engano – disse Bradamant com firmeza. – Exijo que me solte.

Silver olhou para ela com uma intensidade perigosa, os lábios se curvando e exibindo dentes brancos nada naturais.

– Belphegor, você não tem ideia de onde se meteu. Me dê sua palavra de que vai me devolver o livro e pensarei em soltá-la; por enquanto, pelo menos.

– Shh! – disse Irene em voz alta. – A polícia está se aproximando. Não queremos que escutem isso...

Todos se mexeram e viraram para olhar o inspetor da faixa verde andando em sua direção. A postura dele exalava determinação, e havia uma satisfação preocupante em seu sorriso.

– O inspetor Singh – murmurou Vale no ouvido de Irene. – Veio do Império Indiano há dois meses fazer um intercâmbio formal entre forças policiais. Ele não gostava dos feéricos lá e não gosta deles aqui, e aproveitará qualquer oportunidade para se intrometer.

– E nos opomos a isso? – murmurou Irene em resposta, bem baixinho. Bradamant estava tentando soltar seu pulso da mão de Silver; evidentemente, não estava disposta a usar a Linguagem na frente dele, mas ele a segurava sem esforço.

– Isso pode depender do que tivermos para lhe oferecer – disse Vale. Os olhos estavam grudados em Bradamant.

Embora Irene conseguisse pensar em várias formas de ela, Kai e Bradamant saírem da situação atual, poucas envolviam manter Vale como um contato confiável, e menos ainda Silver. Ter a lei caçando-os como criminosos só tornaria as coisas mais complicadas. E ela precisava saber o que Silver sabia sobre o livro e por que o queria.

– Se Singh não gosta dos feéricos – observou Irene –, então não aceitará a afirmação do Lorde Silver de que ela é Belphegor. Podemos conseguir mais informações dela depois se a ajudarmos agora.

– Ela é sua amiga, você disse – murmurou Vale. O olhar dele era frio.

– Ela não devia estar aqui! – Irene quase cuspiu de frustração. – E eu não sabia nada sobre ela ser essa criminosa.

O inspetor parou e inclinou a cabeça levemente para Silver. Não foi uma reverência. Definitivamente, não foi. Mal foi um aceno.

– Boa noite, senhor. – Ele tinha um sotaque perceptível, mas de Oxford, e não de Punjabi ou qualquer outro sotaque indiano que Irene reconhecesse. – Soube que você teve uma espécie de pequeno problema esta noite.

– Pequeno problema? – resmungou Silver. Ele se virou para apontar para os jacarés mortos e para os cadáveres humanos, ainda segurando o pulso de Bradamant com a outra mão. – Você chama isso de pequeno problema?

– Para o senhor – disse o inspetor Singh friamente. – Tenho certeza de que foi bem mais sério para os infelizes presos no meio disso, e meus homens estão cuidando das baixas. Ficaria grato se o senhor pudesse me informar exatamente o que aconteceu.

Enquanto Silver contava de forma melodramática, mas fundamentalmente precisa em detalhes, o que ocorrera, Irene respirou de alívio. Ele não tinha visto quem controlou a eletricidade que acabou com a ameaça dos jacarés. Ela reparou que Bradamant também relaxou um pouco.

– ... isso é tudo – concluiu Silver. – Pode me informar quando tiver mais detalhes. – E deu as costas para o inspetor.

– Na verdade, senhor – disse o inspetor Singh –, estamos cientes da identidade dos seus agressores.

Todos olharam para ele.

– A Irmandade de Ferro. – Ele virou mais uma página do caderno e fez uma anotação deliberada antes de prosseguir. – É claro, senhor, que estamos muito interessados em saber por que tentariam atacar sua festa dessa forma.

– Ah – disse Bradamant –, acho que posso responder a isso. Todos olharam para ela.

Ela abaixou a cabeça recatadamente, piscou e, de modo contido e gracioso, deu um leve suspiro, o que fez com que seus seios subissem e descessem de uma forma que não era nem graciosa nem contida.

– Eles vieram atrás de um livro que achavam que estava escondido aqui. Na verdade, acredito que esse ataque foi uma distração...

Silver arregalou os olhos. Ele jogou Bradamant nos braços do inspetor Singh com um xingamento abafado (e ela perdeu o equilíbrio) e correu para a porta, com Johnson dois passos atrás dele.

– Bem – disse o inspetor Singh, colocando Bradamant em pé. – Tenho de pedir que vá à delegacia comigo, senhora. Temos algumas perguntas.

Bradamant massageou a mão que Silver apertara, deixando marcas vermelhas dos dedos dele na pele pálida.

– Posso dar só uma palavrinha com minha amiga Irene, inspetor? O senhor faria essa gentileza?

– Claro, madame – disse o inspetor Singh, sem dar nem um passo para trás.

Bradamant segurou a mão ilesa de Irene nas dela antes que ela pudesse reagir. Rapidamente, na Linguagem, mas em volume baixo, disse:

– **Prometo pelo meu nome, pelo meu juramento e pela minha palavra que, se eu encontrar o livro, vou trazê-lo para você antes de voltar à Biblioteca, e que vou me consultar com você amanhã de manhã, se tiver liberdade para isso, sobre o que fazer em seguida.** – Bradamant voltou à língua normal, mas manteve a voz baixa. – Mas, por enquanto, preciso que você faça alguma coisa em relação àquele feérico.

O inspetor Singh enrijeceu o corpo e ficou olhando para as duas por baixo de sobrancelhas grossas. Ah, claro: para ele, deve ter parecido que Bradamant falava na língua materna ou dialeto dele. Irene tentou sufocar um sentimento de arrogância por Bradamant ter de explicar isso, junto com todo o resto.

– Claro – disse ela na língua normal. – Vejo-a amanhã. Tome cuidado.

No entanto, Bradamant fez uma promessa na Linguagem. Não podia rompê-la. Mas talvez conseguisse escapar do espírito preciso do juramento. Na verdade, Irene conseguia pensar em várias formas de contornar o que foi dito; a primeira: "trazer o livro para você" não era a mesma coisa que "dar o livro para você". Mas, mesmo assim, isso ainda levava o livro para bem mais perto dela do que ele estava agora. E, para ser totalmente sincera, ela estava quase exausta demais para se importar. Por enquanto, a promessa serviria.

Bradamant assentiu e se virou para o inspetor Singh.

– Estou à sua disposição, senhor – disse ela.

– Talvez também devêssemos considerar a ideia de irmos embora – sugeriu Vale. – A não ser que você queira discutir ainda mais alguma questão com Lorde Silver, senhorita Winters.

Irene pensou em ter de explicar as coisas para Silver, ter de lhe explicar qualquer coisa.

– Que ideia excelente – concordou com entusiasmo. – Kai, a não ser que você consiga pensar em alguma coisa que ainda falte fazermos, esse pode ser um bom momento para irmos embora.

Kai limpou a espada com uma parte imaculada da toalha e a colocou na mesa.

– Estou totalmente à sua disposição – disse ele. – Aonde vamos?

Nesse momento, Irene lembrou que eles não tinham quarto de hotel. Que maravilha! Mais uma coisa para resolver.

A consternação de Irene deve ter ficado evidente em seu rosto e Vale se intrometeu, quase sorrindo.

– Me permita oferecer a hospitalidade do meu lar esta noite, senhorita Winters. Tenho alguns quartos de hóspedes... e o que é melhor, isso permitirá que sua amiga e o inspetor Singh a encontrem de manhã.

O inspetor Singh assentiu, e Irene reavaliou sua opinião sobre o relacionamento dele com Vale. Estava claro que os dois homens estavam acostumados a trabalhar juntos. Ela teria de manter isso em mente.

Irene tentou se lembrar exatamente em que pé ficava a Índia na história daquele alternativo. Tinha se tornado um parceiro independente de comércio da Grã-Bretanha em vez de colônia (não por falta de imperialismo da parte da Grã-Bretanha, infelizmente), e os dois impérios ainda mantinham relações próximas. Isso explicaria o sotaque de Singh.

Kai deu um passo à frente e ofereceu o braço a Irene, que o segurou, dando-se conta de repente do cansaço que sentia e da confusão ao redor. O ar estava pesado com o cheiro de sangue. Corpos humanos cobriam o chão junto com cadáveres de jacarés: membros cortados, troncos sangrentos, rostos gritando. Alguns homens e mulheres ainda choravam nos cantos. Outros saíam da sala, conversando com policiais ou simplesmente bebendo. Só algumas mesas ainda estavam em pé; as outras tinham sido viradas ou desabado com o peso das pessoas que subiram nelas. O lindo piso estava marcado por garras e tiros e encharcado de sangue.

Havia tanto sangue...

– Você está bem? – perguntou Kai baixinho.

Talvez houvesse alguma ocasião em que Irene dissesse *Não, não estou* e fechasse os olhos só por alguns minutos. Mas não seria agora, e definitivamente não na frente de Bradamant. Ela engoliu em seco e tentou só respirar o mínimo necessário daquele ar.

– Eu consigo administrar – disse Irene brevemente. – Obrigada.

– Sua capa, senhorita Winters – disse Vale, colocando-a por cima dos ombros dela. Ela devia estar perigosamente distraída, pois ele fora buscar a capa sem que ela percebesse. Ela tomou nota mentalmente para ser mais cuidadosa e juntou-a às outras que a lembravam de ser mais precisa, mais atenta, menos fresca e menos inclinada a se encolher e chorar no ombro de alguém.

O inspetor Singh bateu os calcanhares, fez uma reverência parcial e se virou com Bradamant, ficando a exatos quinze centímetros dela. Bradamant não olhou para trás quando saiu com ele.

Do lado de fora, na escada da Embaixada de Liechtenstein, havia uma multidão de fotógrafos, repórteres e curiosos. Ambulantes até vendiam castanhas assadas, donuts e amendoins açucarados. O cheiro se misturava com o da mancha do vestido sujo de sangue de Irene, e ela precisou se esforçar para não vomitar.

– Você viu a senhorita Retrograde sênior ir embora? – perguntou Kai.

Irene fez que não com a cabeça.

– Eu pude vê-la viva no fim, mas não a vi sair. Acho que ela pode ser útil, se souber de alguma coisa.

Vale parou de repente e olhou para Irene.

– A senhorita Retrograde sênior? A senhorita *Olga* Retrograde?

– É essa a dama em questão – disse Irene. – Há algo que devamos saber sobre ela, senhor?

– Só que ela é a maior chantagista da sociedade de Londres – respondeu Vale. – Essa mulher é extremamente famosa por saber das coisas. Infelizmente, o que sabe poucas vezes é vantajoso para qualquer pessoa além dela mesma. Quanto ao contato de vocês com ela...

– Foi a primeira vez que nos vimos – cortou Irene apressadamente. A curva no lábio de Vale deixou bem clara a opinião dele sobre a senhora. – Ela percebeu que não somos canadenses.

Vale riu debochadamente e se virou para chamar um táxi.

– Você acha que teremos problemas? – murmurou Kai.

– Devemos ser as pessoas naquele salão com menos probabilidade de ter problemas com ela – respondeu Irene, também baixinho. – Afinal, com o que ela pode nos chantagear?

Kai riu.

– Verdade.

– Aqui! – chamou Vale. Um dos táxis atendeu ao chamado de sua mão levantada. Eles tiveram de abrir caminho pela multidão, evitando os repórteres com caderninhos e câmeras. Vale fechou a cortina da janela quando entraram.

– Você espera que sejamos vigiados? – perguntou Irene.

– Parece provável, senhorita Winters – respondeu Vale. – Em minha defesa, devo dizer que não sou desconhecido na seção de criminosos de Londres, e eles também não são desconhecidos para mim. Mas, como não tentei esconder a *minha* identidade, podemos perfeitamente voltar para minha casa sem rodeios.

Irene assentiu e se acomodou no banco. O compartimento de passageiros do táxi tinha dois bancos largos de couro, um de frente para o outro. A estrutura básica era parecida com a de uma carruagem clássica, mas funcionava com energia elétrica em vez de ser puxada por cavalos, e era feita de metal e não de madeira. Irene já andara de carruagem, e era estranho estar em uma coisa tão parecida, mas sem ouvir o barulho dos cascos dos cavalos.

– Quanto à sua *amiga* – disse Vale, inclinando-se para a frente e apoiando os cotovelos nos joelhos. O táxi sacudiu quando virou uma esquina. – Você acha que as acusações de Silver sobre a identidade dela estão corretas?

Irene gostaria de poder olhar nos olhos dele e negar sem hesitar, mas não achava que funcionaria. Ela se perguntava o quanto Vale podia ter deduzido sobre Bradamant após o breve encontro. Era o tipo de coisa que ela esperaria que ele fizesse.

– Eu mesma gostaria de saber – disse Irene por fim. – Não achava que ela estivesse em Londres – *nem neste alternativo* – por tempo suficiente para fazer uma coisa dessas. E não consigo pensar em *por que* ela o faria!

– É uma técnica bem comum – disse Vale com austeridade – estabelecer um padrão de roubos para esconder um único. Se ela planejava roubar aquele livro, também pode ser a culpada pelos roubos anteriores, para camuflar sua importância.

Irene considerou a ideia. Parecia desconfortavelmente plausível.

– Mas por que Bradamant precisaria esconder o roubo? – Irene se perguntou em voz alta. Afinal, a própria Bradamant podia ter saído do alternativo imediatamente depois de roubá-lo. Mas ela queria o livro para si ou o estava procurando para a Biblioteca? Ela *estava* ali sem autorização... O sangue de Irene gelou. Será que Bradamant podia ter virado uma traidora da Biblioteca?

Kai estava apenas um passo atrás dela.

– Mas, e se ela estivesse tentando esconder o roubo de *nós*, além de escondê-lo das autoridades... – começou ele.

Vale franziu a testa e levantou a mão para interromper Kai.

– Um momento, por favor, senhor Strongrock. Motorista! – Ele bateu com a bengala no teto da carruagem. – Motorista! Por que estamos indo por este caminho?

Irene puxou a cortina da janela. Não conseguiu reconhecer as construções que passavam lá fora, mas eram de uma rua principal.

– Acho que estamos indo mais rápido – Irene começou a dizer, e deu um gritinho de choque quando uma energia caótica brilhou na janela. Ela conseguiu puxar os dedos na hora em que seriam atingidos. Do outro lado da carruagem, Kai se afastou da janela do lado dele e esbarrou em Vale.

– Motorista – gritou Vale –, o que está acontecendo?

O táxi deu um solavanco e aumentou a velocidade.

– O nome é Alberich – disse uma voz vinda de cima, audível sobre o sacolejar de rodas e estalos da carruagem. – Sugiro que pergunte aos seus amigos o que isso quer dizer, senhor Vale.

Irene sabia que devia ter ficado pálida, mas estava ocupada demais tentando não tremer de puro pavor para perder muito tempo se preocupando com isso. Ela não conseguiria lidar com aquela situação, não podia, sua mão ainda estava infeccionada, e aquele era Alberich, *O* Alberich, o que foi expulso da Biblioteca, e não havia como ela lidar com isso...

– Segure a senhorita Winters – Vale disse para Kai, e depois chutou a porta com uma força que devia tê-la aberto.

Mas ela não abriu. A porta ficou firme no mesmo lugar, e as paredes da carruagem se dobraram como se fossem uma parte contínua da estrutura. Vale se encolheu no banco, jogado para trás pela própria força, e sufocou um xingamento abafado.

192

– Infelizmente, vocês, Bibliotecários, se tornaram uma inconveniência – disse a voz acima. Masculina, Irene percebeu, com a parte do cérebro que ainda era capaz de fazer alguma coisa além de tremer e tentar se esconder. Sem sotaque discernível, precisa. Alguma coisa no ritmo era vagamente familiar, como se ela tivesse ouvido outra pessoa falando da mesma forma. – Desejo aquele livro para minha coleção – disse a voz. – É uma pena perdê-lo também, senhor Vale, mas parar o táxi para deixá-lo sair está fora de questão.

Alguém na rua à frente deles gritou quando teve de saltar para sair do caminho do táxi acelerado.

– Acho que não está fora de questão – disse Vale friamente. Ele girou a bengala nas mãos e bateu com a parte de prata na janela.

O vidro recebeu o golpe sem quebrar, nem rachar.

– Ele selou o táxi. – Irene forçou as palavras pela boca, quase gritando no meio da barulheira e dos estalos das rodas no paralelepípedo. – Magia do Caos! De alguma forma, ele o transformou em um todo coerente, de forma que nada pode entrar ou sair. Seria preciso quebrar a coisa toda para quebrar uma de suas partes.

– Precisamente – disse a voz. – Embora não esteja hermeticamente fechado ou impermeável à água. Um paradoxo lógico que infelizmente vocês não terão tempo para apreciar.

– O rio – disse Kai, quase inaudível, e a mesma certeza estava nos olhos de Vale.

Os pensamentos de Irene dispararam na mente dela. *Deve haver alguma coisa que eu possa fazer... mesmo sem a Linguagem funcionar de forma confiável para mim, eu poderia usá-la para nos salvar, pelo menos? Mas o táxi está contaminado pelo Caos, e Alberich também, e isso talvez anule qualquer poder da Biblioteca...*

– *Adieu* – disse Alberich. O táxi tremeu de novo e disparou em um último trajeto na direção do rio.

– Juntos! – gritou Vale. – Com peso suficiente, podemos forçar para o lado... – Ele se jogou na lateral do táxi e, um momento depois, Irene e Kai se somaram a ele, lutando juntos no espaço apertado. O táxi se inclinou, recuperou o equilíbrio, se inclinou de novo...

– Sim! – disse Kai, exultante.

... e caiu no rio.

CAPÍTULO 13

O táxi não afundou elegantemente na água como um cisne morrendo; ele bateu na superfície do rio com um grande estrondo e jogou Irene em cima de Kai, Kai em cima de Vale e Vale contra a parede do táxi.

Força é igual a massa vezes aceleração, pensou Irene, tonta. Ela devia estar pensando em um jeito de sair daquilo, mas seus pensamentos se escondiam como coelhos assustados. Ela não *queria* pensar.

O táxi balançou quando começou a afundar, rolando enquanto o rio lhe sugava. Os três automaticamente se seguraram em alças e bancos, se espremendo em cantos até o veículo parar, de lado. A água negra do Tâmisa cobria as janelas, sem bloquear totalmente a luz, mas tornando quase impossível que eles se vissem.

– O protocolo habitual nesses casos é esperar até estarmos totalmente submersos para depois abrir a janela, de modo a se equilibrar a pressão da água e podermos nadar até a superfície – declarou Vale. Irene conseguia ouvir o puro controle na voz dele acima dos estalos do táxi e do som da água. – Mas se aquela pessoa fechou mesmo o veículo, considerando que não consegui quebrar a janela naquela hora, essa tática será ineficiente.

Certo. Irene tinha de explicar para Vale sobre Alberich. Devia uma explicação a ele sobre muitas coisas agora. Mas qual era o sentido se iam morrer... Bem, isso pelo menos acabava com a necessidade de justificativas. Mas havia outras formas de se desviar desse tipo de coisa, e ela estava evitando o assunto de novo. E a água estava pressionando, e eles iam morrer...

Ele não quer só que a gente morra. Ele nos quer morrendo com medo, no escuro, devagar. Isso não é só querer nos tirar do caminho para ele poder trabalhar sem ser incomodado, é maldade, pura e simples.

Irene até então estava com medo, com tanto medo que choraria no canto, sem querer dizer nada e menos ainda agir. Mas agora, outra coisa despertou nela.

Não vou tolerar isso.

– Então vamos ter de encontrar um jeito de quebrá-la – disse Irene e forçou seu corpo a se inclinar para a frente. – O que um homem pode fazer, outro pode desfazer. – Dizer essas palavras fez com que elas se tornassem possíveis, deu-lhe forças.

– Mas você não pode tocar na magia dele! – disse Kai. – Quando ele a infectou antes, quase te matou!

Irene queria ter tempo para pensar nisso com calma, planejar, considerar.

– Esperem – disse ela, tirando a luva da mão machucada e apontando os dedos para a janela. – Tive uma ideia.

– Você poderia explicar? – pediu Vale, tenso.

– Fui atacada pelas mesmas forças que ele usou antes – disse ela, sentindo a água encharcar seus sapatos e meias e subir até seus tornozelos. – Se conseguir identificá-las e expulsá-las, isso deve quebrar a conexão, e poderemos sair daqui nadando.

– Muito bem. – Vale chegou mais para trás no banco. Talvez fosse só a pouca luz que fez Irene pensar que ele estava tentando se afastar o máximo possível dela. Ela resolveria as coisas depois, as explicaria mais tarde. Agora, só tinha de garantir que *houvesse* um depois.

Irene parou com os dedos a um centímetro da janela e se concentrou: longe da água, da escuridão, dos dois homens no veículo com ela, em um mundo em que a Linguagem estruturava a realidade.

Era fato que Alberich controlava e usava as forças do Caos. As forças do Caos deviam, portanto, ser discretas e identificáveis. Mas Irene não tinha palavras na Linguagem para essas forças, e só podia controlar o que conseguia identificar ou descrever.

No entanto, conseguia identificar e descrever a *si mesma*.

Não era uma coisa que os Bibliotecários fizessem com frequência. Ah, é claro que, se você quebrasse a perna esquerda, podia tentar dizer **"Minha tíbia esquerda não está de fato fraturada e sim perfeitamente intacta"**. Mas, embora sua tíbia pudesse obedecer, seus músculos continuariam feridos e qualquer ferimento continuaria aberto. A não ser que citasse cada coisinha que precisasse ser citada, você provavelmente acabaria com um ferimento parcialmente curado que seria mais problemático do que deixar que se curasse do jeito normal. Embora alguns Bibliotecários conseguissem esse nível de detalhe e por isso fossem bastante procurados, Irene não era um deles.

Mas uma pessoa, especialmente uma Bibliotecária, podia ser identificada e descrita holisticamente como uma entidade única. Ela tinha a marca da Biblioteca na pele e seu nome estava na Linguagem. Se conseguisse fazer isso com força suficiente, deliberadamente o suficiente, não haveria espaço para as forças do Caos dentro dela. Sem ter de lutar contra isso, ela finalmente poderia usar seus poderes integrais como Bibliotecária.

Não era uma coisa que Irene já tivesse tentado. Por outro lado, nunca fora infectada dessa forma antes. Só a morte iminente a forçaria a mexer com técnicas perigosas, não testadas e teóricas, pois, caso contrário, talvez já tivesse pensado nisso antes.

A vida dela já estava cheia demais de experiências de aprendizado.

Antes que perdesse a coragem, Irene formou as palavras com os lábios, quase inaudíveis, falando na Linguagem:

– **Eu sou Irene; Eu sou uma Bibliotecária; Eu sou uma serva da Biblioteca**.

Sua marca queimou em suas costas enquanto ela impunha sua vontade. Mas se sentiu curiosamente distante da dor, como se conseguisse se livrar dela e fazê-la sumir por vontade própria. Em um vislumbre de inspiração, percebeu que isso seria desastroso. O que ela sentia era o conflito entre sua autodefinição e a contaminação. Ela não podia ignorá-la, tinha de abraçá-la.

Mas *doía*. Irene ouviu a respiração travar, o som estranho em seus ouvidos.

– Irene? – disse Kai com uma voz preocupada. Estava escuro demais para vê-lo agora.

Com uma onda aflitiva, como vômito depois de se ingerir comida estragada, o poder do Caos saltou para fora dela. Irene tentou não pensar no bufê de mais cedo naquela noite (salmão, mariscos, caranguejo, sopa, camarões com molho) e fracassou. Aquilo escorreu por sua mão, queimando seus dedos em ondas de sombra que oscilavam no ar... e como qualquer coisa viva, procurou abrigo, alguma coisa como ela mesma.

A força pulou para a janela, fazendo um arco pela área estreita de ar, e estalou no vidro. Irene só teve tempo para se perguntar se devia pular para longe da janela quando esta se quebrou.

Mas não só a janela.

O veículo todo desmoronou. Primeiro a janela, se espatifando em diversos pedaços de vidro, depois pedaços inteiros do veículo começaram a desmontar como um modelo mal colado. Irene mal teve tempo de sentir os estilhaços de vidro no braço antes de a água atingi-la como um golpe de martelo. E, com clareza surpreendente na quase escuridão, viu o rosto de Kai com uma expressão estranhamente decisiva. Sua boca se movia, ele estava dizendo alguma coisa...

Irene passou vários segundos se debatendo de pânico antes de se dar conta de que conseguia respirar.

Os três estavam à deriva, juntos, no fundo do rio, envoltos em um espiral longo e contínuo de água negra. Era uma corrente flexível, instável e *visível* no rio, separada do resto da água. Até parecia mais limpa. Os restos destruídos do taxi já estavam invisíveis na lama agitada do fundo, um pouco para trás. Acima, na superfície da água, postes de luz cintilavam em indistintas bolas brancas e laranjas. Kai flutuou um pouco à frente de Irene e de Vale, se movendo no mesmo ritmo. Ele estava dizendo alguma coisa, mas a água do rio enchia seus ouvidos, e ela não conseguia ouvir.

Vale segurou a manga do vestido de Irene e disse alguma coisa com movimentos labiais, provavelmente *O que está acontecendo, senhorita Winters?*

Vendo pelo lado positivo, Irene se tranquilizou; ele devia estar se sentindo mais recomposto, pois tinha voltado a chamá-la de senhorita Winters. Ela deu de ombros da forma mais clara que conseguiu, fazendo gestos calmos. *Está tudo sob controle*, respondeu, também com movimentos labiais.

Vale pareceu não acreditar, o que foi uma pena, porque agora Irene tinha certeza de que as coisas estavam novamente sob controle. A ponto de, pelo menos, os três não estarem prestes a se afogar.

Não, o verdadeiro problema era completamente outro. Agora, Irene tinha certeza do que Kai realmente era. Um espírito do rio poderia ter se transformado em água para salvá-los e um espírito da natureza de algum outro tipo poderia ter convencido ou persuadido o rio a ajudá-los, mas só um tipo de ser podia dar ordens a um rio.

Kai era um dragão. Que raios ela deveria fazer a respeito disso?

E ele escolheu se revelar para salvá-los.

Não para se salvar; ele presumivelmente conseguiria se virar muito bem sozinho. Mas todos eles: ela e Vale. Tratava-se de um comprometimento por parte de Kai, ao qual ela não sabia se poderia corresponder, e isso a preocupava. Ela não gostava de comprometer-se com outras pessoas. As coisas podiam ficar... confusas.

O movimento da corrente seguiu na direção da margem mais distante e ergueu os três de dentro do rio em um arco de água escura; foram deixados na doca, depositados com a leveza de gravetos. Dois mendigos que esquentavam as mãos em uma pequena fogueira ficaram sentados ali, olhando perplexos para eles, atordoados, enquanto a água batia na calçada e voltava para o rio.

Uma pequena onda de água ainda se manteve no ar, curvado na direção de onde Kai estava. Não era bem como uma serpente: a cabeça tinha feições meio humanas e meio de dragões (é, isso de novo). Também havia alguma coisa de leão, com a juba molhada e cheia de algas e terra. Os olhos brilhavam, amarelos como lampiões na neblina, queimando embaixo de sobrancelhas pesadas. Esse espírito era tão poluído quanto a própria água, o corpo entrelaçado com fragmentos de lixo e pedaços compridos de coisas imundas. Um cheiro pesado de óleo e algas o acompanhava, espalhando-se pela doca.

Kai se virou para o rio e fez uma pequena e precisa inclinação com a cabeça.

– Seu serviço é reconhecido – disse ele com firmeza. – Volte com os meus agradecimentos e os agradecimentos de minha família.

O espírito do rio inclinou sua cabeça em uma longa flutuação que se espalhou por seu corpo, depois recuou e caiu de volta no rio em um spray de água negra. Os olhos foram a última coisa a sumir sob a superfície, desaparecendo lentamente em vez de simplesmente se fecharem, visíveis por um longo momento embaixo da água escura.

Vale deu um passo à frente.

– O que era aquilo? – perguntou, chocado. – O que você *fez*? O que você trouxe para a minha Londres, senhor?

Kai se virou com um rosnado, os olhos em um tom azul não humano, ferozes e perigosos como chamas de gás.

– O que era, senhor...

– Estava sob minhas ordens – disse Irene, entrando entre os dois. Ela não podia permitir que aquilo se transformasse em uma discussão mais acalorada. E mais do que isso: conseguia sentir uma coisa arcaica e furiosa dentro de Kai, o dragão sob a pele humana agora bem próximo da superfície. Ela precisava distraí-lo agora, dar-lhe canais familiares em que trabalhar, e dar a Vale um alvo, ela própria, com o qual ele não pudesse gritar sem tripudiar suas próprias regras de costumes e decoro. Ela olhou para Vale com firmeza, recusando-se a demonstrar um centímetro de pavor e, esperava, de nervosismo.

– Prometi mais informações, senhor, e vou dá-las, mas sugiro que voltemos à sua casa primeiro. O senhor

Strongrock agiu seguindo instruções minhas para nos *proteger* e *salvar*. – Era uma mentira bem pequena, quase meia mentira, na verdade, porque Kai certamente sabia que ela ia querer que ele protegesse a todos. – E agora não é hora de discutirmos, considerando que estamos todos lutando contra um inimigo maior.

Vale a olhou por um momento, depois fez um aceno breve, quase um espelho da saudação de Kai ao espírito do rio.

– Muito bem, senhorita Winters. Voltemos para a minha casa. Só posso confiar em vocês, eu suponho, como já fiz antes.

Isso a magoou e, sem dúvida, foi a intenção. Irene deu o sorriso mais doce que conseguiu e se virou para Kai.

– Podemos conversar depois – disse ela, delicadamente – ou podemos conversar agora, mas, seja como for, sei o que você é, e não importa.

– Você tem uma opinião muito elevada de si mesma – respondeu Kai, com uma voz igualmente baixa, mas bem mais mortal – se acredita que não importa.

Essa situação era bem diferente daquela que tiveram de lidar com Vale. Lá, Irene precisou esconder o medo para convencê-lo a esperar pelas informações. Agora, com Kai, precisava demonstrar seu controle e falta de paixão, ou, como podia sentir em seus ossos, o perderia para sua verdadeira natureza.

Ela não podia se dar a esse luxo. Tinha uma responsabilidade com a Biblioteca e tinha uma responsabilidade com ele.

– Você ainda é meu aprendiz? – Irene perguntou diretamente. – Ainda sou sua mentora? – Nada mais do que isso. O laço de lealdade, e o laço de confiança. Qualquer outra coisa era algo que teriam de resolver depois.

Ele olhou para Irene, e algo inumano ferveu por trás dos olhos dele.

– Você acha que pode me dar ordens?

– **Acho** – ela respondeu, expressando-se na Linguagem.

A palavra pairou no ar entre eles. Kai fechou os olhos, abriu-os novamente e agora eles estavam azuis, humanos, intensos, mas não mais estranhos.

– Então, acredito que ainda estou sob suas ordens – disse Kai, e conseguiu dar um sorriso bem pequeno.

– Senhorita Winters, senhor Strongrock, aqui! – chamou Vale. Ele tinha ido até o fim da doca, onde as casas começavam, e conseguiu chamar um veículo.

Quando Irene seguiu Kai até a carruagem, lutando contra a saia e a capa encharcadas, não conseguiu deixar de notar que o rapaz estava perfeitamente seco. Não parecia justo. Mas era uma coisa pequena e reconfortante em que se concentrar. Ela podia ficar irritada por uma coisa simples e não focar no terror absoluto do que havia acabado de enfrentar.

CAPÍTULO 14

— Gostaria de ouvir aquela explicação, senhorita Winters – disse Vale quando encheu novamente as xícaras de chá.

Houve banhos quentes e curativos nos ferimentos. Até Kai, intocado pela água suja do Tâmisa, precisou se limpar depois dos esforços da festa e de todo o sangue de jacaré que se seguiu. Quanto a Vale e Irene, estavam encharcados e imundos. O motorista ficou resmungando alto sobre ter de mandar limpar o seu veículo, mesmo depois de uma generosa gorjeta de Vale.

Irene ficaria muito feliz de poder passar mais algumas horas no banho, mas não achou seguro deixar Vale e Kai sozinhos conversando por muito tempo. O humor de Kai ainda estava sensível, e Vale talvez fizesse uma pergunta mais perigosa do que podia perceber. Com um virtuoso sentimento de autossacrifício, conseguiu sair da banheira que lhe fora oferecida, se aconchegou no pesado roupão de flanela que Vale lhe emprestou, enrolou o cabelo em uma toalha e foi se juntar aos outros no escritório para um chá e um interrogatório.

(Irene não perguntou a Vale por que ele tinha um roupão extra de mulher em seu armário. Presumivelmente, era especial para mulheres vítimas de algum crime que tivessem ficado encharcadas. No entanto, não achou que pertencesse a nenhuma mulher próxima dele. Primeiro, porque ele não era usado havia meses, e, além disso, qualquer mulher tentando flertar não escolheria um roupão feito de flanela pesada. Em terceiro lugar, Vale não lhe ofereceu *nenhuma* outra roupa feminina. E não lhe deu o tipo de atenção que até o mais educado dos homens podia dar a uma mulher toda molhada e com as roupas pingando. Ele simplesmente a empurrou na direção da banheira quente da mesma forma brusca que a inspetora do seu antigo colégio interno fazia. Não que ela quisesse que ele lhe desse esse tipo de atenção, de qualquer maneira...)

Irene bebericou o chá. Leite e dois torrões de açúcar, adequados a pessoas em choque.

– Devo avisá-lo de que é um pouco, ah, absurda – disse Irene, tentando pensar na melhor forma de explicar, ou, se tudo mais falhasse, mentir a respeito daquilo.

Vale deu de ombros. O roupão *dele* era de seda vermelha e preta. O cabelo ainda estava úmido, mas penteado e brilhando, escuro sob a luz.

– Não posso protestar até ter ouvido. – Em algum momento da confusão, ele ainda arrumou tempo para rearrumar os livros, depois da desordem que Irene tinha provocado, e pilhas organizadas de literatura rodeavam a poltrona dele como crianças pacientes.

Kai bebericou seu próprio chá (sem leite, sem açúcar, preto e sombrio) e observou os dois. Ainda havia aquele sentimento de distância nele. Usava o que era, obviamente, o segundo melhor roupão de Vale, com as mesmas cores e a mesma estampa, mas gasto nos cotovelos e com pequenas marcas de queimadura no bordado dos punhos. A boca estava repuxada em linhas teimosas.

– O senhor Strongrock e eu somos agentes de uma biblioteca – começou Irene. – É comumente conhecida, entre as pessoas que já ouviram falar dela, como a Biblioteca Invisível, já que está escondida da maioria das pessoas.

– Um nome bem sensato – observou Vale. – Onde ela fica? Acho improvável que seja em Londres. – *Já que eu nunca ouvi falar*, ele não se deu ao trabalho de acrescentar.

– Ah. Essa seria a parte implausível – disse Irene. – O senhor está familiarizado com o conceito de mundos alternativos?

Vale colocou a xícara na mesa, com olhar avaliador e não simplesmente descrente.

– A teoria já foi levantada por alguns dos filósofos e cientistas com maior inclinação metafísica. Apesar de eu não necessariamente *acreditar* nela, devo admitir que há certa plausibilidade inerente. Isto é, colocando em uma frase, "faz sentido" que pontos essenciais da história tenham criado mundos alternativos, nos quais as coisas poderiam ser diferentes.

Irene assentiu. Essa forma de encarar a ideia seria suficiente para o momento.

– Eu e o senhor Strongrock somos agentes de uma biblioteca que existe entre os mundos alternativos. Nossa tarefa é recolher livros de todos esses mundos para a Biblioteca, a fim de preservá-los. – Ela olhou de forma significativa para as prateleiras lotadas. – Você tem de admitir que, para um leitor dedicado, como você e como eu, isso também "faria sentido".

– Hum. Seu argumento seria atraente para qualquer bibliófilo, senhorita Winters. Devo concluir que estão aqui em busca de algum livro em particular?

Irene assentiu de novo.

– O exemplar dos Irmãos Grimm que pertencia a Lorde Wyndham antes de sua morte. Mas parece que não somos os únicos atrás do livro.

Vale hesitou por um longo momento.

– Muito bem. Sou capaz de acreditar em uma biblioteca interdimensional buscando livros raros. Consigo aceitar que os agentes dessa biblioteca tenham poderes incomuns. – Ele olhou para Kai. – Quando se aceita o conceito básico como possível, os eventos de hoje se tornam... bem, não totalmente inexplicáveis. Tenho muitas perguntas, mas um detalhe em particular me intriga, e acredito que a senhorita possa me dar uma resposta clara. Por que estão procurando os *Contos de Fadas dos Irmãos Grimm*? Por que não os mais recentes avanços científicos?

Irene sorriu. Essa parte sempre aquecia uma parte bem profunda dentro dela. Ela se inclinou para a frente e colocou a xícara na mesa.

– Senhor Vale, apesar de todos os mundos alternativos existirem e apesar de poderem ter diferentes leis *metafísicas*, as leis *físicas* são as mesmas. Ferro é ferro, rádio é rádio, pólvora é pólvora, e, se soltarmos um objeto, ele cairá de acordo com a lei da gravidade. As descobertas científicas são as mesmas nos alternativos e, apesar de, sem dúvida, serem importantes, não as valorizamos como valorizamos o trabalho criativo. Pode haver uma centena de irmãos Jakob e Wilhelm Grimm em cem mundos diferentes, e em cada um deles eles podem ter escrito um conjunto diferente de contos de fadas. É aí que está nosso interesse.

Vale piscou.

– Mas, nesse caso, vocês poderiam importar as descobertas dos outros mundos! Poderiam levar mais do que simples ficção: novas tecnologias, novas maravilhas da ciência. Os senhores não têm ideia do bem que poderiam fazer por esses – ele parou para pensar – hipotéticos mundos alternativos.

– Não funcionaria – disse Kai, olhando para o chá.

– O que meu colega está tentando dizer – disse Irene pacientemente – é que, apesar de isso ter sido tentado, há de se considerar primeiro que a Biblioteca não quer se tornar conhecida do público. Segundo, nós não podemos apresentar material para o qual não há infraestrutura de apoio. Seria isso que aconteceria se tentássemos trazer descobertas que sua ciência atual não corrobora, e, como resultado, a descoberta não se manteria. É provável que, em pouco tempo, fosse descartada como falsa. Além do mais, considere o seguinte: quais seriam os perigos enfrentados por uma pessoa que tentasse introduzir um conhecimento científico totalmente novo neste mundo? Neste país?

Vale assentiu devagar, com expressão amarga.

– Entendi o que quer dizer – respondeu. Mas não pareceu convencido.

– E, por último – disse Irene, um pouco constrangida de ter de observar isso –, todos nós ligados à Biblioteca somos pessoas que escolheram essa forma de vida porque amamos livros. Nenhum de nós queria salvar mundos. Quer dizer, não que tenhamos alguma restrição quanto a salvar mundos... – Ela deu de ombros e pegou a xícara de chá. – Queremos livros. Amamos livros. Vivemos com livros. Uma pessoa que entrasse para a Biblioteca só para tentar usá-la em benefício de seu próprio mundo... bem, acho até que seria ético, mas não é o objetivo da Biblioteca.

– Então qual é o objetivo da Biblioteca? – perguntou Vale.

– Salvar livros – respondeu Irene com firmeza. As palavras foram tão automáticas que ela nem precisou pensar. Tinha passado a vida toda com essa ideia. Mas as palavras nunca lhe soaram vazias antes. Ela se obrigou a se concentrar na justificativa familiar. – Para salvar obras criadas. Com o tempo, se o alternativo original perdê-las, podemos devolver exemplares, para que não fiquem perdidos. E, enquanto isso, a Biblioteca existe e sobrevive.

– Então por que Alberich foi embora? – perguntou Vale.

Irene engoliu em seco, não esperava que ele fosse chegar a esse ponto tão rapidamente. O pouco que sabia sobre Alberich era ruim o bastante para ela ficar *feliz* enquanto podia classificá-lo como mito. Ela não queria pensar nele como uma pessoa real com motivações potencialmente apavorantes. Então, piscou.

– Espere. Como o senhor soube disso?

Vale balançou a mão com um gesto de descaso.

– Foi bem simples. Claramente o sujeito é desertor da sua organização. Considerando o que sei sobre ela, contado pelos senhores, os possíveis motivos são vantagem pessoal ou ele tem princípios mais abrangentes que se chocam com sua missão declarada, que é a de salvar livros e não interferir no funcionamento dos outros mundos. Mas, se fosse uma questão de vantagem pessoal, por que se preocupar em caçar e assassinar outros Bibliotecários? Se quisesse dinheiro, fama ou aventura, presumivelmente outros Bibliotecários não o atrapalhariam, desde que ele não obstruísse suas buscas por livros específicos. E que livro específico seria tão importante para ele se estivesse tentando obter ganho pessoal? Então, talvez ele tenha um plano maior, que exija a não interferência dos senhores. Isso exigiria que ele fosse motivado por poder pessoal ou que tivesse algum objetivo que ele acredite ser mais importante do que a busca da sua Biblioteca por livros. Sua própria resposta confirma isso: por que outro motivo agentes de Biblioteca sentem tanto medo de um mero agente desertor?

Irene lembrou a si mesma com amargura de não subestimar Vale novamente. Também ignorou Kai, que estava retorcendo os dedos no colo com um ar de despreocupação arrogante. *Tudo bem. Acho que eu devia ficar feliz de o humor dele estar melhorando.*

– Alberich abandonou a Biblioteca um tempo atrás – disse Irene com relutância. – Não tenho permissão para fornecer a informação completa do motivo. – *E nenhuma informação que vá além do mínimo.*

– Então... esse Alberich é uma ameaça contínua. Ele já atravessou seu caminho?

Irene balançou a cabeça negativamente.

– Não. Graças aos céus. Eu tinha ouvido falar dele, claro, todo mundo ouve falar dele...

– Até eu tinha ouvido falar dele – disse Kai, sem ajudar muito.

– Kai é meu aprendiz – disse Irene antes que Vale pudesse pedir esclarecimentos sobre essa declaração. – E sei que a ideia de um Bibliotecário desertor do mal deve soar como boato. O tipo de boato que se espalha ao longo dos anos para assustar os iniciantes. Mas houve histórias de coisas que aconteceram com pessoas conhecidas.

– Coisas? – perguntou Vale.

– Gente morrendo – disse Irene simplesmente. – Com suas partes enviadas de volta.

Kai levou um susto.

– Foi por isso que Dominic... – começou ele, mas parou uma fração de segundo tarde demais.

– Não sei – disse Irene. Ela se virou para Vale de novo. – O que Kai está tentando dizer é que o Bibliotecário que devia estar posicionado localmente, neste mundo alternativo, aparentemente foi morto e mutilado. Descobrimos pouco antes de eu disparar a armadilha que mencionei, uma armadilha criada usando-se forças do Caos. Essas... forças... são uma coisa que Alberich usa. – Ela não conseguiu manter a repugnância longe da voz.

Vale assentiu.

– Então, *Caos*... É isso que chamaríamos de "magia"?

Irene tentou pensar em como explicar. Tinha planejado pular essa parte o máximo possível, considerando o aparente desprezo de Vale por magia.

– Não exatamente. De acordo com nosso modelo cosmológico... – pronto, isso era diplomático e evitava que ela tivesse de dizer *é assim que as coisas realmente funcionam* – há forças organizadas e caóticas ativas em todos os mundos. Às vezes, tomam forma física e aparecem como entidades, ou personificações da lei ou da desordem, se preferir. As forças da lei apoiam a razão e as leis naturais e as caóticas apoiam a impossibilidade e as coisas que são escancaradamente irracionais ou desordenadas. Por exemplo, dragões são forças da lei, e os feéricos apoiam o Caos. Fato contra ficção, se preferir.

Vale se enrijeceu como um cão de caça farejando um odor.

– Então Lorde Silver é um apoiador do próprio Caos?

Irene assentiu.

– Este alternativo foi fortemente afetado pelo Caos. Silver com certeza é pelo menos um dos feéricos inferiores que costumam ficar confinados em um único alternativo. Não sei se ele é dos mais grandiosos, mas espero que não seja. Criaturas assim têm o poder até de se deslocar entre mundos. Mas não têm nada a ver com a Biblioteca. – Ela queria deixar isso extremamente claro. – Não nos associamos a eles.

– Exceto para obter convites para festas – disse Vale secamente.

– Quero aquele livro – Irene respondeu secamente. – E ele também, ao que parece. E Alberich também. Preciso saber quem está com ele. Se Silver ou Alberich já estivessem com ele, não estariam procurando-o. Quando eu o obtiver, o senhor Strongrock e eu vamos sair deste alternativo e não vamos mais precisar incomodá-lo.

Vale assentiu.

– Muito bem. – Mais uma vez, houve o sentimento de um confronto sendo adiado até ele ter munição suficiente. Talvez ele quisesse que ela também fosse levada à justiça. Ou, talvez, só quisesse visitar a Biblioteca. – Então, me diga – prosseguiu ele –, quando o Bibliotecário posicionado aqui foi assassinado, onde e como?

Irene olhou para Kai.

– Bem, deve ter sido em algum momento entre ontem à tarde e hoje de manhã, porque o conhecemos ontem à tarde, quando chegamos pela Biblioteca. A entrada fica na Biblioteca Britânica – acrescentou ela com certa relutância.

– É mesmo? – disse Vale, pensativo.

– E quando voltamos esta manhã para falar com ele... – Irene parou de falar, desejando não ter de contar a próxima parte. – Ah, temos motivos para supor que ele já estava morto àquela altura, talvez por várias horas.

– Por quê? – perguntou Vale. – Vocês encontraram o corpo dele?

– Encontramos a pele – respondeu Irene. – Em um vaso de vinagre.

Kai esticou a mão e tocou o pulso dela. Ela sabia que era impróprio demonstrar fraqueza, mas achou o toque reconfortante.

Vale se encostou na cadeira.

– Entendi – disse ele. – Deve ter sido um grande choque, senhorita Winters.

Irene se lembrou do odor intenso. Seu estômago deu um nó.

– Sim – Irene respondeu. – Foi. Infelizmente, tenho dificuldade de ser tão indiferente quanto deveria. – Ele foi simpático, prestativo, gentil, simplesmente *legal*...

– E a senhorita tem certeza de que era o seu contato? – perguntou Vale.

Irene assentiu com relutância. Não queria admitir essa parte se pudesse evitar.

– Todos os Bibliotecários têm uma marca no corpo – Irene explicou. – Parece uma tatuagem feita com tinta preta. Não pode ser removida.

Vale estava claramente pensando em perguntar se podia ver a dela, mas depois de um momento de hesitação, assentiu. Possivelmente, o fato de ela não ter se oferecido para mostrá-la foi dica suficiente.

– E, se posso ser franco, a armadilha que foi criada podia tê-la matado?

Irene vinha tentando evitar pensar sobre isso. Tinha muitas formas produtivas de ocupar a mente, em vez de pensar em mais uma forma pela qual quase morrera nos últimos dois dias.

– Podia – Irene respondeu. – Se o senhor Strongrock não tivesse rompido minha ligação com ela, isso podia ter acontecido. Podia ter me incapacitado e me deixado indefesa. E... – ela franziu a testa, sua mente percebendo uma coisa importante –, me deixe pensar. Alberich sabia que eu tocaria na porta, e não o senhor Strongrock, porque só eu posso ter acesso à Biblioteca. Mesmo que eu sobrevivesse, ele sabia que a contaminação pelo Caos me impediria de ter acesso à Biblioteca, bem como sabia que a contaminação só duraria alguns dias.

Vale assentiu. Uma fagulha brilhou em seus olhos.

– Me parece lógico – disse ele, com mais calor do que demonstrara anteriormente. – Vamos teorizar que seu Alberich...

– Nada de *meu* Alberich – cortou Irene.

Vale riu.

– Alberich, então. Vamos teorizar que ele esperasse completar seu plano em poucos dias, e nesse ponto não faria mais diferença se a senhorita fizesse contato com a Biblioteca. Como ele ainda estava por aqui hoje, com nosso assassinato em mente, não é possível que os planos tenham sido executados. Principalmente com ele ainda tentando nos tirar, ou melhor, tirá-los do caminho.

– Parece plausível – disse Kai, abandonando a postura compenetrada. – Mas, se ele não está com o livro, e *nós* não estamos com o livro, e Bradamant não está com o livro, e Silver não está com o livro... e se a Irmandade de Ferro é responsável pelos jacarés, então ainda na ofensiva, eles também não estão com o livro... – ele deu de ombros –, então quem *está* com o livro?

– Não gosto de descartar possíveis culpados sem fortes evidências – murmurou Vale. – Mas vejo poucos motivos para a Irmandade de Ferro estar interessada em um livro de contos de fadas. Eles costumam procurar mais paradigmas tecnológicos. Se fosse um dos cadernos perdidos de Leonardo da Vinci, seria totalmente diferente. Pensando melhor... – Ele olhou diretamente para Irene. – Por que seu Alberich ia querer roubar um livro de contos de fadas? Por despeito?

– Talvez haja algo de incomum nesse exemplar específico do livro – sugeriu Kai. – Possivelmente, há alguma coisa escondida na encadernação, ou uma mensagem codificada...

Irene balançou a cabeça.

– Acho que não. O motivo que vejo para a Biblioteca o querer é porque pode conter alguma coisa que outras versões dos *Contos de Fadas dos Irmãos Grimm* de outros alternativos não têm. Ou seja, uma história nova, ou várias histórias novas. Não faria sentido coletá-lo se fosse igual ao dos outros mundos. Mas se Alberich o quer? Eu sequer sei o que Alberich quer. – Irene se deu conta de que estava começando a resmungar e se obrigou a se concentrar. – Não pode ser por haver uma ligação significativa entre o livro e este alternativo. Não é individual o bastante para isso. Há muitas outras versões de Grimm por aí. Esse tipo de ligação requer um livro muito específico, com relevância para o alternativo. – A mão dela a incomodou, e ela a massageou com nervosismo, depois tentou parar antes que pudesse piorar a situação. Bradamant certamente não aprovaria o que ela estava prestes a dizer. E sua mentora Coppelia sem dúvida a proibiria de expressar suas desconfianças.

Mas Coppelia não podia ter previsto nada disso, podia?

– Às vezes, informações sobre a Biblioteca vazam – Irene disse lentamente. – Não só em conversas como esta. Bibliotecários são observados, ou falam demais, ou talvez os feéricos estejam envolvidos. Não é exatamente uma coisa sobre a qual eu tenha tido aulas. – Ela parou para traduzir os pensamentos em uma teoria que também fizesse sentido para Vale. – E é comum que, quando uma coisa assim acontece, essa informação acabe registrada em trabalhos de... bem, de ficção.

Kai piscou e os cílios tremeram, mas sem que ele se mexesse.

– Já ouvi falar sobre isso.

E isso confirmou a natureza dele para ela. Aprendizes não recebiam esse tipo de informação. Nunca. Só Bibliotecários com compromisso firmado com a Biblioteca recebiam um mínimo de informação sobre esse assunto. A própria Irene era uma Bibliotecária sacramentada, ainda que júnior, e mesmo ela só recebera algumas dicas sobre esse assunto. Se Kai tinha "ouvido sobre isso", então foi de outros dragões, não de Bibliotecários.

– Realmente – disse Irene, mantendo a voz firme. – E, se houver algum segredo relacionado à Biblioteca nesse livro, isso pode explicar por que Alberich está tão ansioso para pôr as mãos nele. Silver também. Alguns feéricos sabem sobre a Biblioteca e se interessam por ela. Se Silver acredita que aquele livro guarda algum segredo, mesmo que seja porque outras pessoas estão tentando pôr as mãos nele, isso o tornaria irresistível para alguém como ele.

Kai franziu a testa.

– Mas se é um segredo tão grande, por que mandar... hã, me perdoe por isso, Irene... mas por que mandar uma pessoa que é só funcionária da Biblioteca para buscá-lo? Por que não mandar um especialista? Vários especialistas?

– Isso na verdade pode ser usado para sustentar a teoria da senhorita Winters – disse Vale, pensativo. – Para não atrair a atenção de Alberich, seus superiores podem ter escolhido enviar alguém sem ideia da importância do livro. Alguém que não seria visto como escolha óbvia para missões importantes.

Irene concluiu que não era hora de ter chiliques, nem de fazer comentários ferozes sobre seu *status* na Biblioteca. Principalmente porque Vale estava certo.

– Infelizmente, Alberich descobriu mesmo assim – continuou Irene, elaborando a hipótese. – E, pensando melhor, isso explicaria Bradamant. Um dos Bibliotecários seniores pode ter achado que eu não era capaz de executar a tarefa e decidiu mandá-la. – Com um esforço, acrescentou: – Afinal, ela tem mais experiência do que eu.

E também havia Kai. Aparentemente, era só um aprendiz, mas na verdade era um dragão. Bom, provavelmente um dragão. Irene precisava ter uma conversa particular com ele. Eles simplesmente não tiveram oportunidade desde o incidente no rio. Se Coppelia *sabia* disso, então designá-lo para a missão era um apoio muito mais significativo do que pareceu a princípio.

Vale assentiu.

– Então, se sua colega Bradamant... outro codinome, acredito?

Irene assentiu.

– Todos usamos. – Era mais fácil do que tentar explicar a escolha de nomes da Biblioteca para ele.

– Muito bem. Sua colega Bradamant chegou aqui antes de você e criou uma identidade como a ladra Belphegor. Uma atitude inteligente. Ela deve ter planejado esconder o roubo desse livro específico entre os roubos de outros. Uma agulha no palheiro, como dizem. Você acha que ela estaria preparada para devolver os outros?

Irene pensou no assunto. A teoria de Vale fazia muito sentido e estava um passo à frente de onde ela conseguira chegar. (Ela sempre se perguntou, até mesmo sonhou, como seria trabalhar com grandes detetives em vez de apenas ler sobre eles. Era mais irritante do que ela esperava.) Havia uma boa chance de Bradamant ter ficado com os livros; afinal, se a missão particular dela fosse bem-sucedida, poderia doá-los todos à Biblioteca.

– Posso perguntar a ela – sugeriu Irene. – A missão atual é definitivamente mais importante do que os outros livros.

– Mas é *nossa* missão – disse Kai.

Irene suspirou. Já passava muito da meia-noite. O dia fora agitado e ela estava exausta.

– Olhe, Kai, no momento o mais importante é manter o livro longe das mãos de Alberich. Se ele o quer, é fundamental que não o obtenha. E a segunda coisa mais importante é levá-lo à Biblioteca. Admito que não ficará bem no meu histórico se eu falhar. Mas, no fim das contas, não me importo se eu levar, se você levar ou se Bradamant levar, ficar com todo o crédito e acabar passando os próximos dez anos jogando isso na minha cara. E se isso significa prometer o livro a ela em troca da devolução de todos os outros livros para Vale, então eu o farei.

– Isso é muito nobre – disse Kai de forma duvidosa –, mas não resolve nosso problema original. Onde está o livro?

– Acredito que isso é algo que poderemos descobrir quando madame Bradamant estiver aqui para ser interrogada – disse Vale bruscamente. – Ela concordou em vir vê-la amanhã, não foi? E se Singh não a libertar, podemos ir interrogá-la na prisão.

Irene assentiu. Estava prestes a falar mais quando Vale levantou a mão.

– Mais uma coisa. Quando a senhorita fez aquela referência a "ligações significativas" e "livros específicos de um alternativo"; se importaria de falar mais sobre isso?

Maldito. Irene estava torcendo para conseguir passar direto por aquilo sem precisar entrar em mais detalhes. Ela concluiu tarde demais que não devia ter mencionado essa parte. Foi *burrice* da sua parte.

– Alguns livros têm uma ligação significativa com o alternativo de onde vêm – disse com relutância. – Eles ajudam a ancorar a Biblioteca a esse alternativo. Não é uma coisa ruim. A Biblioteca é uma força estabilizadora, portanto até ajuda a afastar influências caóticas, como os feéricos.

Isso era metade da história. A outra metade, a possibilidade de que livros com ligação significativa com o alternativo pudessem afetar esse mundo, pudessem até de alguma forma mudá-lo, era apenas uma teoria no nível dela na Biblioteca. Era uma teoria que ela queria pesquisar em mais detalhes, mas não havia tempo no momento. Também era uma coisa que definitivamente não contaria para Vale. Poderia até ser chamada de incrédula, mas Irene desconfiava que, se contasse isso a ele, de jeito nenhum ele iria ajudá-la a conseguir o livro. Ele ficaria preocupado demais com o que isso poderia representar para o seu mundo. Afinal, ele deixou bem claro que não necessariamente confiava nas intenções da Biblioteca.

– E o meu mundo? – Vale se agarrou às palavras dela. – Que livros são "significativos" aqui?

– Não sei, senhor. – Ela viu que Vale estava prestes a protestar e balançou a cabeça. – Não, por favor. Acredite em mim, senhor Vale. Não somos informados. Não contam para nós. É conhecimento perigoso.

Ele se encostou na cadeira, com uma expressão inquieta e insatisfeita.

– E você não fica sequer curiosa, senhorita? Não quer saber?

– O senhor está sugerindo que tenho algum tipo de curiosidade acadêmica em relação ao fato – disse Irene brevemente. Com o canto do olho, podia ver Kai se inclinando para a frente. – Já disse que nosso interesse são os livros. Não... – Ela procurou palavras que pudessem transmitir a mensagem com força suficiente. – Não forças abrangentes que podem mudar o mundo.

– Sim, senhorita Winters – disse Vale secamente. – Foi isso mesmo o *que a senhorita me disse*.

A acusação implícita de mentira, ou no mínimo de omissão, a atingiu como um tapa na cara. Não ajudou em nada o fato de, sob alguns aspectos, ser verdade. Ela baixou os olhos e não conseguiu responder. Pior de tudo, pela primeira vez em anos *só estamos fazendo isso para salvar os livros* soou mesquinho, e escolher não saber mais pareceu infantilidade.

– Por outro lado, pode haver bons motivos para não saber – prosseguiu Vale, falando acima da cabeça baixa dela. – Talvez por medo de esse tal de Alberich descobrir. Ou simplesmente porque os membros seniores dessa Biblioteca se recusam a contar, isso se souberem. E talvez a senhorita se recusasse a me contar, para a sua segurança ou para a minha. – A voz dele estava tranquilamente gentil. Ela não merecia. – Deve ser muito frustrante, senhorita Winters, ficar imaginando.

Ela ainda não conseguia olhar para ele.

– Se fosse importante – Irene disse –, me contariam.

– Ou possivelmente seja importante demais para contar à senhorita – comentou Vale. – Assim como com a sugestão de que o livro contém informações sigilosas, como discutimos antes. Não temos informações suficientes para saber ao certo o que é verdade. Mas uma coisa é certa: não podemos permitir que esse livro caia nas mãos de Alberich.

– O senhor vai aceitar isso? – perguntou Kai, com o rosto se iluminando.

– Posso ser desconfiado – respondeu Vale –, mas espero não ser burro. Afinal, ele já deixou sua posição em relação a mim bem clara.

Irene respirou fundo.

– Se não tiver objeção, há mais uma coisa que eu gostaria de fazer antes de irmos dormir.

– O que é?

Irene deu um pequeno sorriso. Era bom saber que era capaz disso novamente, agora que a contaminação pelo Caos estava fora de seu corpo e que Vale confiava nela o bastante para considerar a possibilidade. Ajudou-a se sentir menos envergonhada.

– É possível fazer a ligação de um espaço adequadamente similar à Biblioteca. – Ela observou o escritório de Vale novamente. – Na prática, isso quer dizer que é preciso haver um número razoável de livros presentes, ou algum outro tipo de meio de armazenamento de conhecimento. Não vai permitir a passagem, mas vai... bem, pode tornar essa área uma espécie de anexo da Biblioteca, o que impediria que criaturas do Caos entrassem. Ou, mais especificamente, impedir que Alberich possa entrar. Se ele se der conta de que sobrevivemos...

– Ah. Uma boa ideia. Isso envolve algum tipo de "magia"?

– Só a força inata da Biblioteca em si – respondeu Irene, da forma tranquilizadora que ela esperava. Não queria ter de lidar com toda a questão da Linguagem. Já tinha dito mais do que o suficiente por uma noite, e para um estrangeiro. – O senhor provavelmente não vai reparar em nada.

– Por que seu colega assassinado não fez isso? – perguntou Vale. – Ou fez?

– Não teria durado – respondeu Irene. Ela passou por isso no treinamento básico. – O problema de declarar uma área em harmonia com a Biblioteca é que só funciona enquanto ninguém tirar nenhum livro dela. Sua casa estará segura porque ninguém vai tirar nenhum livro daqui esta noite. O senhor Aubrey não poderia ter feito a mesma coisa com a Biblioteca Britânica. A proteção teria desmoronado no momento que alguém tirasse um livro dela.

– Ah. – Vale se encostou na cadeira. – Muito bem. Pode prosseguir, senhorita Winters.

Não demorou muito. Ela apenas invocou a Biblioteca na Linguagem da maneira mais breve que podia ser feita com conveniência e sem danos ao orador e aos arredores. Quanto mais *precisa* a definição, mais dano podia ser causado a tudo em volta, pois se abalariam linguisticamente os arredores para que entrassem em conformidade. Declarar o nome não abreviado da Biblioteca, uma única palavra, removeria tudo que não fosse Biblioteca.

Portanto, Irene usou seis frases. Sentiu o estalo da coerência quando a sincronização aconteceu, e com isso uma sensação maior de conforto. Ela se sentiu no controle novamente.

– Estranho – disse Vale. Ele massageou o alto do nariz e franziu a testa. – Achei que sentiria mais do que isso.

– O que você sentiu? – perguntou Irene com curiosidade.

– Uma espécie de dor de cabeça, como a pressão alta antes de uma tempestade. – Vale deu de ombros. – Não tenho talento para bruxarias assim. Mais um motivo para meu desacordo com minha família.

Irene quase disse *Não é bruxaria*, mas decidiu que não valia a pena discutir. Ela também estava curiosíssima sobre o rompimento de Vale com a família, mas esse não era o momento de xeretar.

– Deve manter Alberich longe daqui, e isso é o que importa – reiterou ela.

– Excelente. – Vale esfregou as mãos e ficou em pé, mais uma vez todo profissional. – Então, no momento, sugiro irmos todos dormir. As informações de madame Bradamant são necessárias para desenvolvermos mais hipóteses. A não ser que seja possível que a senhorita faça contato com ela por algum método misterioso – acrescentou com esperança.

– Lamento – disse Irene. – Não tenho nenhuma ligação específica que possa usar para fazer contato com ela.

– Sua ligação com a Biblioteca? – sugeriu Vale. – Isso funcionaria por si só ou poderia ser usado como ponto focal para algum outro feitiço?

– Não daria certo – disse Kai. – A ligação com a Biblioteca é com a Biblioteca, e não com outros Bibliotecários, e transcende feitiçarias inferiores. Irene e Bradamant estão seguras de glamoures de feéricos e de feitiços menores porque estão diretamente conectadas a um poder maior. Tais glamoures seriam tão insignificantes quanto a luz das estrelas perante a luz do Sol.

Vale levantou as sobrancelhas.

– Mas não você? – perguntou ele, dando uma atenção mais compassiva a Kai do que dera desde o incidente do espírito do rio.

– Ainda sou aprendiz – disse Kai, sorrindo ao se levantar e dar a mão para ajudar Irene a ficar em pé. – No momento, não tenho esse tipo de ligação. Os poderes que tenho são meus e da minha família.

– Sua... família? – perguntou Vale em um tom que era um convite para a expansão do assunto.

– Há uma discordância temporária no que diz respeito ao meu futuro – disse Kai. – Espero convencê-los.

Irene desconfiava que houvesse mais do que isso. Os dragões, ou melhor, o único dragão que ela conheceu parecia tolerar a Biblioteca como uma espécie de excentricidade humana. Parecia notável só por seu gosto admirável por ficção, e certamente não uma perspectiva de vida para um dos seus filhos. (Filhotes? Ovos? Crias? Ela não tinha vocabulário para isso.) Agora estava claro por que Kai alegou que a família estava morta; ela conseguia entender por que ele contou a mentira, considerando o segredo maior. O que ela não sabia era como ele resolveria a situação. Ou como a Biblioteca resolveria para ele.

Mas, por outro lado, se Coppelia sabia da verdadeira natureza de Kai, talvez houvesse outros dragões na Biblioteca. Talvez houvesse uma Aliança Secreta. (Esse é o tipo de coisa que exige letras maiúsculas.) Talvez as profundezas da Biblioteca abrigassem dragões antigos e...

... e ela ia acabar ficando paranoica desse jeito.

– Concordo que dormir seria uma boa ideia – disse Irene, fazendo Vale e Kai lançarem a ela olhares aborrecidos. Eles podiam desenvolver esse vínculo a qualquer outro momento, ou depois que ela tivesse ido dormir. Dragões podiam ser reservados, de modo geral, mas esse dragão em particular parecia inclinado a ser simpático, ou até mesmo abertamente expansivo, e possivelmente até um romântico incorrigível. Ela era bem mais desapegada. Meio desapegada. O cérebro dela estava tão cansado que os pensamentos estavam fazendo conexões idiotas. – Odeio ter de insistir por uma cama, senhor Vale, mas...

– Claro – disse Vale, cedendo graciosamente. – A cama no quarto de hóspedes já foi preparada para a senhorita. Infelizmente, o senhor Strongrock vai ter de ficar com o sofá que há aqui. Minha governanta pegou uns cobertores. Vou buscá-los.

Assim que ele saiu da sala, Kai se virou para Irene.

– Então?

– Então o quê?

Ele cruzou os braços na defensiva e se recolheu totalmente.

– Eu esperava que você fosse querer falar sobre... bem, você sabe. Deve ter adivinhado.

Irene tinha pensado em como lidar com isso. Tinha repassado várias possibilidades na cabeça, e nenhuma das que começavam com "então explique por que você é um dragão" terminava bem. Ele era orgulhoso. Ela conhecia bem esse sentimento.

– Não – disse ela –, não vou fazer nenhuma pergunta.

Kai ficou ali parado como uma bela estátua (em um roupão de outra pessoa, com punhos puídos), olhando para ela. A chuva se tornou audível na janela por vários segundos antes de ele conseguir falar novamente.

– Não vai?

– Minha confiança em você não mudou. – Irene colocou a mão sem ataduras no pulso dele. – Acredito que, se isso importasse, se fosse verdadeiramente importante, você me contaria. Você não colocaria a missão em risco por causa de seu orgulho. Mas quando a questão são seus assuntos pessoais, seus e da sua família, não pretendo xeretar.

– Irene – ele engoliu em seco –, é muita generosidade sua.

– Não é nada – disse ela, virando-se.

– E faz com que eu me sinta péssimo – disse ele para as costas dela.

Ah, a culpa. Sentimento que Irene estava sentindo no momento pelo que disse e também pelo que *não* disse para Vale, e pela forma como manipulou Kai. Ela podia dizer a si mesma que só agiu da forma necessária em uma situação perigosa, mas sabia perfeitamente bem que ele tinha confessado sua natureza para salvar a vida dela, e ela só... bem, deu ordens e reforçou o relacionamento deles de superior e aprendiz. Todos os sentimentos dela de justiça natural a encorajavam a confessar uma coisa para ele em troca, mas ela não sabia o que podia dizer.

E agora Kai oferecia outra chance para ela manipulá-lo. Em certas circunstâncias, Irene encorajaria com alegria a culpa dele, com esperanças de ele revelar-lhe todos os detalhes, mas o meio de uma missão não era uma delas. *Não sou uma pessoa legal*, pensou ela, *por estar pensando só na missão, sem preservar nada para minhas responsabilidades com ele.*

– O que você quer que eu diga? – perguntou Irene, virando-se para olhar para Kai. – Estou agradecida por você ter salvado nossas vidas. Obrigada.

– Você está encarando isso com muita calma. – Ele passou a mão pelo cabelo. – Devia estar exigindo respostas, ficando furiosa...

– Pensei que você tivesse dito que me conhecia. – Ela apontou um dedo para ele. – Olhe, até agora, só *hoje*, encarei a descoberta da pele de um Bibliotecário sênior, o contato com uma armadilha de energias do Caos, um ataque de jacarés, um encontro com o próprio Alberich e uma tentativa de nos afogarem no Tâmisa. E você tem a coragem, a insolência, a *pura ousadia* – ela conseguiu ouvir sua voz aumentando de volume, e a essa altura não se importou muito – de esperar que eu levante as mãos no ar e saia correndo em círculos só porque você, por acaso, é um dragão?

Kai fez gestos desesperados para que ela se acalmasse.

– Achei que você ia me interrogar! Estava tentando pensar no que lhe dizer!

– Bem, não vou interrogá-lo. – Irene diminuiu a voz. – Então, se acalme. Vai fazê-lo se sentir melhor se eu prometer que mais tarde vamos tomar um café e eu vou fazer um monte de perguntas pessoais? – Sim, ela podia esperar ansiosamente por isso. Ela *iria* esperar ansiosamente por isso.

Irene ficou surpresa ao perceber que realmente esperava ansiosamente por isso.

Ele suspirou.

– Pelo menos vou ter isso a temer, eu acho.

– Kai – Irene olhou para ele com vagar –, você estava mesmo ansioso para me contar tudo?

Kai tentou olhar nos olhos dela com decisão. Ele preferiu olhar por cima do ombro dela.

– Não é como se eu já tivesse feito isso antes – murmurou ele.

– Mais tarde – disse Irene, de forma expressiva. – Eu juro.

Ela se virou e viu Vale na porta com os braços cheios de cobertores.

– Estou interrompendo? – perguntou ele educadamente.

– De jeito nenhum – respondeu Irene com firmeza, e passou por ele com o máximo de dignidade que conseguiu. Ele e Kai podiam ficar conversando o quanto quisessem.

Com sorte, Bradamant não apareceria com nenhuma emergência até *depois* do café.

CAPÍTULO 15

Kai e Vale acordaram antes de Irene, e ela encontrou-os tomando o café da manhã quando entrou na sala. O constrangimento do dia anterior parecia ter desaparecido, e eles agora conversavam amigavelmente. Pareciam gostar de discutir política (um obstáculo para qualquer homem sensato), investigações anteriores das quais Vale tinha participado (embora, em geral, sem o envolvimento de livros), zepelins e o método adequado para eliminar centopeias gigantes.

Irene fez os grunhidos adequados de *bom dia* e *sim, dormi muito bem, obrigada por perguntar* e *por favor, passe a geleia* enquanto se sentava. Em seguida, inspirou o aroma de café até se sentir mais humana e deixou que os homens retomassem sua conversa. A mão estava bem melhor, mas ainda com as ataduras. A chuva da noite anterior havia passado, e do lado de fora o céu estava... bem, o mais limpo que se podia esperar, considerando a névoa constante. Raios de sol passavam por ela. Sem dúvida os pássaros cantavam no campo. As coisas não estavam tão ruins.

Irene se perguntou se podia chegar até a gostar daquele alternativo.

Escutaram o barulho de uma porta batendo lá embaixo, seguido por dois pares de pés que pareciam subir a escada, apressados.

– Ah – disse Vale, tirando migalhas de torrada dos dedos com um guardanapo e empurrando para o lado a colher e o ovo que usava para demonstrar os pontos mais delicados do controle de um zepelim. – Deve ser Singh. Conheço os passos dele. E, sem dúvida, madame Bradamant está com ele.

Irene encheu rapidamente a xícara de café de novo e tentou ignorar sentimentos de desgraça iminente. Tinha sido uma manhã tão agradável.

– Eles acordaram cedo – comentou Irene.

– Ah, Singh é sempre bem-vindo aqui para tomar o café da manhã – disse Vale com alegria. – Principalmente quando estou trabalhando em um caso que o envolve.

Talvez tivesse sido por isso que Singh permitiu que Bradamant os encontrasse ali em vez de deixá-la na delegacia. Com certo nervosismo Irene se perguntou se tinha havido algum tipo de comunicação entre Vale e Singh na noite anterior, depois que ela foi dormir. Irene endireitou a coluna e sorria de um jeito agradável quando Bradamant e Singh entraram. De alguma forma, Bradamant conseguiu vestir uma roupa adequada para a manhã: estava arrumada e impecável, roupa cinza com gola de renda e punho roxos, e com um guarda-chuva pendurado no braço. Singh, atrás dela, usava o mesmo uniforme da noite anterior, mas o bigode e a barba estavam com aparência elegante e recém-feitos. Carregava uma pasta preta bem cheia que parecia ter enfrentado uma investigação ou outra.

– Ah! – disse Singh, com os olhos grudados na mesa do café da manhã.

– Meu querido Singh – disse Vale, se levantando e pegando o bule de café –, precisamos conversar um momento.

228

Senhoras, senhor Strongrock, peço licença. Senhorita Winters, convide sua amiga para se servir. Voltaremos em um momento. – Com um pulo ele levou Singh para fora da sala, levando o café junto e abandonando Bradamant no caminho.

– Você gostaria de uma torrada? – perguntou Kai, solícito, levantando-se.

– Por gentileza. – Bradamant puxou a saia e se sentou no sofá ao lado de Irene. – Nosso anfitrião tem o hábito de criar momentos tão dramáticos?

– Acho que ele queria explicar alguma coisa ao inspetor Singh – respondeu Irene. Seu sentimento de desgraça iminente estava piorando. Passou a torrada e a manteiga. – Eles são velhos amigos e, sem dúvida, querem discutir coisas sem que ouçamos. Bastante razoável.

– Ah, sem a menor sombra de dúvida. – Bradamant tirou as luvas, pegou uma faca e passou manteiga na torrada. – E o que temos a dizer uns aos outros enquanto eles estão lá fora?

Irene repassou sua lista mental de línguas e suas aplicabilidades naquele alternativo. Não achava impossível que Vale estivesse ouvindo a conversa. A Rússia Imperial conquistou a China e o Japão um pouco antes naquele alternativo, então havia pouca chance de Vale saber japonês. No entanto, Bradamant sabia, e, considerando tudo, ela achava que Kai também saberia.

– *Ontem à noite contei a Vale o básico sobre a Biblioteca* – disse Irene abruptamente em japonês.

A torrada estalou e se despedaçou na mão de Bradamant.

– *Você fez o quê?*

Irene devolveu a expressão de raiva dela.

– *Fomos atacados por Alberich em nosso caminho para cá.* – Irene decidiu deixar a contribuição de Kai de fora da história. – *Ele nos prendeu em um veículo no rio e nos deixou lá para que nos afogássemos. Escapamos, mas depois disso tive de dar algum tipo de explicação a Vale.*

Neste momento, Irene reconheceu um revirar em suas entranhas e a incerteza na mente. Era a reação nervosa que sempre tinha quando, décadas antes, se reportava a Bradamant, sua mentora de campo. Aparentemente, era uma coisa que ela ainda tinha de superar, se conseguisse descobrir como.

Bradamant não era do tipo que insistia na formalidade quando Irene apresentava seus relatórios. Não, elas sempre se sentavam juntas, olhando uma para a outra, da forma mais confortável *possível*. E toda vez que Irene tentava explicar alguma coisa, estava errada. Sempre.

Bradamant pensou na resposta, claramente procurando lacunas no que Irene argumentou.

– *Você podia ter contado uma história sobre uma sociedade secreta* – disse. – *Foi o que eu disse ao inspetor Singh.*

Irene ia responder na negativa de novo, dizer alguma coisa como *Achei que não daria certo* ou *Não consegui pensar em uma forma de fazer parecer convincente*, quando sentiu os olhos de Kai sobre ela. Ele claramente entendia o que elas estavam dizendo. Kai estava olhando para Irene com uma expressão que ela demorou um momento para identificar como confiança, como expectativa de que ela era capaz de lidar com a situação. Irene tinha de merecer essa confiança.

Irene se recompôs, segurou a xícara de café com firmeza e se virou para olhar nos olhos de Bradamant.

– *Tomei uma decisão de campo, achando que Vale seria mais útil e cooperativo se soubesse a verdade... ou melhor, parte da verdade* – disse Irene. – *Neste lugar e tempo, não sou uma cortesã para apresentar opiniões a um rei, mas um general em campo, de quem se espera que cuide das coisas conforme surjam, pensando no bem da Biblioteca. Vale é um homem altamente inteligente, bem informado sobre a situação atual e treinado para reparar em discrepâncias. Alberich já havia feito uma referência à Biblioteca, e fui obrigada a usar minhas próprias habilidades para nos libertar da armadilha dele.* – Com o canto do olho, ela percebeu Kai relaxar de leve, encostando-se na cadeira. – *Uma história incompleta só geraria desconfiança em Vale. Temos inimigos suficientes neste lugar e neste momento, do jeito que as coisas estão... Belphegor.*

Bradamant riu com deboche.

– *Minhas ações foram uma reação válida à situação.*

– *Você ainda está com os livros?*

Bradamant hesitou por um momento. Possivelmente, pôde adivinhar o que Irene estava prestes a sugerir.

– *Estou. Alguns são raridades, sabe. Seriam apreciados por outros Bibliotecários.*

– *Não tenho dúvida* – respondeu Irene com ironia. – *Você sempre teve excelente gosto. Mas talvez seja necessário devolver esses livros roubados para os donos para garantir a cooperação deles.*

Bradamant colocou a torrada na mesa bem devagar e olhou para Irene.

– *Você não tem autoridade para me dar esse tipo de ordem. Ou está planejando me entregar para seus novos amigos?*

– *Não seja ridícula* – disse Irene, e tentou ignorar a voz mental que apontava que sim, isso convenceria Vale e Singh de que ela estava do lado deles. Ademais, Bradamant podia escapar com facilidade de qualquer cela de prisão. – *Suponho que você foi enviada por um de nossos superiores. Por quê?*

– *Para encontrar o livro dos Irmãos Grimm*– respondeu Bradamant. – *E, sim, deixe-me tranquilizá-la: tenho ordens de um dos nossos superiores para isso.*

Irene tentou não demonstrar seu alívio. Bradamant ainda era leal à Biblioteca. Várias possibilidades desagradáveis podiam ser descartadas. Mesmo que houvesse alguma espécie de briga interna na Biblioteca sobre quem devia pegar a porcaria do livro, pelo menos ela não tinha de se preocupar de Bradamant estar associada a Alberich.

– *É possível que nosso alvo seja um daqueles livros ligados ao alternativo todo* – disse Irene. – *O fato de Alberich estar atrás dele mostra o quanto é importante. E você só poderia saber da minha missão por alguém que está em uma posição elevada. Esses fatores devem tornar prioritário que trabalhemos juntos para encontrar o livro e levá-lo à Biblioteca, certo? Ou você tem algum outro objetivo?*

Bradamant limpou as migalhas dos dedos. A torrada ficou no prato, esfriando lentamente.

– *Sem dúvida, minha maior prioridade é levar o livro* – respondeu ela. – *Mas não consigo entender por que Alberich iria querer matá-la. Não é como se você estivesse com o livro.*

– *E você está?* – perguntou Kai, em tom formal. Mas não era formalidade de júnior falando com sênior. Era a formalidade de uma pessoa com autoridade em relação a seu próprio direito frente a uma colega de outra disciplina.

Pela expressão nos olhos de Kai, ele percebeu isso um pouco tarde demais.

Bradamant não pareceu se importar, agraciou-o com um sorriso delicado e Irene se perguntou se alguém que não a conhecia reconheceria os cálculos em seus olhos.

– *Se estivesse* – disse Bradamant–, *não estaria aqui agora.*

– *Acho que nos beneficiaríamos de uma assembleia de guerra* – disse Irene. – *Ou vamos acabar pagando individualmente.*

Bradamant pensou no assunto enquanto limpava os dedos sem parar, até não haver mais nenhuma migalha, ainda que das menores. Finalmente, disse:

– *Concordo, por enquanto.*

Irene assentiu e se virou para a porta.

– Podem entrar agora, cavalheiros – disse ela. Afinal, *ela* teria ficado ouvindo se fosse o contrário.

Vale abriu a porta e a segurou para Singh entrar. Os dois pareciam meio irritados, Singh mais do que Vale; mas também, Irene lembrou a si mesma, quem sabia o que Bradamant dissera a ele na noite anterior? Havia poucas coisas piores do que pensar que você sabia tudo sobre acontecimentos secretos para depois descobrir que lhe contaram um monte de mentiras plausíveis.

Vale se acomodou na poltrona de novo. Singh olhou para Kai de uma forma que sugeria que *ele* costumava ficar na cadeira confortável em que Kai estava sentado, depois puxou a cadeira de encosto alto da escrivaninha. Ele tirou uma pilha de jornais da frente e se sentou com um resmungo, abrindo um caderno e pegando uma caneta.

– Andei discutindo a situação com o inspetor Singh – disse Vale. Ele uniu os dedos. – Está claro que todos estamos atrás da mesma coisa. Vários integrantes da Irmandade de Ferro foram interrogados ontem à noite, com a cooperação de madame Bradamant – ele assentiu para Bradamant –, o que estabeleceu alguns fatos interessantes.

– Posso perguntar o que o senhor descobriu? – perguntou Irene, olhando para Kai, que parecia impaciente por notícias.

O inspetor Singh olhou para ela com a mesma desconfiança cautelosa que exibia para Bradamant. Que divertido.

– A senhorita talvez se lembre da explosão duas noites atrás, embaixo da Ópera.

– Infelizmente, só conheço os detalhes mais básicos em relação a isso – disse Irene. – Teve relação com a Irmandade de Ferro?

O inspetor Singh assentiu.

– Teve sim, madame. Eles se reuniam lá, e infelizmente a explosão levou vários de seus membros mais antigos.

– Infelizmente? – disse Kai. – Se essas pessoas são criminosas...

O inspetor Singh balançou a cabeça.

– A sua reação é compreensível, senhor, mas precisa entender que nos infiltramos um pouco nessas sociedades. Sabemos quem as lidera, senhor Strongrock, e sabemos quem manda. Temos uma ideia de para onde eles vão pular em uma crise, mesmo que não possamos denunciá-los. Por enquanto – acrescentou ele, de forma ameaçadora –, o resultado infeliz desse pequeno acontecimento é que uma mulher sobre quem pouco sabemos agora lidera a sociedade. O Grande Martelo, acredito que seja assim que a chamam. E essa mulher é, vamos dizer, uma incógnita. Não gosto de incógnitas, senhor Strongrock. Elas não preenchem meu caderno e não vão para a prisão, como deveriam.

Irene se inclinou para a frente.

– O senhor está dizendo, inspetor, que essa "incógnita" está ligada aos eventos da noite passada na Embaixada de Liechtenstein?

– Correto, senhorita Winters – disse o inspetor Singh. Ele mexeu os lábios e deu um sorriso desconfiado. – Agora, pelo que o senhor Vale me contou, estou inclinado a me perguntar se essa mulher está ligada à pessoa que vocês conhecem como "Alberich". Considerando que um dos objetivos dos acontecimentos da noite passada, com jacarés e tudo, era fazer uma busca nos aposentos de Lorde Silver enquanto ele estivesse ocupado.

– Atrás de um livro – interrompeu Vale.

– De fato – concordou o inspetor Singh. – Foi isso que nosso interrogatório confirmou. Atrás de um livro específico. O mesmo livro recentemente roubado de Lorde Wyndham por uma certa ladra. Ou, devo dizer, que se acredita ter sido roubado? – Ele lançou um olhar para Bradamant. Seu rosto era inexpressivo, mas os olhos estavam sombrios e furiosos.

Bradamant pareceu se encolher. Se tivesse um lenço, sem dúvida o teria levado aos olhos e fungado corajosamente. Como não tinha, o lábio dela tremeu, e os olhos estavam arregalados e límpidos.

– Se Irene contou a você sobre a Biblioteca – disse Bradamant–, então não há mais nada que eu possa dizer. Admito que peguei – Irene admirou o cuidado dela para evitar a palavra roubo – alguns livros para fazer o desaparecimento do livro dos Irmãos Grimm parecer sem importância. Mas não matei Lorde Wyndham. Por que ia querer fazer isso? Nem conhecia o sujeito.

Irene levantou a mão para chamar a atenção de Vale e Singh.

– Cavalheiros, os senhores se importariam se eu fizesse algumas perguntas a Bradamant? Para esclarecer uma parte da história que me diz respeito?

– Claro que não, senhorita Winters – respondeu Vale. Singh assentiu de leve.

Irene se virou para Bradamant.

– Vi um cartão no cofre de Wyndham. Havia uma máscara dourada em alto-relevo e o cartão estava assinado com o nome Belphegor. Foi você?

Bradamant suspirou.

– Sim. Fui eu. Eu tinha a planta da casa, fornecida por um contato local...

– O tal Dominic Aubrey? – interrompeu Vale.

Bradamant olhou para Irene com uma expressão de *Estou vendo que você andou revelando todos os nossos segredos* e assentiu.

– Ele e Wyndham se conheciam havia um tempo. Acho que Aubrey pode ter sido um tanto indiscreto no que contou a Wyndham, mas esse é outro problema. – *Assim como você foi com Vale*, essa era a mensagem implícita. – De qualquer modo, entrei pelo telhado quando Wyndham estava na festa, no andar de baixo. Foi comparativamente fácil desativar os alarmes no armário de exposição onde ele deixava o livro...

– Ah, foi mesmo? – murmurou Singh.

– ... e depois que peguei o livro e deixei o cartão no móvel antes de sair pelo telhado de novo. Não sei por que ele foi parar no cofre. – Bradamant deu de ombros.

– A que horas foi isso? – perguntou Singh.

– Por volta de onze e meia – respondeu Bradamant. – A festa vibrava no andar de baixo. Não esperava que ninguém aparecesse no escritório de Wyndham naquele momento.

Singh assentiu. Ele se virou para Irene.

– De acordo com nossos peritos, Lorde Wyndham foi morto entre meia-noite e uma hora. É difícil saber com vampiros, mas o fato de a cabeça dele ter sido encontrada numa ponta de lança do lado de fora à uma hora nos dá uma ideia da janela de horário.

Irene não sabia se isso era para ser piada.

– Entendi – disse ela em tom neutro. – Então, nesse caso, quem colocou o cartão no cofre? O próprio Lorde Wyndham?

– Parece a hipótese mais provável – concordou Vale. – O homem, peço desculpas, o vampiro foi decapitado no escritório, sobre a escrivaninha. Alguns convidados da festa afirmaram que ele subiu à meia-noite, dizendo que ia preparar uma surpresa.

Kai assentiu.

– Então, quando entrou e descobriu que o livro havia sumido, decidiu preservar o cartão de Belphegor para uma futura investigação. Se bem que parece um cuidado exagerado colocá-lo no cofre em vez de apenas deixá-lo em uma gaveta da escrivaninha. Mas aí ele foi atacado?

– Precisamente – disse Singh. – Por integrantes da Irmandade de Ferro. Tenho informações sobre isso vindas de alguns dos nossos agentes. Acreditamos que estavam disfarçados de convidados. Eles simplesmente cortaram a cabeça dele, saíram normalmente e a espetaram em uma das pontas de lança da cerca quando saíram.

Irene franziu a testa.

– Mas então o assassinato de Wyndham ocorreu antes da explosão da Ópera e da mudança de comando na Irmandade. Há alguma ligação?

Singh e Bradamant trocaram olhares.

– É uma pergunta muito interessante, senhorita Winters – disse Singh. – Mas, no momento, estou mais interessado em saber o paradeiro do livro que madame Bradamant roubou.

Bradamant mirou-o com expressão pétrea.

– Era falso.

Por um momento, todo mundo falou ao mesmo tempo, basicamente coisas do tipo *O quê?* e *Tem certeza?*

– Sei que era falso – disse Bradamant em meio ao barulho – porque levei para o meu superior, que o examinou e me explicou que não estava interessado em imitações. Principalmente as que não tinham algumas partes relevantes.

– Que partes relevantes? – perguntou Irene. Ela tinha quase certeza de quem devia ser o superior em questão.

Bradamant respondia diretamente a Kostchei, assim como Irene respondia a Coppelia. A possibilidade de outra pessoa estar envolvida e dar ordens a Bradamant... bem, não era impossível, mas era improvável. No momento, os princípios da Navalha de Occam, começando com a resposta mais óbvia, pareciam o melhor plano. – Ele disse para você?

– Não – disse Bradamant com amargura. Por um momento, o rosto dela traiu emoções genuínas: raiva, amargura e pura curiosidade frustrada. – Me foi passada a forte impressão de que era melhor eu não saber.

Irene avaliou horários e datas mentalmente.

– Então, quando você me encontrou com – quase disse *Kai*, mas se segurou na hora – o senhor Strongrock a caminho da nossa missão, isso foi depois de ter descoberto que o livro era falso?

– Foi – concordou Bradamant. *Está vendo o quanto estou sendo honesta e cooperativa*, dizia o sorriso vago dela, com a expressão sob controle de novo. – Achei que, se pudesse interceptar Irene no caminho, eu poderia tentar encontrar o verdadeiro livro sem sua interferência. Perdão pelas palavras.

– Claro – disse Irene com delicadeza. Ela tinha ciência de que os três homens estavam ouvindo. – Então, depois disso, decidiu voltar assim mesmo?

– Eu tinha a vantagem de já conhecer o lugar – respondeu Bradamant. – Não esperava que você fosse trabalhar tão rápido quanto trabalhou.

Irene olhou para os três homens. De alguma forma, compartilhavam uma atitude similar, fosse qual fosse a reação a essa nova informação. Talvez fosse uma espécie de atitude aristocrática, uma certeza de que o mundo ia cooperar com as necessidades deles.

Ela queria compartilhar isso.

– Wyndham é o candidato óbvio a ter feito a falsificação, pois os registros mostram que ele tinha o livro original – disse Vale bruscamente. – Inspetor Singh, se o senhor puder...

– Claro – disse Singh. Ele pegou uma pilha de papéis na pasta. – Os funcionários e as máquinas diferenciais da Yard tabularam os registros das últimas semanas de Lorde Wyndham. Ele só obteve o livro duas semanas e meia atrás, em um leilão dos bens do falecido senhor Bonhomme. E tinha um certificado de autenticidade pela casa de leilão na ocasião, o que resultou em um preço inicial impressionante.

Vale assentiu.

– Consegui rastrear um dos lances até Lorde Silver, pelo advogado que ele havia contratado. Podemos ter certeza do interesse dele.

– Também houve algumas ameaças após o leilão – prosseguiu Singh. – Isso tudo resultou no fato de o livro ficar sob pesada proteção. Portanto, se ele mandou fazer uma falsificação, foi nesse intervalo.

– Poderia ter sido feita tão rapidamente? – perguntou Irene, assustada.

Vale se encostou na cadeira.

– No momento há precisamente três falsificadores em Londres capazes de terem feito isso – respondeu Vale. – E mesmo eles teriam levado pelo menos duas semanas para fazê-la.

– Isso mesmo – concordou Singh. – E uma entrega chegou de um deles...

Vale levantou a mão.

– Matthias?

– Não, Levandis – respondeu Singh presunçosamente.

– Achei que tinha sido com Matthias que ele havia negociado antes – disse Vale.

– Possivelmente por causa disso Wyndham decidiu não negociar com ele dessa vez – respondeu Singh. – De qualquer modo, uma de nossas agentes vigiava Levandis na época, por causa da questão Severn, sabe, e ela confirmou que ele fez trajetos diários para a casa de Wyndham. Os criados confirmam que ele fez visitas, mas acharam que era um homem efetuando alterações nos painéis de madeira do escritório de Wyndham. Eles podem confirmar que era lá que ele passava seu tempo, diariamente. E enviou uma última entrega para Wyndham três dias antes do assassinato, e não voltou mais lá depois disso.

Vale assentiu.

– Conveniente.

– Às vezes, temos sorte – concordou Singh. – Nossa agente não conseguiu determinar o que estava acontecendo na época, mas, considerando essa outra história...

– Espere – disse Kai, franzindo a testa. – Supondo que Wyndham tenha mandado fazer uma falsificação por algum motivo e depois a tenha colocado em exibição, o que ele fez com o original?

– Ele não o entregou para Lorde Silver – disse Irene, pensativa, lembrando o encontro no escritório de Wyndham. Ela viu os lábios de Singh tremerem com uma expressão de repugnância. – Silver estava revistando o escritório e o cofre de Wyndham, e acho que ele procurava o livro. Talvez Wyndham pretendesse dá-lo a Silver ou o tivesse prometido a ele.

– Se Silver está envolvido, pode haver todos os tipos de motivo para Wyndham mandar fazer uma falsificação – concordou Bradamant. – Se o livro era muito valioso, Wyndham talvez tenha decidido protegê-lo exibindo a falsificação. Ou talvez pretendesse usá-lo como isca, para que Silver tentasse roubá-lo; sabemos que os feéricos amam as coisas que eles não podem ter. Além do mais, eles tinham uma relação muito próxima, ainda que, às vezes, antagônica. Os jornais já falaram sobre isso muitas vezes. Talvez Wyndham quisesse se exibir emprestando o verdadeiro a Silver, ou até o tivesse prometido como pagamento a um favor. Talvez pretendesse enganá-lo com a falsificação. É impossível saber sem interrogar Silver.

Ou talvez a cópia fosse para Alberich, pensou Irene. Era aí que Alberich se encaixava nisso tudo? Mas, se era esse o caso, por que Alberich já não estava com o livro?

– Lorde Silver era o aliado e o contato mais conhecido de Wyndham – comentou Vale. – Assim como um de seus inimigos mais conhecidos. Relacionamentos feéricos. – Ele repuxou os lábios com reprovação. – Mas, nesse caso, o livro ainda pode estar na casa de Wyndham.

Singh estava balançando a cabeça.

– Se estiver, senhor, está muito bem escondido. – Irene desconfiava que o *senhor* foi devido à presença de gente de fora. – Nós, hã, revistamos o local minuciosamente depois do assassinato de Lorde Wyndham. Encontramos vários itens e documentos interessantes, esclarecedores em relação a outros casos, mas o livro dos Irmãos Grimm não estava lá.

– Talvez estivesse *muito* bem escondido – disse Kai, esperançoso.

– Pusemos nossos melhores agentes na tarefa de procurá-lo, senhor Strongrock – disse Singh, com um tom que encerrava o assunto.

– Então o verdadeiro livro não está na casa de Wyndham – reiterou Irene, pensando em voz alta –, e a réplica que Bradamant roubou não podia ter sido feita antes de Wyndham efetivamente ter o livro. Essa réplica levaria pelo menos duas semanas para ser feita. Então, o original foi deslocado durante esse período ou copiado antes de chegar? – Ela se virou para Singh. – Podemos confirmar que o livro entrou na casa de Wyndham exatamente depois do leilão e permaneceu em um local público até ser roubado?

Singh assentiu.

– Podemos. E, depois que chegou, o testemunho dos criados confirma que o livro, ou uma réplica muito boa dele, ficou no escritório de Lorde Wyndham o dia todo, todos os dias, madame. A empregada que o limpava foi categórica: Lorde Wyndham queria que ficasse em perfeitas condições.

– Muito bem. Então... ou o verdadeiro ou uma réplica excelente estava em exibição o tempo todo, mas Bradamant definitivamente pegou a réplica. E o livro verdadeiro não podia ter sido retirado de lá até a duplicação ter sido concluída. Se a falsificação ficou pronta poucos dias antes do assassinato de Wyndham, considerando que o leilão ocorreu pouco mais de duas semanas antes do assassinato e que a falsificação demoraria duas semanas, então o livro verdadeiro deve ter sido tirado da casa nesses últimos dias. Isso se não estiver lá agora.

– Uma linha de pensamento interessante – murmurou Vale, e Irene teve de se esforçar para sufocar um rubor de orgulho. *É bom quando pelo menos uma pequena fantasia vira realidade. E é ainda melhor quando é merecida.* – Mas por que não o deixar em casa?

– Há o risco de roubo, de outra pessoa que não seja Belphegor, claro – sugeriu Singh. – O cofre dele pode ser impenetrável para os feéricos, considerando que era de ferro frio, mas ladrões humanos conseguiriam abri-lo. – Ele olhou significativamente para Bradamant. – Se o verdadeiro livro não fosse bem escondido e acabasse aparecendo, isso revelaria que Wyndham colocou em exibição uma réplica, fosse qual fosse seu motivo para usar todo esse subterfúgio. Me pergunto o que ele estava tramando... – Finalmente, ele assentiu para Irene. – Concordo com sua teoria, madame. Embora isso signifique que tenhamos de supor que Lorde Wyndham em pessoa cuidou do livro em vez de repassá-lo para algum agente ou para uma terceira pessoa.

– Vamos começar com essa hipótese – disse Vale bruscamente. – Nesses três dias, aonde ele *foi*? E quando podia estar carregando o livro com ele? Afinal, qual é o tamanho do livro?

– É um livro grande de capa dura – disse Bradamant, mostrando com as mãos o formato no ar. – Com capa de couro, ilustrado. Talvez com quinze por vinte centímetros. Impossível de ser escondido debaixo de um casaco elegante. Mas poderia ser carregado com facilidade em uma pasta.

– Excelente – disse Vale. – Isso limita as possibilidades. Lorde Wyndham não gostava de sobretudos. O que o senhor pode nos dar com base nisso, inspetor?

– Só um momento, por favor, senhor – disse Singh, mexendo nos papéis. – Tenho alguns depoimentos do mordomo de Lorde Wyndham sobre as idas e vindas dele nos dias anteriores ao assassinato. Conseguimos uma lista impressionante de horários da movimentação do cavalheiro enquanto tentávamos estabelecer quem poderia querer matá-lo. Ele não saiu tantas vezes no período, então acho que conseguiremos eliminar uma série de possibilidades.

A tensão pairava no ar. Os segundos se passavam dolorosamente devagar. Irene pensou em sugerir que todos ajudassem pegando uma folha de papel cada e as verificassem separadamente. Mas concluiu que era uma ideia idiota. Em seguida, pensou novamente nisso. E viu o bigode e a barba de Singh tremendo enquanto ele murmurava baixinho e virava as páginas.

Com um esforço, ela virou-se para a janela, em vez de ficar olhando Singh ler. O tempo lá fora ainda parecia estar bom,

243

ao menos para aquele alternativo, com nuvens altas e sol. O apanhador de sonhos que ela vira antes estava escuro contra o céu claro.

Irene se perguntou que tipo de sonhos Vale tinha para que, justo ele, descrente e lógico, pudesse pendurar um apanhador de sonhos na janela.

– Ah – disse Singh por fim. – Acho que talvez tenhamos alguma coisa aqui.

CAPÍTULO 16

— No dia anterior ao assassinato, Lorde Wyndham foi ao seu banco – disse Singh. – Não foi uma visita com hora marcada. Aparentemente, ele não pôde ser atendido imediatamente e reclamou bastante, razão pela qual alguns funcionários se lembravam da visita dele quando os interrogamos. Apesar de nenhum dos depoimentos confirmar que ele estava carregando uma pasta, também não dizem que não estava. Seria o tipo de coisa normal para um cavalheiro carregar quando fosse consultar o seu gerente de banco.

– Qual era o banco dele? – perguntou Bradamant.

– Lloyds – respondeu Singh. Ele franziu a testa. – Precisarei de um mandado de busca se quisermos olhar no cofre dele, senhor. Vai demorar algumas horas, pelo menos. E seria mais fácil se pudéssemos levar algumas provas ao juiz.

Um silêncio pesado se espalhou pela sala.

– Não é impossível, claro – acrescentou Singh. - Mas as provas podem tornar mais rápida a obtenção de um mandado.

– Se a Irmandade de Ferro estava por trás do ataque de ontem à noite à embaixada e se também estão procurando o livro, eles podem tentar roubar o cofre do lorde no Lloyds – sugeriu Irene, esperançosa.

Singh olhou para ela com decepção.

– Disse provas, madame. Não conjecturas.

– Bem! – Vale juntou as mãos em um movimento brusco. – Inspetor, sugiro que o senhor dê andamento a isso. E, se houver qualquer outro lugar onde o cavalheiro possa ter escondido o livro, podemos avaliar as possibilidades enquanto esperamos. Há mais algum lugar razoavelmente plausível, ou mesmo possível?

– Há mais uma coisa – disse Singh–, e voltou para uma das primeiras páginas de sua pilha de papéis. – Aparentemente, Lorde Wyndham doava livros com alguma regularidade a vários museus de Londres. Em geral eram livros que obteve para sua coleção, mas que não eram mais de seu interesse ou do de seus colegas.

Irene tremeu com a ideia. *Dar* livros?

– Que frívolo – disse ela por fim.

– É mais altruísta do que ficar com todos – corrigiu Vale –; continue, inspetor.

Singh mexeu nos papéis o bastante para enfatizar que ele estava no comando da situação.

– Dois dias antes de seu assassinato, Lorde Wyndham mandou uma caixa pequena de livros como doação para o Museu de História Natural. Herbários, bestiários, esse tipo de coisa. Meus homens averiguaram como coisa rotineira no processo de investigação dos acontecimentos anteriores ao assassinato. O funcionário com quem falaram disse que ninguém os havia avaliado ainda. Por favor, não fique me encarando assim, madame. É comum que pessoas proeminentes façam doações a museus. Pode demorar meses para que alguém os verifique, a não ser que o museu tenha sido especificamente notificado de que havia algo importante neles.

Kai franziu a testa.

– O senhor está sugerindo que ele escondeu o livro verdadeiro na caixa de doações? Isso não seria extremamente arriscado? Se ao menos uma pessoa o encontrasse lá, ele o teria perdido. O cofre do banco parece um lugar bem mais provável.

– Não, eu consigo ver a lógica disso – disse Bradamant, contradizendo-o. – Se há um acúmulo desse tipo de doação, talvez demorasse até um ano para que alguém abrisse a caixa, e ele poderia pedir o livro de volta se precisasse apresentá-lo para Silver... ou para qualquer outra pessoa – acrescentou, pensativa.

– Bem, o cavalheiro era um vampiro – concordou Vale –, então combinaria com certos aspectos calculistas de sua personalidade... apesar de provavelmente não estar certo falar mal dos *mortos-vivos*. – Ele fez uma pausa, mas ninguém riu. – Ah, muito bem. Há mais algum jeito possível de o livro ter sido tirado da casa, inspetor?

– É possível, sem dúvida, senhor – respondeu Singh com cautela –, mas nenhum plausível. Mandei meus homens verificarem o porão com atenção. Não há ligação com esgotos, nem com o metrô. É claro que, se ele o confiou a um dos criados, então temos um novo leque de possibilidades. Se for esse o caso, podemos nos sair melhor observando o mercado negro para ver se o livro aparece. Ou podemos ver como a Irmandade de Ferro vai agir para procurá-lo... se é que também estão atrás do maldito livro.

Irene e Bradamant se entreolharam, e Irene conseguia supor o que a outra estava pensando. Se eles precisassem recorrer ao mercado negro ou colaborar com integrantes de uma sociedade secreta, talvez fosse melhor Bradamant se afastar do grupo. Assim, ela poderia usar qualquer contato que tivesse feito como "Belphegor" em vez de ficar conhecida por trabalhar com Singh e Vale. Claro que, assim, Bradamant podia encontrar o livro e ser a pessoa que o levaria de volta à

Biblioteca. Então, o que era mais importante para Irene? Encontrar o livro ela mesma ou garantir que fosse encontrado? Ela sabia qual *devia* ser a resposta, mas isso não queria dizer que gostasse dela.

Vale e Singh também se entreolhavam, pensativos. De repente, Vale pulou em pé.

– Muito bem, então! Acredito que seja hora de uma visita ao Museu de História Natural. Senhoritas, senhor Strongrock, acredito que posso convencê-los a nos acompanhar. Inspetor, há um carro lá embaixo? O senhor pode nos dar uma carona até lá antes de ir pegar seu mandado de busca.

Singh olhou para Bradamant, Irene e Kai sem muito entusiasmo, mas controlou sua expressão.

– Tenho um, senhor, mas acredito que precisaremos de um segundo se não quisermos sujeitar as senhoritas a um aperto desnecessário.

– Prefiro não atrasar mais isso – interrompeu Irene. Uma sensação crescente de urgência a incomodava. Talvez o cofre bancário fosse a possibilidade mais plausível, mas, e se eles estivessem errados? – Inspetor, o senhor acha que foi seguido até aqui?

Singh franziu a testa.

– Não posso negar essa possibilidade, madame. Mas não que alguém fosse achar estranho. Muitas pessoas da Yard vêm visitar o senhor Vale aqui, e com bastante frequência.

Vale foi até a janela e ficou de lado, espiando a rua abaixo.

– Não posso dizer se seguiram você, inspetor, ou se estão me vigiando – afirmou ele –, mas Jimmy Peludo dos Garotos Rugidores de Whitechapel está vigiando a porta da minha casa.

– Na minha opinião deve ser coisa de Lorde Silver – disse Singh, colocando os papéis na pasta. – A Irmandade de Ferro não se envolveria com lobisomens.

Vale pensou nisso por um momento.

– Bem, com o trânsito de Londres como é a essa hora da manhã, mesmo se estiverem indo para o museu, ainda devemos conseguir chegar antes deles. – Vale pegou um casaco no cabide lotado, vestiu-o, pegou o chapéu e a bengala com a espada escondida. – Vamos logo.

Kai também se levantou com entusiasmo e estava ocupado procurando seu chapéu e casaco, o que permitiu que Irene puxasse Bradamant para o corredor para uma palavrinha em particular.

– O que é? – perguntou Bradamant baixinho.

– Quais são as marcas que identificam esse livro? – Ela viu Bradamant começar a dizer alguma coisa e levantou a mão para impedi-la. – Olhe. Sei que você já foi enganada com uma réplica. Se foi seu superior que a mandou de volta, se você está mesmo aqui com *permissão*... – ela viu Bradamant apertar os olhos de irritação com isso – ele não teria lhe mandado de volta sem indicar uma forma de você identificar o artigo genuíno. Você vai mesmo correr o risco de perder o livro porque não quer compartilhar essa informação comigo? Um livro que pode ser tão importante para este mundo?

O olhar de Bradamant era puro veneno.

– Não me apresse – disse Bradamant –, estou pensando.

– Pense rápido – disse Irene –, Vale virá nos procurar em um instante.

– O conto oitenta e sete – disse Bradamant–, a História da Pedra da Torre de Babel. Se estiver lá, o livro é genuíno.

– Obrigada – respondeu Irene. Pegou seu chapéu e véu e os prendeu com um grampo.

Bradamant parecia prestes a dizer alguma coisa, mas, com um visível esforço, conseguiu se controlar. Ajeitou o próprio chapéu e se afastou, dizendo docemente:

– Estamos indo!

Alguns segundos depois, estavam todos espremidos em mais um daqueles híbridos de táxi e carruagem, a caminho do Museu de História Natural. Pelo que Irene conseguia se lembrar da geografia de Londres, ficava a pelo menos meia hora de distância, ou mais, se o trânsito estivesse ruim. Singh murmurou instruções para o motorista em vez de gritar bem alto para ser ouvido do outro lado da rua, e agora estava pensativo no canto da carruagem. Kai, Vale e Singh estavam todos espremidos em um só banco, enquanto Irene e Bradamant compartilhavam o banco em frente e tentavam não parecer muito confortáveis.

– O senhor sabe com quem precisamos falar quando chegarmos lá, inspetor? – Vale perguntou a Singh.

Singh assentiu.

– Tenho o nome da pessoa de quando estive lá na última vez... professora Betony, e, se você não conseguir encontrá-la, pode procurar a sala dela no Departamento de Criptologia no subsolo. Com sorte, conseguem chegar e sair de lá antes que qualquer pessoa que possa estar nos seguindo os alcance. Então, poderemos saber se o livro está ou não lá. E vou providenciar aquele mandado de busca enquanto isso. – Ele lançou um de seus olhares secos para Bradamant. – E depois essa jovem pode devolver os outros livros que pegou.

Bradamant corou, baixou os olhos, mexeu nas tiras da bolsa. Parecia de todas as formas uma jovem inocente, levada a cometer um crime por más companhias e que só queria compensar o erro. Irene tinha de admirar o desempenho dela, principalmente se considerasse os prováveis sentimentos de raiva que Bradamant devia estar cultivando em relação a ela.

– Você costuma ser constantemente enviada para executar missões assim por essa sua Biblioteca, senhorita Winters?

– perguntou Vale a Irene. Ele tentou fazer com que parecesse uma conversa informal, mas ela conseguiu sentir a curiosidade maior por trás das palavras.

– Esta é um pouco mais... ah, dramática do que a maioria – respondeu Irene, um pouco aliviada de Vale estar perguntando a ela e não a Bradamant. E era verdade. Ela havia participado de dezenas de missões em que simplesmente chegou, comprou tranquilamente um exemplar do livro em questão e foi embora sem ninguém reparar nela. E de pelo menos dez missões em que houve alguma ilegalidade menor, mas nenhuma envolveu caçadas pelas ruas, personalidades perigosamente intensas ou jacarés ciborgues. – Houve uma vez antes desta missão em que eu estava na França. – Bem, em uma França. Havia muitas Franças. – Estava tentando obter um exemplar de um livro sobre alquimia de um homem chamado Michael Maier, com algumas centenas de anos. Se chamava... – ela franziu a testa – alguma coisa sobre nove tríades e continha músicas intelectuais sobre a ressurreição da fênix, ou alguma coisa nessa linha. Acabei me envolvendo com um grupo de Templários e tendo de ir embora com certa pressa. – Uns cinco minutos antes de eles derrubarem a porta, para ser precisa, mas não era necessário contar *essa* parte para Vale.

– E teve o caso da ladra – disse Bradamant docemente.

Irene sentiu as mãos se contraírem nas luvas e se obrigou a ficar calma.

– É – concordou ela –, houve isso.

Kai se inclinou para a frente.

– O que *foi* o caso da ladra? – perguntou ele.

Bradamant deu um sorriso solidário, compreensivo e isento.

– Ah, foi quando eu era mentora de Irene, quando ela começou a trabalhar em campo. Estávamos tentando encontrar um livro roubado por uma ladra famosa. Todo mundo sabia quem ela era. Os melhores policiais da cidade estavam de olho em cada movimento dela, e mesmo assim não conseguiam pegá-la. E quando Irene e eu estávamos tentando investigá-la, bem... – ela sorriu de novo, de forma tolerante –, a moça em questão *era* muito encantadora. E não é que eu estivesse correndo algum risco significativo enquanto Irene estava tão, vamos dizer assim, "preocupada" com ela. E eu consegui encontrar o livro, então tudo está bem quando termina bem.

Irene olhou para os joelhos e mordeu a língua. Não foi nada disso, não mesmo, mas essa era toda a história que as pessoas ouviriam agora. Bradamant espalhou alegremente essa versão por toda a Biblioteca, com detalhes murmurados, e qualquer coisa que Irene tivesse dito na época ou pudesse dizer agora soaria apenas como desculpa. O alternativo tinha uma série de padrões sociais muito específicos. Roubo era uma transgressão comparativamente menor lá, mesmo sendo ilegal; comportamento imoral era o tipo de coisa que podia destruir completamente a reputação de uma mulher. Bradamant havia armado a coisa toda, arrumando uma identidade para Irene como ladra freelance, sugerindo que talvez a mulher pudesse ser convencida a entregar o livro e até marcando um encontro entre elas. E, depois, simplesmente invadiu a casa da mulher enquanto Irene estava sinceramente tentando convencê-la. E Irene ficou lá, se debatendo e arrumando desculpas, tentando explicar o que tinha acontecido com a casa da outra mulher, seus bens, sua reputação...

Irene saiu da missão com uma amarga e duradoura fúria em relação a Bradamant, decidida a nunca fazer a mesma coisa com alguém que confiasse nela. Nunca. *Nunca.*

E, se tentasse protestar agora, seria a mesma coisa de antes; daria a impressão de que estava tentando se esquivar de uma coisa que devia ser culpa dela. Pareceria culpada. Pareceria mesquinha...

Pareceria uma criança.

– Sim – concordou Irene, com um sorriso tão agradável quanto o de Bradamant. – Tudo está bem quando termina bem.

Kai olhou de Irene para Bradamant e novamente para Irene.

– É claro que esta é a primeira vez que trabalho com a senhorita Winters – disse ele, um pouco rápido demais. – Esperava ser enviado para procurar um livro de poesia em algum momento. Tenho muita admiração por poesia. Meu pai e meus tios sempre acharam muito importante para alguém que alegasse ter cultura.

– Hum! – Singh se inclinou para a frente, parecendo genuinamente interessado. – Poemas épicos ou formas mais curtas?

A conversa mudou, para o alívio de Irene, para um debate sobre poesia, e durou boa parte do resto da viagem. Ela ficou em silêncio a maior parte do tempo, por estar mais acostumada a obter poesia do que a ler poesia. Bradamant disse uma palavra ou duas a favor dos estilos elisabetanos, e felizmente houve uma Elizabeth naquele alternativo. Vale tinha preferência por poetas persas, ainda que sua pronúncia do nome dos poetas fosse tão ruim que Singh tremeu. O próprio Singh se recusava a considerar digno de estudo sério qualquer coisa mais curta do que um poema épico. E Kai, de forma nada surpreendente, preferia estilos chineses clássicos, com uma apreciação leve por construções como sextinas e vilanelas.

Irene demorou um momento para se dar conta de que estava efetivamente se divertindo. Mesmo sem contribuir muito para a conversa, estava participando, dizendo o que pensava, participando de uma troca sincera de opiniões, estava...

Entre iguais, uma parte da mente dela sugeriu, com a reticência que acompanhava o reconhecimento de uma verdade indesejada. *Você está discutindo um interesse comum sem se preocupar com traição, nem em perdê-los, e está gostando. Há quanto tempo não faz isso?*

Irene olhou para as expressões interessadas do grupo e sentiu como se os conhecesse havia anos. Era ridículo, mas também... não era indesejado.

O trânsito lá fora passara de ruim a abominável, e o progresso do veículo se reduzira a uma velocidade de caminhada, com sacolejos ocasionais por causa dos sinais de trânsito.

– Não há nenhum risco de sermos ultrapassados, há? – perguntou Irene nervosamente.

– É improvável, madame – respondeu Singh. – Para isso, teriam de saber aonde vamos, e há lugares demais para onde poderíamos estar indo para que tivessem certeza.

– Há uma coisa sobre a qual andei pensando – disse Kai. – Apesar de eu saber que vocês têm máquinas diferenciais e mecanismos de cálculo, ainda não vi nenhum tipo de dispositivo de comunicação de longa distância. Eu... – Ele percebeu o olhar intenso de Irene. – Quer dizer, esse tipo de coisa não foi pesquisado?

Vale suspirou.

– Mais uma tecnologia avançada do seu mundo alternativo, senhor Strongrock? Realmente, houve pesquisas sobre o tema, mas ficou provado que tudo era muito sujeito a possessões demoníacas. Apesar de ter havido alguns poucos sucessos com várias formas de blindagem com base tecnológica, de modo geral a área não compensa a pesquisa. Certamente seria inseguro colocar uma coisa assim na mão das massas.

– Mas como os pilotos de zepelim se comunicam com a terra? – perguntou Irene.

Vale fungou, e Singh pareceu enojado.

– Magia feérica – esclareceu Vale –, mais um motivo para Liechtenstein ter uma influência tão grande na indústria de zepelins. Acredito que também fazem maquinário para submersíveis, mas é claro que a quantidade grande de ferro reduz a eficiência da magia.

Irene assentiu e desejou que parte disso estivesse no kit de informações que Dominic Aubrey havia providenciado. Ele deixou o assunto totalmente de lado: havia bastante material sobre a situação dos não feéricos, mas quase nada sobre os feéricos em si, suas implicações políticas e seus planos em andamento para a dominação mundial, pois os feéricos sempre tinham planos de dominação mundial. (Afinal, assim era mais dramático.) Possivelmente, achou que Irene conseguiria evitar a interferência dos feéricos, embora, considerando o envolvimento de Wyndham com Silver, isso dificilmente fosse possível. Alguém poderia ter dado um jeito de remover essa parte das informações do kit? Se sim, como e quando?

Ela também desejava estar sentada ao lado de Kai no táxi, para poder chutar o tornozelo dele sem ser óbvia. Discussões na linha de "então, por que vocês não introduziram esse tipo de tecnologia no seu mundo alternativo" raramente iam bem. Era comum que houvesse motivos perfeitamente razoáveis para que tal tecnologia não tivesse sido introduzida, e você abria uma verdadeira caixa de pandora só de perguntar. E nas poucas ocasiões em que ela simplesmente não havia sido inventada ainda e você tinha realmente apresentado o alternativo a um conceito totalmente novo, podia acabar com problemas como a fusão a frio. (Não que ela estivesse envolvida *nessa* história, mas havia vários boatos.)

O veículo parou de repente e o condutor se inclinou para a abertura.

– Me desculpe, senhor, mas, infelizmente, como o trânsito está muito ruim hoje, vamos demorar mais dez minutos para chegar à entrada do museu, apesar de dar para ver que fica bem ali. Se não for um inconveniente, o senhor e seus amigos talvez achem mais fácil andar daqui até lá.

– Sem dúvida – exclamou Vale, e abriu a porta do táxi. Ele olhou para o condutor. – Espere aqui. Não devemos demorar. Aqui. – Ele jogou uma moeda para o condutor. Havia uma ansiosa energia nos movimentos de Vale ao se aproximarem de possível ação. – Pelo seu tempo.

Kai ajudou Irene a sair do táxi e apertou o pulso dela com um pouco mais de força quando ela desceu.

– Quase lá – murmurou ele.

Bradamant tossiu com convicção. Com expressão de desculpas, Kai soltou Irene e se virou para ajudá-la a descer também.

As ruas estavam ocupadas pelo trânsito, se movendo devagar e com muitos gritos, e o ar estava cheio de neblina de poluição. Irene colocou o véu no rosto e andou até a parede do museu para deixar as pessoas apressadas passarem. Os outros se juntaram a ela, esperando Singh, que falava com o condutor. A parede estava manchada e suja de marrom, devido a décadas de fumaça e poluição. Os prédios ao redor eram de tijolos velhos e mármore e também estavam manchados. Muitas das pessoas que passavam carregavam livros ou pastas. Pelo que ela se lembrava da geografia de algumas Londres, havia uma universidade ali perto, situada convenientemente próxima ao museu.

Um zepelim passando no alto surgiu no canto de visão de Irene, e ela olhou para cima. Vários zepelins menores estavam ancorados ao telhado do museu, com bandeiras penduradas com o nome do museu. Quando olhou mais adiante na rua, viu outros, presos ao telhado de outros prédios grandes.

– Ah – disse Vale, acompanhando o olhar dela. – Geringonças incríveis, não? E tão mais rápidos do que um táxi, mas infelizmente não tão controláveis. Um veículo desses pode atravessar o canal e voltar sem precisar reabastecer.

– Atravessar o canal? – perguntou Irene. – O museu os usa para esse tipo de viagem, então?

Vale assentiu.

– Eles conseguem transferir pequenos itens importantes e raridades particulares. Soube que a maioria dos grandes museus tem alguns desses atualmente. E, claro, há bem menos risco de roubo. – O olhar dele se moveu para Bradamant por um momento e permaneceu em suas costas. Parecia que ele não perdoava – ou esquecia – nenhum detalhe sobre ladrões.

– Se você é de um mundo alternativo você mesma – disse Vale, virando-se para Irene –, como é lá?

Irene reparou que Kai havia se aproximado para ouvir. O problema era que ela não tinha uma boa resposta.

– É... bem, é só mais um mundo. A tecnologia é um pouco mais controlada do que aqui. Não há tantos zepelins, nem vampiros, ou mesmo lobisomens. Meus pais me levavam para a Biblioteca sempre que podiam, mas eu passei muito tempo em um colégio interno, na Suíça, muito bom em idiomas. (Ela não mencionaria algumas das outras coisas que ensinavam lá. A escola se orgulhava de formar alunos prontos para tudo, e algumas partes daquele mundo eram muito perigosas.)

– Visitei outros alternativos com meus pais – acrescentou Irene. – Às vezes, estavam em missão e não a achavam perigosa. Às vezes, até os ajudava. – Ela se viu sorrindo. – E houve os anos na Biblioteca, apesar de não haver muitas outras crianças lá. Mas tive de passar minha infância mais fora da Biblioteca.

– E por que isso? – perguntou Vale. – Não seria melhor ficar lá e ter aulas em segurança em vez de ser colocada em perigo?

Irene sabia que agora pisava em terreno perigoso. Havia coisas que ela não devia contar, para a segurança dele.

– O tempo passa de modo diferente na Biblioteca – Irene acabou dizendo. – Meus pais queriam que eu tivesse uma infância natural. Bem, moderadamente natural. E se eu quisesse ser uma Bibliotecária útil, tinha de saber agir fora de lá.

– É por isso que costumam recrutar fora da Biblioteca, em vez de filhos de Bibliotecários? – perguntou Kai.

Irene assentiu.

– Isso e... bem, para ser sincera, acho que os Bibliotecários não costumam ter filhos com frequência, e, mesmo quando têm, não há nenhuma garantia de que as crianças vão querer ser Bibliotecárias no futuro. Acho que sou a única em uma geração ou duas.

Irene percebeu um movimento com o canto do olho. Bradamant estava se virando, mas não rápido o bastante para esconder a expressão no rosto. Havia uma inveja corrosiva em seus olhos. Irene achava que nunca tinha visto a outra mulher assim antes... ou tinha? Ela tinha tentado esquecer tantas outras coisas sobre Bradamant e fracassado completamente.

Singh andou até Vale depois de terminar a conversa em voz baixa com o condutor do táxi.

– Vou enviar o táxi de volta para cá, para o senhor, depois que ele me deixar no Tribunal Central Criminal. Vocês não devem demorar muito para verificar se o livro está aqui.

Irene controlou sua impaciência. Era um grande alívio pensar que em meia hora ela podia até estar voltando para a Biblioteca, com o livro na mão, Kai logo atrás, Bradamant... bem, ela não queria pensar *conscientemente* em Bradamant caída em desgraça. Afinal, todo mundo fracassava de vez em quando. Com coisas como ladras glamorosas. Não tinha importância.

Talvez em uma hora. Ela não queria ser otimista demais.

Dentro do museu, o prédio se abriu em um glorioso saguão no estilo de uma catedral, com teto abobadado, várias janelas e piso de mosaico. O esqueleto de um dinossauro diplodoco se inclinava para baixo, bem acima da cabeça dos passantes, e alguma mãe parecendo incomodada implorava a seu queridinho para não tentar subir no pé dele. Uma estátua branca de mármore no alto da escadaria principal do aposento observava a coisa toda com ar de digna aprovação. Era a única peça de mármore sem mancha de poluição que Irene viu naquela Londres alternativa.

Ela achava que o local era interessante o suficiente, mas tristemente desprovido de livros.

Vale claramente conhecia o lugar e os levou por uma escadaria, através de várias salas menores de exposição e por uma variedade de animais empalhados, plantas empalhadas e, possivelmente, depósitos minerais empalhados (Irene não teve tempo de verificar). Em seguida, desceram outra escadaria e entraram em uma série de corredores mais bagunçados e confusos, onde o trabalho realmente era feito. Havia caixas empilhadas contra as paredes, muitas com bilhetes em que estava escrito ABRIR ISSO HOJE. As únicas coisas que não estavam sujas nem empoeiradas eram as placas de metal nas portas, que cintilavam com um brilho um tanto desesperado, como se tentando compensar os arredores.

– Chegamos – disse Vale, parando na frente de uma sala que aparentemente pertencia à professora Amelia Betony, Mestre em Ciências, Doutora em Filosofia e em Teologia. – A caixa foi endereçada a essa pessoa. Vamos ver se conseguimos eliminar essa possibilidade. – Ele abriu a porta sem se dar ao trabalho de bater.

Lá dentro, o escritório de teto baixo era maior do que o esperado. A pequena mesa no canto estava cheia de envelopes e pacotes fechados, e a mesa grande, no meio da sala, estava coberta de ossos, potes de cola e instrumentos medidores. O ar tinha cheiro de pó e solvente. Então, um jovem entrou por uma porta lateral com uma caneca de chá fumegante na mão e ficou ali parado, olhando para os quatro.

– Senhor Ramsbottom, imagino? – disse Vale, adiantando-se bruscamente. – Secretário da professora Betony?

O jovem assentiu e olhou para Vale, e seus olhos se arregalaram em reconhecimento.

– Ah, lamento muito, mas a professora está em uma expedição ao Egito, se o senhor queria consultá-la sobre um caso...

– Felizmente, acredito que você seja suficiente, senhor Ramsbottom – respondeu Vale. – Estamos aqui para verificar um pacote que pode ter se perdido.

Ramsbottom olhou com culpa para as pilhas de correspondência recebida na mesa.

– Estamos procurando uma caixa de Lorde Wyndham – esclareceu Vale. Ao lado dele, Irene conseguiu ver Kai ficar tenso de empolgação, observando Ramsbottom com uma expressão de expectativa que devia estar deixando o sujeito ainda mais nervoso. – Deve ter sido entregue cinco dias atrás.

Fazia mesmo tão pouco tempo desde a morte de Wyndham, desde que Irene e Kai haviam chegado ali? Parecia muito mais, pensou Irene.

– Ah – disse Ramsbottom, indo para perto da mesa. Ele abandonou a caneca e selecionou um livro de registros. – Na verdade, acho que me lembro dessa caixa.

– Lembra? – perguntou Vale.

Ramsbottom assentiu.

– Havia instruções específicas incluídas nela. Por favor, hã, cavalheiros, damas, a professora Betony sem dúvida responderá a todas as suas perguntas com a maior boa vontade assim que voltar. – Ele olhou com expressão de culpa para a pilha de correspondência. – Mas ela tem uma aversão específica a qualquer outra pessoa lendo sua correspondência, e, quando partiu, me disse que, a não ser que uma carta ou pacote especificasse que algo devia ser aberto...

– A caixa, homem! – cortou Vale, se aproximando. – O que aconteceu com ela?

– Hã, hã. – Ramsbottom mexeu na gola da camisa. – O bilhete que a acompanhava estipulava que, se a professora Betony não voltasse para abri-la dentro de três dias depois de ter chegado, o subordinado dela, que sou eu, devia abrir e tomar as medidas necessárias com o conteúdo.

Irene engoliu em seco. Por um lado, conseguia ver Bradamant ficando branca, por outro, podia ouvir o peso da respiração de Kai. Devia ter sido um último subterfúgio de Wyndham, para o caso de não poder recuperar o estimado livro... Na *expectativa* de ser assassinado?! Apenas como mais um passo no relacionamento doido que ele tinha com Silver? Como manobra deliberada para que Silver não pusesse as mãos no livro ou para escondê-lo de alguma outra pessoa?

– O pacote continha um esqueleto de *Archaeopteryx* – prosseguiu Ramsbottom, ficando mais nervoso a cada segundo – e outro pacote, a ser encaminhado para outro lugar... – Ele gaguejou e parou com ansiedade.

– E para onde seria? – perguntou Vale.

Ramsbottom hesitou.

– Isso é assunto confidencial, senhor Vale, e, apesar de eu saber das suas ligações com a polícia, eu, ah, quer dizer...

– Ele parou de falar, aparentemente sem conseguir proferir as palavras *Não vou contar para você.*

– Senhor Ramsbottom – Vale deu um passo à frente –, naturalmente, não vou insistir no assunto. Mas ficaria grato se o senhor pudesse me tranquilizar de que não haverá dificuldade em rastrear o pacote, caso isso se mostre necessário.

– É claro! – exclamou Ramsbottom, parecendo profundamente aliviado. E bateu no livrinho azul. – Tenho detalhes completos aqui, informando para onde o pacote foi.

Nessa hora, a porta do outro lado da sala se abriu e Silver entrou, seguido de seu mordomo com aparência indiferente e de seis homens peludos de ternos baratos e chapéus feios.

– Finalmente! – declarou ele, apontando de forma dramática. – Agora peguei você, minha querida inimiga!

Ele apontava para Bradamant.

CAPÍTULO 17

—O quê? – disse Bradamant, mas logo mudou para: – Mas, ah, como você nos achou tão rápido?

Silver deu uma alegre gargalhada. O cabelo, caído sobre os ombros, voou em um vento que, de alguma forma, soprava ao redor dele e balançava suas roupas, mas não movia um único fio de cabelo dos capangas duvidosos e barbados que se juntavam atrás dele e olhavam de cara feia para a sala toda. Suas roupas estavam tão sujas e desgastadas quanto as de Silver eram elegantes e cheias de estilo, e todos tinham monocelhas.

– Rá! – exultou Silver. Ele apontou a bengala para o infeliz Ramsbottom, que tentava se encolher em um canto. Qualquer canto. – Você! Entregue o livro agora mesmo e será muito mais recompensado do que pode imaginar!

– Cuidado, Silver – disse Vale. Seu aperto na bengala-espada não era mais tão casual quanto o de alguns segundos antes. – Você não vai querer nenhuma testemunha das ações ilegais de sua parte, vai?

– Ações ilegais? – Silver se virou para o mordomo. – Johnson! Eu já cometi alguma ação ilegal?

Johnson olhou para o relógio.

– Não nos últimos três minutos, senhor.

Silver se virou para Vale.

– Aí está. Tenha certeza de que, no momento, não estou cometendo nenhuma ação ilegal. Só estou prometendo a esse subordinado aqui que, se entregar o livro que estou procurando, receberá recompensas que vão além de seus mais loucos sonhos.

– Bem, se não houver nada de *ilegal* nisso... – disse Ramsbottom vagamente. Seus olhos acompanharam Silver com expressão sonhadora, observando cada gesto, cada respiração. Irene se lembrou do glamour que Silver tentou projetar nela no escritório de Wyndham.

– Meu querido senhor – disse Bradamant, com uma coragem que Irene não acreditou que ela pudesse reunir –, você ainda não explicou como conseguiu nos rastrear até aqui. – E deu um passo para a esquerda, obrigando Silver a tirar a atenção de Ramsbottom se quisesse ficar de olho nela.

Silver balançou a mão em um gesto vago.

– Foi uma questão das mais simples. Subcontratei. Sabendo que não poderia rastrear uma agente da Biblioteca... ah, você me enganou uma vez, mas de novo, não! Então falei com a senhorita Olga Retrograde sênior.

Irene e Bradamant trocaram rápidos olhares chocados. Uma coisa era Silver saber sobre a Biblioteca, afinal muitos feéricos e dragões sabiam, assim como a Biblioteca sabia sobre eles, mas ouvi-lo falar dela tão abertamente na frente de testemunhas era bem preocupante, uma vez que isso sugeria que em pouco tempo não *haveria* testemunhas. Mas, de qualquer modo, como Silver soube? O que viu? O *quanto* sabia sobre a Biblioteca?

Enquanto isso, Vale pareceu ultrajado.

– Você negociou com *ela*?

– Não passou de uma questão de conveniência – acrescentou Silver com leveza. – Normalmente, ela é sórdida demais para que eu faça qualquer coisa além de convidá-la para as minhas festas. Você não vai querer comentar sobre isso, vai, meu querido detetive particular? De uma perspectiva, digamos, *familiar*?

Vale pareceu ainda mais furioso, se é que isso era possível.

– Não há nada que eu queira dizer sobre ela – respondeu Vale rispidamente.

– Então me permita esclarecer – disse Silver com grande satisfação. – As tentativas de vidência dela se mostraram inúteis até os senhores saírem de casa hoje de manhã. Ela captou as instruções dadas ao condutor do táxi. A partir daí, foi só uma questão de chegar ao museu primeiro e fazer meus subalternos aqui localizarem seu destino. – Ele sorriu para os capangas peludos.

– Conhecemos o cheiro do senhor Vale – grunhiu um deles, com a língua saindo demasiadamente da boca enquanto ofegava. – Todos conhecemos o cheiro do senhor Vale. Muitos de nós querem ter uma conversinha tranquila com ele em um beco escuro a qualquer hora dessas.

– Calma, calma – disse Silver –, tenho certeza de que vocês terão sua oportunidade em breve, isso se o senhor Vale não aconselhar sua colega da Biblioteca a fazer o que peço. – Ele deu um sorriso encantador para Bradamant. Irene sentiu um pouco do efeito desse sorriso, um surto repentino de desejo servil e adoração apaixonada, e sentiu a marca nas costas arder como gelo em reação a isso. Também sentiu uma explosão rápida de alívio por Silver, aparentemente, não *a* ter reconhecido como agente da Biblioteca. Por enquanto, ela ainda se mantinha incógnita.

Ramsbottom levou as mãos às laterais do corpo e desistiu de todas as tentativas de ser útil para encarar Silver, com muda fascinação. Vale não pareceu afetado; Irene ficou tentada a olhar para trás para ver o que Kai estava fazendo, mas, sendo um dragão, ele devia ser imune a qualquer coisa que Silver pudesse tentar usar contra ele. Ao menos, era o que ela esperava.

Silver achava que o livro ainda estava ali. Tinha de haver alguma forma de usarem isso. Pelo menos Bradamant estava dando corda e mantendo Silver ocupado.

– Mas como você soube que eu era da Biblioteca? – perguntou Bradamant, chegando ainda mais para a esquerda.

Um dos brutamontes se deslocou para a frente, como se fosse tentar segurá-la, mas Silver balançou a cabeça.

– Não, minha adversária merece saber pelo menos isso. Como você me enganou bem, minha querida! Fiquei distraído com sua ratinha subordinada ali, com esse vestido sem graça – ele apontou Irene –, e com seus roubos astutos. Como poderia ter percebido que você era a mentora por trás de tudo? Só depois que montei as peças do quebra-cabeça que vi como você é de verdade.

Irene ficou dividida entre o alívio por ele não estar se concentrando *nela* e certa irritação por aparentemente ser uma ratinha subalterna que não merecia sua atenção. Ela era tão imperceptível? Por que ele não estava apontando o dedo para Irene e declarando que *ela* era uma mentora impressionante? Na verdade, por que Silver estava alegando haver uma mentora?

Parte de Irene sabia que era uma atitude incrivelmente idiota, uma reação ao charme feérico dele ou algo assim. A mesma coisa que lhe dava vontade de fazer beicinho e se exibir para ele. Talvez mostrar um ombro ou respirar fundo ou tentar fazer com que ele reparasse nela. Fazer com que ele tocasse nela com aquelas belas mãos compridas, seu corpo pressionando...

Certo.

Um pensamento no fundo da mente de Irene estava tentando chamar sua atenção. *Esse é o problema de interagir com feéricos.* A voz de um professor da Biblioteca, falando com seis aprendizes, que tomavam notas (ou tentavam discretamente escrever *best-sellers*), tagarelando enquanto a chuva batia na janela que dava vista para uma praça deserta de pedras cinza cheia de barracas de feira vazias. *Eles veem tudo em termos de seus próprios dramas pessoais. Se vocês não tomarem cuidado, serão arrastados para o meio deles. Isso na verdade é um problema e um risco com todos os alternativos contaminados pelo Caos...*

– Entendi. – Bradamant fez um bom trabalho ao esmorecer em reação às acusações de Silver. – Então você sabe de tudo.

– De tudo! – declarou Silver. – Não estou surpreso de Aubrey ter pedido reforços da Biblioteca com um prêmio desses em jogo, mas agora ele terá de admitir que fracassou. Nossa longa rivalidade finalmente chega ao fim!

Irene piscou em choque. Não, não, isso não podia estar certo. Se Silver conhecia Dominic Aubrey e sabia que ele era agente da Biblioteca, então Dominic deveria saber que Silver era uma ameaça. Mas Dominic não disse nada sobre Silver ser seu inimigo, nem os avisou sobre ele, ou sequer falou que Silver existia...

... e por que Bradamant estava assentindo? O que ela sabia?

– Aubrey me avisou sobre você – disse Bradamant –, mas acredito que não me preparou o suficiente.

Não, isso era *impossível.* Não havia motivo racional para Dominic avisar Bradamant, mas não a ela ou Kai. Eles podiam muito bem ter tido contato, pois a porta da Biblioteca ficava na sala de Aubrey. Mas não houve sinal de terem trocado esse tipo de informação. Claro que Dominic poderia ter seus próprios benfeitores na Biblioteca, que queriam que Bradamant encontrasse o livro primeiro. Isso era totalmente plausível, e nem era uma ofensa por si só. Mas esconder deliberadamente a ameaça de Silver dela e de Kai não era um engano casual, era *traição*. Se Irene voltasse e contasse isso aos superiores, Dominic poderia ser removido da posição que ocupava.

Bradamant podia estar mentindo? Os pensamentos batiam na cabeça de Irene como teclas de computador. E a tensão na sala foi aumentando enquanto Silver considerava sua próxima resposta dramática, enquanto Vale e Kai mudavam de posição atrás dela e enquanto os lobisomens ofegavam e esperavam para atacar.

Não, não batia. Ah, ok, talvez Bradamant e Silver pudessem ser aliados secretos fingindo uma discussão para convencê-la. Mas isso era levar a paranoia longe demais. Então, se Dominic sabia sobre Silver e o considerava importante o bastante para avisar Bradamant, mas não se deu ao trabalho de mencioná-lo para Irene no dia seguinte, sabendo que Irene estava em uma missão confirmada... o que isso dava a entender? O que havia mudado?

Irene relembrou seu breve contato com Dominic Aubrey. O uso que ele fazia da Linguagem era estranhamente antiquado. E havia também o desaparecimento e o esfolamento dele, que deixou a tatuagem da Biblioteca intacta, mas nenhum sinal de seu corpo. E como Alberich operava nesse mundo alternativo? Alberich, que viveu por tempo suficiente para ser uma lenda entre os Bibliotecários... mas ninguém sabia como, e ninguém sabia como ele era.

Uma ideia estava se formando, uma ideia da qual Irene recuou mentalmente, mas que respondia a muitas perguntas.

Roubar a pele e a identidade de alguém era assunto coberto por obscuros tratados folclóricos, mas não era algo que ela esperava ser real. Ela não *queria* que fosse real.

Silver avançava para cima de Vale e balançava a bengala de forma ameaçadora.

– Wyndham só queria o livro por causa de informações que *eu* dei a ele. Aí, achou que poderia barganhar por ele. Comigo! Ora, se a Irmandade de Ferro não tivesse se livrado dele, eu poderia ter sido obrigado a fazer isso eu mesmo... Mas nem tudo está perdido, meu querido.

Então foi a Irmandade de Ferro que matou Wyndham. Supondo que Silver estivesse certo, isso amarrava uma ponta solta. *Que bom*, pensou Irene, *pelo menos é um grupo não identificado de assassinos a menos correndo de um lado para o outro.*

Silver deu um passo à frente, sorrindo amplamente. Irene podia sentir seus poderes afetando o ar ao seu redor, tendo de novamente reprimir a atração que ele exercia.

– Entregue o livro e fico feliz em concordar com qualquer termo que você deseje.

Perto da mesa, Ramsbottom parecia pronto para contar tudo, e sua mão tremeu na direção do livrinho de registros azul.

Mas quem se mexeu foi Kai, que deu um pulo como um leopardo e se jogou em um mergulho pela mesa, arrancando o livreto incriminador das mãos de Ramsbottom. Ele jogou o livro pela sala para Irene, e o objeto girou pelo ar em uma agitação de páginas.

– *Peguem isso!* – berrou Silver.

Irene pegou.

– Para trás, moças – disse Vale, enquanto um movimento rápido de sua mão revelava a espada dentro da bengala. O comprimento de aço brilhou na luz dos lampiões e, com um estalo repentino, fagulhas cascatearam por ela, iluminando tudo entre eles. – Lorde Silver, segure seus cachorros!

Kai empurrava Ramsbottom contra a parede, se interpondo entre ele e os capangas rosnentos de Silver. Que bom que Kai estava deixando os civis de fora. Os capangas de Silver ficavam cada vez mais peludos. Irene conseguia ver as placas crescentes de pelo cinza e preto nas mãos, as unhas crescendo, os maxilares se avolumando, com dentes surgindo...

– Venha! – Bradamant segurou o ombro de Irene e a puxou para a porta.

Um puro pavor animal de ser dizimada por seis lobos grandes a motivou a fugir. As explicações podiam esperar.

Irene cambaleou no corredor atrás de Bradamant. Se corressem para a direita, estariam levando a caçada na direção dos visitantes do museu. E, além de isso ser moralmente errado, também acabaria fazendo com que fossem banidas dos museus para o resto da vida.

Irene prendeu o livro debaixo do braço, segurou a saia e correu para a esquerda, ouvindo um xingamento abafado quando Bradamant foi atrás.

Dois entroncamentos depois, Irene parou em um ponto em que dois corredores se cruzavam. O local era como um labirinto de coelhos. O ar à direita tinha cheiro mais fresco, o que parecia oferecer um caminho para fora do prédio pelo térreo, ou pelo menos uma espécie de saída de incêndio, mas a passagem da esquerda tinha melhor iluminação. A passagem diretamente à frente não tinha nada a seu favor.

– Continue andando – ordenou Bradamant, parando para recuperar o fôlego. – Os lobisomens estão bem atrás de nós...

Mas o chão tremia violentamente embaixo delas. Parecia um trem subterrâneo passando, mas mais próximo da superfície. E, então, as tábuas do piso diretamente à frente se curvaram para cima em câmera lenta, alguma coisa as arranhou e a escuridão abriu caminho. A coisa se arrastou pela passagem em um estrondo alto de engrenagens e estalidos metálicos. Era toda de aço sujo de graxa, exceto a cabeça, que tinha painéis de vidro de ambos os lados formando dois olhos transparentes enormes e achatados. Era visivelmente do mesmo design que a criatura de metal com a qual Kai e Vale lutaram duas noites antes, mas menor e mais rápida.

– O que é isso? – perguntou Bradamant com calma, as palavras estranhamente distintas em meio ao som de madeira quebrando, metal e os uivos distantes.

– Acho que deve ser a Irmandade de Ferro – respondeu Irene. – Devem ter seguido Silver.

– Ah, isso está ficando ridículo – disse Bradamant, fungando. – Para onde agora?

A cabeça robô do insectoide girou na direção de Irene e Bradamant. A geringonça deu um passo pelo corredor na direção delas, com garras na ponta de cada segmento do corpo a arrastando e deixando cortes horríveis na madeira. Sua cabeça raspou no teto, destruindo teias que deviam estar lá havia séculos, e deixando uma marca no gesso branco no caminho.

– Vá para a direita – gritou Irene para Bradamant sem nenhuma indicação óbvia, e correu nessa direção. Ela já estava pensando no vocabulário específico, palavras para engrenagens, articulações, pedais, aço, vidro, vigas e parafusos e porcas. Mas sempre havia a chance de o autômato preferir ir atrás de Silver e dos lobisomens em vez de atrás delas, e parecia uma pena destruí-lo, se fosse o caso.

– Não vai dar certo, sabe – disse Bradamant, alcançando Irene e ultrapassando-a. – Você realmente acha que aquela coisa não vem atrás de nós?

– Vale a tentativa – ofegou Irene. Ela se virou e olhou para trás.

O autômato de ferro se deslocou em um sacolejar guinchante de passos e parou ao chegar ao cruzamento. Com um zumbido, a cabeça se virou para a passagem por onde Bradamant e Irene corriam. Seus ombros começaram a estalar, manobrando para poder correr pela passagem atrás delas como um trem.

Irene e Bradamant se entreolharam.

– Cuido das engrenagens se você cuidar das articulações – disse Irene.

– Certo – concordou Bradamant. – Espere um momento para que o autômato possa bloquear o cruzamento.

O robô conseguiu fazer a volta parcialmente. As garras afundavam no chão enquanto dispositivos internos se armavam. As enormes lentes posicionadas na cabeça refletiam, como espelhos, as duas mulheres. Se realmente fossem janelas, era impossível ver quem podia estar escondido atrás delas.

– **Engrenagens, travem!** – gritou Irene, aumentando a voz para que chegasse o mais longe possível. – **Na cabeça, nas garras, no corpo e em todas as partes que puderem me ouvir: engrenagens, emperrem e mantenham-se firmes!**

O robô parou em um horrível grito mecânico de articulações e engrenagens bloqueadas. Até o uivo distante dos lobisomens foi encoberto. Fios e cabos se esticaram e arrebentaram. Uma garra girou para trás, bateu no chão em certo ângulo e quebrou. Um fragmento de aço saiu voando e bateu na parede com um estalo agudo de metal, audível até com o barulho da máquina se destruindo.

As duas mulheres se viraram e correram pelo corredor para longe da coisa, passando por salas e depósitos fechados. O ar estava cheio de poeira recém-levantada, de graxa e de metal queimado. Uma parte da mente de Irene se perguntou se isso apareceria nas primeiras páginas dos jornais do dia seguinte. Provavelmente. Ela não gostava de aparecer nas manchetes. Um bom Bibliotecário devia ler manchetes, não *estar* nelas.

– Ali! – Bradamant apontou sem necessidade para uma escadaria à frente. Elas desceram correndo, Bradamant contornando o corrimão de longe e quase esbarrando com o quadril em Irene. A porta na base se abriu no térreo e revelou uma sala cheia de conchas e corais. Vários grupos de famílias se viraram para olhá-las com reprovação.

Irene deu seu sorriso mais gelado, tirou uma parte da poeira da saia e apertou o precioso livro com mais firmeza. Atrás dela, Bradamant sussurrou alguma coisa para a tranca da porta que Irene não conseguiu entender com clareza, mas que tinha a cadência da Linguagem.

Com sorte, elas teriam alguns minutos antes que lobisomens, feéricos, a Irmandade de Ferro ou qualquer outro caçador de livros as alcançassem. Irene viu uma pequena sala do outro lado do aposento e chamou a atenção de Bradamant.

– Ali – sugeriu ela, apontando com o queixo.

– Claro – concordou Bradamant.

As duas andaram decorosamente pelo aposento, desviando de estantes de vidro cheias de anêmonas do mar secas, pólipos ásperos e outros objetos coloridos que deviam ser mais felizes quando estavam no mar. Com um aceno educado para um homem idoso que se deslocava com o auxílio de um andador, Irene tentou abrir silenciosamente a porta da sala.

– Está fechada, querida? – perguntou Bradamant baixinho.

– Ah, não – disse Irene, mantendo a voz baixa –, na verdade, **esta porta está aberta**. – A Linguagem rolou por sua boca e a maçaneta afrouxou em sua mão, girando obedientemente para permitir que ambas entrassem.

– Nada mal – disse Bradamant, fechando a porta. Ela procurou uma chave, não viu nenhuma e murmurou – **Tranca da porta, feche** – e a tranca estalou de novo.

Irene olhou ao redor. Era claramente o escritório de alguém importante: a escrivaninha e as cadeiras eram mais novas do que as do andar de baixo, as obras de arte e os diagramas pendurados nas paredes tinham moldura e não havia poeira.

– É melhor não demorarmos – disse Irene, indo até a escrivaninha. Ela se sentou e abriu as páginas do livro. – Alguém pode entrar a qualquer momento.

– Minha querida Irene – disse Bradamant, levantando as mãos para ajeitar o chapéu e o cabelo –, posso não ser capaz de lidar com uns lobisomens e um feérico zangado, mas consigo lidar com um funcionário de museu, especialmente um acima do peso.

– Acima do peso?

O sorrisinho superior de Bradamant ficou óbvio em sua voz.

– Não preciso ser um grande detetive como o seu Vale para olhar para a cadeira na qual você está sentada e perceber que costuma ser usada por um homem extremamente gordo.

– Ah – disse Irene, um pouco aborrecida. Não era porque tinha seus gostos particulares em ficção que gostava que debochassem deles. Ela folheou as páginas, olhou as inscrições de dois dias antes. *Chegou cinco dias atrás, e três dias depois ele quis que fosse enviado...* – Ah! – disse ela, encontrando a data. – Hum. Ele recebeu muitos pacotes. A professora Betony deve receber muita correspondência. – Ela passou o dedo pelo papel, procurando uma menção ao nome de Wyndham. – Achei. Pacote de Lorde Wyndham, reenviado para...

– Para *Dominic Aubrey, Biblioteca Britânica*! – disse Bradamant, chocada, lendo por cima do ombro dela.

274

– Claro! – Irene bateu com a mão na escrivaninha. – Você mesma disse, Dominic foi indiscreto no que contou a Wyndham! E Wyndham estava com medo de Silver atacá-lo ou de tentar roubar o livro. – Bem, tecnicamente, um cofre de ferro frio manteria um livro protegido de qualquer ladrão, não só feéricos, mas Silver sabia que devia procurar o livro lá. – Se Wyndham queria esconder o livro de Silver e se sabia mais ou menos sobre Dominic, ou pelo menos se tivesse certeza de que Dominic era inimigo dos feéricos em geral, e de Silver em particular... Wyndham deve ter enviado o pacote antes de morrer, assim que tivesse feito uma cópia do livro, aquela que você roubou. – Irene percebeu que estava se tornando incoerente e respirou fundo. – Ele provavelmente supunha que resgataria o livro com Dominic depois. – De repente, seus medos iniciais em relação a Dominic voltaram. – Mas isso quer dizer...

Uma dor intensa surgiu na lateral do pescoço de Irene, profunda e vívida como uma ferroada de vespa. Ela exclamaria de choque, mas as palavras ficaram confusas em sua boca e os lábios, entorpecidos. Ela começou a oscilar na cadeira larga, com os pensamentos claros, mas com seu corpo paralisado e frouxo, incapaz de formar uma única palavra.

– Quer dizer – disse Bradamant, limpando a ponta do alfinete de chapéu no ombro do casaco de Irene antes de enfiá-lo novamente em seu chapéu –, que não preciso mais de você.

CAPÍTULO 18

— O que ce tá fazeno? – disse Irene, com a voz arrastada. Ela mal conseguia formar as palavras, e menos ainda na Linguagem.

– Garantindo que essa missão seja um sucesso – respondeu Bradamant. – Não quebrei minha palavra. Prometi que, se encontrasse o livro, o traria para você antes de devolvê-lo à Biblioteca. Vou fazer isso quando o pegar na sala de Dominic Aubrey. Mas isso vai ser da forma mais conveniente para mim e como eu escolher. Enquanto isso, não quero você interferindo mais.

– Idta – murmurou Irene. *Idiota*. Ela precisava contar para Bradamant sobre suas desconfianças relacionadas a Alberich, mas o ataque tornou isso impossível.

– Não se preocupe – disse Bradamant, e prendeu uma mecha de cabelo no chapéu. – É um derivado do curare. Você estará em pé em meia hora, mais ou menos. Provavelmente não deve afetar sua respiração, ou seu coração. – Ela deu um sorriso malicioso. – Ou talvez afete. Afinal, não o testei com *tanta* frequência. Anime-se, querida Irene! Em pouco tempo você estará livre de todas essas preocupações irritantes sobre a Biblioteca e seu emprego atual e vai poder se concentrar nos seus amigos daqui. Talvez você receba outra missão, mais condizente com seus talentos. Pegar papel higiênico, por exemplo.

Irene encarou-a raivosamente, lutando para formar palavras. *Sua imbecil estúpida, não percebeu que eu estava prestes a contar uma coisa importante?*

Esse seria o momento perfeito para desenvolver telepatia, mas, até onde ela sabia, era algo puramente ficcional.

Bradamant se inclinou para pegar o livro.

– Não sou cega, sabe – disse ela. – Percebi você me observando. Suas carinhas de desprezo pelo fato de eu apreciar roupas bonitas. Já vi você torcer o narizinho para meu interesse em completar a missão e minha disposição de mentir para executar o serviço. Sua... antipatia geral por mim? Sim, antipatia é uma boa palavra. Não chamaria de desprezo, mas você não gosta nada de mim.

Desconfio que Dominic Aubrey não seja realmente Dominic Aubrey, Irene tentou dizer com o olhar. *Acho que Alberich o substituiu dias atrás. Acho que o homem gentil que Kai e eu conhecemos era na verdade algo velho e cruel usando a pele de Dominic Aubrey. E acho que o único motivo para ele ainda não ter encontrado o livro é porque não sabia sobre os contatos de Dominic Aubrey. E, mais crucial, ele não se deu ao trabalho de verificar a correspondência de Dominic Aubrey.*

– Supere isso. – Bradamant sorriu para Irene. – Alguns de nós não são crias mimadas de pais sortudos, que depois passam o resto da vida sendo tratadas como anjinhos. Alguns de nós são gratos por estarem fora de lugares piores do que *você* pode imaginar. – Uma sombra surgiu nos olhos dela. – Agradecemos o que nos foi dado. E faríamos qualquer coisa, qualquer coisa *mesmo*, para fazer nosso trabalho direito. Você pode brincar com seu grande detetive o quanto quiser, Irene... Ah, não pense que eu não captei essa. Sei quem você quer ser. Mas eu sei quem *eu* sou. Vou sacrificar qualquer pessoa e qualquer coisa que precise para completar esta missão. Se você entendesse de verdade, se fosse uma Bibliotecária *verdadeira*, faria a mesma coisa. Talvez algum dia você entenda isso.

Você está prestes a ir direto para os braços dele. Irene conseguia sentir lágrimas ardendo no canto dos olhos. *Você vai direto para lá e nem faz ideia.*

– Vou trancar a porta na saída – disse Bradamant, prestativa. – Você não deve ter lobisomens partindo para cima de você quando está indefesa.

Espero que eles arranquem seu maldito nariz a dentadas, pensou Irene, vingativa.

– Não pense em mim como maldosa – disse Bradamant, mas fez uma pausa. – Na verdade, pense, sim. Pense em mim como uma vaca maldosa que vai roubar sua missão, seu crédito e, possivelmente, seu aprendiz, se você não o tiver mimado muito. Pense o que quiser, mas... – Ela se inclinou para a frente e deu um tapinha na bochecha de Irene com delicadeza.

Irene não conseguiu nem sentir o toque da mão de Bradamant na bochecha.

– Pense em mim como uma vaca que faz o serviço – disse Bradamant, e foi até a porta. – Não me procure. Eu a procuro.

A porta se fechou quando Bradamant saiu.

Irene olhou para a mesa vazia à sua frente, caída como uma boneca na cadeira. Ela não podia virar a cabeça e não tinha concentração muscular para gritar. Sentia gosto de amargura e desespero.

Talvez Irene tivesse errado ao sujeitar Bradamant a um juramento na Linguagem, pensou ela no meio da confusão. Talvez essa traição fosse resultado direto do insulto dela à integridade de Bradamant.

Por outro lado, Bradamant talvez fosse uma *vaca traiçoeira*.

Uma pontada irritante de culpa surgiu no fundo da mente de Irene. Sim, ela tinha de admitir, gostara de trabalhar com Vale. Não era só um caso de sua fixação por Grandes Detetives. (Ela sempre amou as histórias de Holmes. E as histórias de Watson. E até as histórias de Moriarty.) Mas havia mais em Vale do que ser apenas um Grande Detetive. Havia o homem irritadiço que confessou seu afastamento da família, mas que ainda estava pronto para ajudá-los quando pediam. Havia uma generosidade e uma cortesia surpreendentes. Havia até o toque humano de ele ter emprestado a Kai seu roupão, e de quando ela os encontrou tomando café da manhã discutindo aeronaves.

Irene não era uma criança procurando um papel. Era uma Bibliotecária com um trabalho a fazer, e contar informações para Vale e Singh resultou em conseguir fazer as coisas.

Permitir-se ser imobilizada pela culpa seria tão venenoso como o curare de Bradamant, e tão maléfico quanto.

Mas havia algo mais profundo nisso. Enquanto Irene lutava para permanecer alerta, enquanto sua mente lutava para não seguir o corpo na prostração, ela tentou pensar com mais clareza. Afinal, não tinha nada melhor para fazer. Bibliotecários *não* traíam outros Bibliotecários assim. Bradamant vinha desempenhando seu papel com dedicação, mas, uma ou duas vezes, Irene viu que Bradamant ficou com medo. Ela assumiu a missão de outra pessoa, uma coisa que era, se não diretamente proibida, ao menos um rompimento sério das convenções. Ela já havia tentado pegar o livro uma vez – e falhara. Agora, atacou Irene e a deixou em perigo para chegar ao livro primeiro. Quem poderia tê-la feito ir tão longe?

Irene sentiu um arrepio. Alguns dos Bibliotecários mais velhos tinham... uma reputação ruim. Uma vida entre livros não fomentava a corrupção e a degradação, e sim um amor por jogos mentais e política. E esses jogos podiam se tornar sombrios. Até Coppelia podia ter seus próprios objetivos. Era só ver Kai, por exemplo. Ele foi posto com Irene no meio de uma missão envolvendo Alberich. O que estava acontecendo exatamente? Quantas pessoas descobriram a verdade sobre ele?

Sua mente parecia recheada de marshmallows, tostada nas beiradas e grudenta no meio. Devia ser a droga. Mas ela tinha de *pensar*: tinha de resolver isso. Irene tinha os fatos, só precisava lidar com eles.

Em comparação a Coppelia, havia gente como Kostchei, o supervisor de Bradamant, recluso e exigente. Ninguém ousava discutir com seus mensageiros quando ele "requeria" um livro específico. Os boatos eram de que ele tinha uma grande influência entre os Bibliotecários mais velhos quando queria usá-la. O fato de ter escolhido Bradamant como sua protegida era, por si só, interessante. O fato de ela atacar outros Bibliotecários e roubar o trabalho deles para não o decepcionar... era mais ainda.

Irene foi tomada de repente por um ardente desejo de ler a porcaria do livro inacessível, já que era tão importante. (Ela estava ciente de que esse tipo de lógica já havia colocado muita gente em situações problemáticas antes. Que se danasse a lógica, ela estava furiosa.)

Seu dedo tinha acabado de se mexer? Por favor, que seu dedo estivesse começando a se mexer.

Irene tentou tossir. Uma coisa parecida com um barulho coerente saiu.

Ela ia arrancar o couro de Bradamant por isso. Metaforicamente falando.

A maçaneta da porta foi sacudida. Irene conseguia ouvir o murmúrio de vozes lá fora, mas nada distinto. Lutou para gritar algo inteligível, mas só saiu um gargarejo estranho. Em desespero, balançou a perna e chutou a escrivaninha. Houve um baque quando seu sapato bateu no vão embaixo.

Outra breve troca de frases. Uma pausa.

A porta se abriu com um estrondo. Com o canto do olho, Irene conseguiu ver Vale e Kai, Vale redobrando uma coisa do tamanho de uma carteira e colocando-a no bolso. Os dois pareciam ligeiramente desgrenhados e surrados, mas não de forma letal.

– Irene! – exclamou Kai, entrando na sala correndo. – Você está bem?

Não, eu estou atualmente sofrendo de envenenamento por curare, Irene tentou comunicar. Um som seco saiu de sua boca.

O olhar de Kai se desviou para um arranhão no pescoço dela.

– Céus! – exclamou ele –, ela foi envenenada! Silver deve ter chegado aqui antes de nós! Vou matá-lo...

– Com licença – disse Vale, e pegou a mão de Irene, inerte no braço da cadeira. Ele puxou o punho e verificou a pulsação. – A senhorita está consciente, como você pode ver, e parece bem de saúde, então devemos supor uma paralisia...

– Irene, diga alguma coisa! – Kai se inclinou para a frente e segurou o rosto dela enquanto olhava em seus olhos. Ela mal conseguia sentir o toque da pele dele em seu rosto. – Você consegue nos ouvir?

– Ouvir... – ela conseguiu dizer. – Cur... curare...

– Ela foi envenenada com curare! – Kai se virou para Vale. – Rápido! Onde podemos encontrar um médico?

Irene se perguntou meio azeda se dragões tendiam a declarar o óbvio em momentos de crise ou se era só ele.

– A-rá! – Vale se alegrou, com os olhos brilhantes de entusiasmo. – Acredito que podemos resolver isso aqui e agora.

Tenho uma pequena quantidade de um derivado de estricnina comigo, que uso como estimulante em momentos de emergência...

Isso explica muita coisa, pensou Irene, mais azeda ainda.

– ... e apesar de poder haver pequenos efeitos colaterais, com sorte deve recuperá-la o bastante para que fale. Senhor Strongrock, o senhor pode fazer a gentileza de segurar os ombros dela?

– É claro – respondeu Kai, indo para trás da cadeira de Irene para segurar os seus ombros. Ela conseguia sentir os dedos dele a apertando pelas camadas de roupas. Ou o curare estava passando ou o aperto dele era mesmo muito firme.

Vale pegou um pequeno tubo de vidro de um bolso interno do casaco. Inclinando-se para a frente e virando a cabeça para o outro lado, ele tirou a tampa e o passou rapidamente debaixo do nariz de Irene.

Irene inalou. Seu corpo todo tremeu em uma convulsão indigna, com as pernas se debatendo loucamente e se emaranhando na saia longa, os músculos dos braços se contraindo e enrijecendo. A cabeça se virou para trás e, sem o aperto de Kai nos ombros, ela teria caído da cadeira e se debateria no chão.

– Senhorita Winters? – disse Vale, fechando o tubo de vidro e colocando-o de volta no bolso. – A senhorita consegue me entender?

Irene tossiu e se concentrou em respirar por um momento, enquanto as contrações nos membros diminuíam lentamente. Pareciam câimbras agora, câimbras muito ruins. O tipo de câimbra que exigiria uma massagem demorada e extremamente lenta em uma casa de banhos quentes...

Devia ser a estricnina. Ela normalmente não deixaria sua mente vagar assim.

– Hum, certo – ela conseguiu murmurar. – Obi... Obrigada. Temos que... Foi Bradamant, o livro com Aubrey, não verdadeiro Aubrey...

Vale trocou um olhar significativo com Kai. Ela conseguia adivinhar o que eles estavam pensando: *Ela ainda está delirando.*

Ela precisava se fazer compreender.

Irene fechou os olhos por um momento, se concentrou, pensou em xingamentos horríveis para Bradamant e abriu os olhos de novo.

– Três coisas – disse ela com clareza. – Primeira. O livro foi enviado para Dominic Aubrey. Acredito que Wyndham queria que ele o guardasse para protegê-lo de Silver. Segunda, Bradamant me envenenou. Ela quer pegar o livro primeiro. Terceira, acho que Alberich matou Dominic Aubrey antes de chegarmos. Acho que estava se fazendo passar por ele quando chegamos. O único motivo para ele ainda não estar com o livro é não ter olhado a correspondência de Aubrey.

A perna de Irene teve um espasmo. Ela se inclinou, desajeitada, e bateu na perna com o punho.

– Ai – disse ela.

Vale e Kai trocaram olhares de novo. Ela tinha a sensação de que havia mais coisa sendo comunicada do que conseguia ver. Talvez fosse coisa de homem. Talvez fosse coisa de dragão, de um lado, e coisa de Grande Detetive, de outro.

– Bradamant pode estar trabalhando com Alberich? – perguntou Kai. – Se envenenou você?

Irene balançou a cabeça e se arrependeu. Colocou as mãos nos braços da cadeira e lutou para se colocar em pé, olhando com irritação para Kai quando ele tentou ajudá-la.

– Bradamant não faz *ideia* – disse ela rispidamente. – Bradamant é uma idiota. Ela saiu para pegar o livro... Mas não cheguei a falar para ela sobre Alberich e Dominic. Não sei nem se ela acreditou em mim quando disse que Alberich está aqui. E se ele ainda estiver na Biblioteca Britânica quando ela chegar... – O pensamento fez sua garganta secar. Ela queria executar algum tipo de vingança dolorosa e direta contra Bradamant, mas não a odiava *tanto* assim. – Temos de chegar lá primeiro – disse com firmeza.

Irene deu um passo e quase caiu.

Vale segurou o cotovelo dela e a apoiou.

– Senhorita Winters, a senhorita não está em condição de nos acompanhar. Devia descansar aqui enquanto o senhor Strongrock e eu vamos procurar sua colega errante.

– Apesar de saber que, em condições normais, eu concordaria com você – disse Kai –, há aqueles lobisomens.

– Vocês não cuidaram dos lobisomens? – perguntou Irene com rispidez. Ela sabia que estava sendo só um *pouco* injusta, mas pelo menos supostos aliados não os tinham apunhalado pelas costas enquanto tentavam fazer seu trabalho. Ou o pescoço deles. Ou o que quer que fosse.

– Verdade – disse Vale. – Os lobisomens podem ser um problema. Nós só os atrapalhamos em vez de acabar com eles. Mandei chamar a polícia, mas primeiro ela precisa chegar aqui. Talvez se nós...

– Talvez se vocês o quê? – perguntou uma voz zangada. Uma figura maltrapilha apareceu na porta, com pelos saindo das roupas na gola e nos punhos, com dentes rosnentos aparecendo na boca. – Desta vez é tarde demais para o maldito senhor Vale...

Kai pegou o pote de tinta na escrivaninha e jogou-o diretamente na cara do lobisomem, fazendo voar tinta para todos os lados, no piso encerado e nas paredes forradas, mas principalmente no lobisomem. Ele teve tempo para uma única expressão de surpresa com baba de tinta preta antes do chute de Kai acertá-lo no peito e jogá-lo cambaleante no corredor. Kai seguiu com um golpe de cotovelo no queixo do lobisomem, outro chute na parte de trás do joelho e um golpe com as duas mãos na nuca.

O lobisomem caiu esparramado em uma poça de baba e tinta. Vale meio segurou e meio arrastou Irene para fora da sala até o saguão.

– Parece que, afinal, você vai ter de vir conosco – disse ele.

– Rápido – exclamou Kai, ignorando a multidão de observadores gritando ou encarando. – Precisamos tomar um táxi.

– Um táxi? Meu querido amigo, um táxi seria lento demais – disse Vale. – Precisamos ir para o telhado.

– Para o telhado? – perguntou Irene. Talvez ela estivesse meio lenta aqui, mas não sabia se Kai virar dragão e os levar nas costas seria muito útil, a não ser que... – Ah, claro, *os zepelins.*

– Exatamente – disse Vale, apressando-a até a escada. – É claro que podemos ter problemas para ancorar depois, mas é nossa melhor opção.

Kai os alcançou e segurou o outro cotovelo de Irene para ajudar a arrastá-la como uma boneca gigante.

– Escuto mais deles chegando... Para que lado, Vale?

– Esquerda no alto – indicou Vale. Eles passaram correndo por dois grupos atônitos e viraram à esquerda, entrando em uma galeria ampla cheia de gabinetes de vidro maiores. Ali, hienas empalhadas ameaçavam cervos empalhados, um urso-polar gigante empalhado se projetava acima de focas empalhadas com expressão entediada e um arco-íris de pássaros empalhados parecia triste em meio a flores secas.

– Peguem-nos! – ela ouviu a voz de Silver gritando atrás deles.

Um uivo de gelar o sangue surgiu à frente deles. Visitantes em pânico saíram do local, forçando Irene e os dois homens para um lado enquanto corriam pelas portas do outro.

– Me arrume um megafone – disse Irene baixinho para Kai. As pernas dela ainda estavam com câimbras, e precisou se segurar em Vale para ficar em pé. Mas tinha uma ideia, e desta vez, só desta vez, tinha a sensação de que daria certo. – Os guias de passeio têm...

Kai pegou um guia que estava passando e rapidamente tirou dele o megafone.

– Esse serve?

O primeiro lobisomem apareceu uivando, contornando um dos armários de vidro. Sua cabeça e suas mãos agora eram totalmente lupinas, e a roupa estava se abrindo nas costuras enquanto ele mudava de forma.

Irene experimentou o megafone.

– ESSA COISA ESTÁ LIGADA? – O ruído de retorno ecoou na sala.

O lobisomem pareceu rir. Outro se juntou a ele. Eles estavam se aproximando devagar. Claramente, estavam tão interessados no medo quanto no banho de sangue.

– Senhorita Winters – disse Vale –, se a senhorita tem alguma coisa em mente...

Irene levantou a mão em um pedido de desculpas. Com precisão, direcionou a Linguagem pelo megafone.

– **Criaturas empalhadas, ganhem vida e ataquem os lobisomens**.

As palavras tremeram no ar e sugaram a energia dela para se tornarem reais no mundo. Era uma coisa bem simples mandar uma fechadura se abrir ou uma porta se fechar. Essas ações eram naturais para esses objetos, e o universo ficava feliz em obedecer. Mas animais empalhados não tinham o hábito de se reanimarem para atacar coisas.

Só que agora, enquanto Vale olhava para Irene compreendendo como a Linguagem funcionava e Kai dava um sorriso ousado, isso estava se tornando realidade.

O urso-polar pulou pelo seu vidro de exibição com um rugido silencioso, a boca aberta exibindo todos os dentes cuidadosamente preservados. Os painéis de vidro se despedaçaram em uma cachoeira de estilhaços, que se espalharam pelo piso em todas as direções. As focas rastejaram pelo chão logo atrás, em tremores espasmódicos. Em outras partes da sala, mais vidro se quebrava enquanto as criaturas começavam a sair de seu confinamento. Uma matilha de lobos seguiu em frente com pernas rígidas, e uma jiboia cuidadosamente enrolada saiu de seu lugar deslizando, sem ligar para as adagas de vidro enfiadas em seu corpo recheado de serragem, e até os pássaros se jogaram contra as paredes de vidro de seu confinamento, lutando até as pontas dos fios que os seguravam.

– Pelos céus – disse Vale. – Senhorita Winters, o que a senhorita *fez*?

– Eles só vão atacar os lobisomens – respondeu Irene, jogando o megafone para o lado, que estalou e amassou quando caiu no chão. – Precisamos fugir enquanto estão distraídos, antes de Silver chegar aqui.

Vale tinha um bom instinto para saber quando era hora de agir e quando deixar as perguntas para depois. Devia ser assim com um Grande Detetive, concluiu Irene com euforia, se perguntando se o coquetel de estricnina e curare não a estava fazendo delirar. Um dos lobisomens tentou se soltar da multidão de lontras e crocodilos que o atacava e partir para cima deles, mas um bebê jacaré persistente (*Observem o jovem da espécie, com apenas sessenta centímetros*) mordeu o tornozelo dele e o arrastou de volta para a confusão.

Vale seguiu confiante por mais escadas e corredores, e logo estavam no telhado. O ar lá fora, enevoado e frio, entrou pela garganta de Irene e a fez tossir. Dois zepelins pequenos oscilavam na ponta das cordas em um céu escuro e ameaçador, pairando talvez a uns seis metros do telhado do museu.

Um guarda correu na direção deles.

– Senhor Vale! – disse ele, com o bigode tremendo. – Peço desculpas, tenho certeza de que o senhor deve ter um assunto muito urgente para estar aqui em cima, mas este local é proibido.

– Não temos tempo para isso, homem! – declarou Vale – Bloqueie as portas. Há lobisomens soltos no museu. Singh está trazendo reforços da Scotland Yard para revistar o local. Enquanto isso, reivindico um dos seus zepelins para impedir o criminoso antes que ele possa escapar.

O guarda arregalou os olhos e mexeu no bigode com nervosismo.

– É muito urgente, senhor?

– É uma questão de vida ou morte – cortou Vale. – O inspetor Singh explicará tudo quando chegar. Você está comigo, homem?

– Sim, senhor – declarou o guarda, quase batendo os calcanhares de entusiasmo. Lobisomens e ajudar grandes detetives deviam ser coisas incomuns. Ele se virou para olhar para o zepelim no ar e balançou um braço.

– Jenkins, jogue uma escada, menina, você tem um serviço a fazer!

Com um pouco de empurrões por baixo e puxões por cima, Irene foi ajudada a subir pela escada de cordas. Decidiu ficar agradecida porque, primeiro, não foi deixada para trás e, segundo, estava usando uma calcinha tradicional em vez de algo menor. O resto de sua mente ficou ocupado com a atividade de segurar a escada de cordas com mãos suadas, tentando não cair e morrer.

O piloto era uma mulher, de roupas de lona e couro, a primeira que Irene via de calças naquele alternativo. Os óculos estavam postos na cabeça com uma trança grossa, e ela parecia mais desconfiada do que o guarda.

– Não sei o que está acontecendo – disse ela –, mas tenho de ver alguma autorização.

– Meu nome é Vale – anunciou Vale. – Exijo sua ajuda para chegar à Biblioteca Britânica o mais rápido possível.

– Isso e mais um xelim bastam para comprar meio quilo de cebola – disse a mulher. Sem se impressionar, ela se encostou no banco, que mais parecia uma rede feita de um amontoado de alças de couro e borracha que estalava. – Vão procurar algum outro pobre coitado para arriscar o emprego se vocês querem caçar criminosos.

Irene pensou no possível dano mental do que estava prestes a fazer. Bibliotecários deviam evitar fazer isso, por causa do risco de se imporem à mente das pessoas, sem mencionar uma possível reação do universo de formas interessantes. Mas estavam ficando sem tempo.

– Senhorita Jenkins...

– É senhora Jenkins para você – interrompeu a mulher. – Sou uma mulher casada de respeito, sou, sim.

– **Senhora Jenkins** – continuou Irene, mudando fluidamente para a Linguagem –, **a senhora entende que o detetive aqui está lhe mostrando uma autorização confiável e aceitável.**

A senhora Jenkins franziu a testa e olhou para Vale.

– ... bem, não posso dizer que gosto – disse ela por fim –, mas tudo parece estar em ordem. Biblioteca Britânica, o senhor disse?

– Imediatamente – disse Vale, apenas com um leve franzir de testa para Irene. – Não temos tempo a perder.

– Muito bem, senhor – disse a mulher. – Peça a seus amigos para se segurarem nos apoios na parte de trás da cabine e faça a mesma coisa, por gentileza. Vai ser uma viagem agitada. O vento está contra nós.

Irene ouviu gritos ao longe e olhou para baixo. Silver estava em pé no telhado, com a capa voando atrás do corpo enquanto apontava para o zepelim.

Kai também o viu e agiu com rapidez para soltar o cabo da âncora. O zepelim todo sacudiu e Irene precisou se segurar nas alças de apoio, mas estavam se movendo, indo para longe do museu com a perda repentina do lastro.

– Porcaria de amadores imaturos – murmurou a senhora Jenkins, e passou as mãos pelos controles, virando dois interruptores e girando um botão antes de pegar uma alavanca. O zepelim se inclinou e começou a se mover para a frente. – Passageiros, agora estamos no ar, a caminho da Biblioteca Britânica. Conversem aí enquanto piloto esta porcaria, porque não gosto que me distraiam.

– Certo – disse Vale, se virando para Irene. – Precisamos conversar, senhorita Winters.

CAPÍTULO 19

Irene conseguia pensar em tantas coisas que Vale podia querer discutir que nem tinha graça. Mas ia se sentar primeiro. Ela decidiu, quando se acomodou em uma protuberância que podia ser um assento, que esse tipo de transporte devia ser reservado para antiguidades muito pequenas. O compartimento estava lotado, com pouco espaço para os três, e menos ainda para guardar objetos grandes. O motor também era incrivelmente barulhento, o que era bom: Irene não queria que a senhora Jenkins os ouvisse.

O próprio Vale ficou em pé, se segurando em uma alça presa no teto, usando a vantagem da altura para ficar bem acima de Irene. Possivelmente em resposta, Kai também ficou em pé, se aproximando do ombro de Irene para lhe dar apoio.

Irene queria que os dois também tivessem sido envenenados: talvez aí fossem mais compreensivos em relação a querer se sentar.

– Senhorita Winters – disse Vale, voltando à formalidade –, devo entender que a senhorita tem poder similar ao dos feéricos de encantar e enganar a mente dos outros?

Ah, foi isso que o perturbou.

– Não – disse ela, e depois acrescentou: – Não precisamente. E o senhor deve estar se perguntando por que não fiz uma coisa assim antes.

– Ou por que revelou agora de repente, depois de usar em mim sem que eu percebesse – sugeriu Vale, com a testa franzida de desconfiança.

Droga. Era uma desconfiança lógica que ela esperava que ele não tivesse. Por que ele tinha de usar as qualidades que ela tanto admirava nele contra ela?

– Não sou tão burra – disse Irene.

– Mas pode ter ficado desesperada – respondeu Vale. – Uma explicação, por favor.

Irene suspirou. Tinha esperanças de evitar isso.

– Tudo bem. Você sabe que consigo usar a Linguagem para, em termos simples, fazer as coisas fazerem coisas. Não posso mudar uma porta de trancada para aberta, mas posso fazer a tranca em uma porta se abrir. Há algumas sutilezas nisso, mas espero que você entenda que não posso explicar *tudo* em detalhes e notas de rodapé. Consigo me safar se disser para os meus superiores que expliquei algumas coisas para você, mas há limites.

– Você mostra um repentino grande respeito pela opinião de seus superiores – observou Vale.

Irene ficou furiosa de repente, com as palavras dele reavivando as provocações de Bradamant sobre não envolver os outros e fazer o serviço, custasse o que custasse.

– Eu não deveria contar nada disso para o senhor! – Ela conseguiu sentir que estava perdendo o controle, o que piorava tudo. Devia lidar com isso com distanciamento, como uma Bibliotecária capaz, como Bradamant faria. Não devia sentir essa hesitação pela ideia de estragar qualquer tipo de amizade com Vale. Não devia se envolver com ele de forma alguma.

Com ninguém. – O procedimento padrão é chegar e sair, sem deixar rastros. O procedimento padrão não envolve investigar assassinatos locais, ir a recepções locais, se envolver com sociedades secretas locais...

– Nem visitar detetives da localidade – acrescentou Kai.

Nem fazer amizades, Irene ouviu por trás das palavras dele. Ela queria ter um alfinete adicional para cutucar Vale. Ou possivelmente Kai, que não estava ajudando.

– O procedimento padrão também recomenda evitar caçadas de alta velocidade em zepelins emprestados – disse Irene secamente. – Bradamant teria dito tudo isso para você. Talvez fosse melhor você trabalhar com ela desde o começo. – Sim. Bradamant jamais teria ficado tão... envolvida. – Ainda não entendo por que seus, hã, *presságios instintivos* o dirigiram a nós e não a ela. Se estivessem trabalhando juntos, provavelmente teriam conseguido encontrar as coisas bem mais depressa.

Vale só ficou olhando para ela.

– Nada disso explica sua capacidade de controlar a mente dos outros.

– Bem... – Irene tentou pensar em como explicar. – Quando uso a Linguagem para mandar alguma coisa fazer algo contra a sua natureza, o universo resiste. É por isso que aqueles animais empalhados vão voltar a esse estado, e provavelmente bem rápido. Espero que o inspetor Singh esteja lá para resolver isso. É fácil mandar uma tranca destrancar, são coisas da natureza da tranca. É bem mais difícil mandar uma coisa se comportar de forma não natural.

– Como fazer animais empalhados ganharem vida – concordou Vale.

– Bom, isso é bem não natural, mas não totalmente – respondeu Irene. – Afinal, eles já foram animais vivos. Eu não poderia mandar um prédio pular e cair em cima de alguém, mas poderia mandar uma telha do telhado se soltar. Está me entendendo até aqui?

– Consigo ver sua lógica – disse Vale, claramente interessado, mas também sem paciência. – Mas, mais uma vez, por que isso é relevante no controle das mentes?

– Posso dizer para uma pessoa que ela está vendo uma coisa diferente do que realmente vê – disse Irene, desejando que a língua deles fosse mais adaptada a esse tipo de discussão. – O problema é que o universo resiste, assim como os objetos aos quais se pede que façam coisas não naturais. Especificamente, a mente da pessoa resiste, e resiste continuamente até... – fez uma pausa – bem, alguns indivíduos conseguem melhor do que outros, mas, de modo geral, os resultados não são bonitos. Foi o que me disseram nas aulas. Mas não é a mesma coisa do que acabei de fazer, e não vai durar como um glamour dura. – Ela tinha quase certeza de que a senhora Jenkins não conseguia ouvir isso. Esperava que não conseguisse. – No momento, a mente da senhora Jenkins está lhe dizendo que não, que ela *não* viu uma autorização completa. Quando isso superar meu ajuste temporário, provavelmente em menos de uma hora, ela se lembrará de tudo. Mas você preferia que eu tivesse *deixado* Silver nos pegar?

Vale lançou um olhar frio para Irene e olhou pela janela para a Londres abaixo deles, sem se dignar a responder.

Irene apoiou os cotovelos nos joelhos.

– Se a Biblioteca nos mandasse não mexer com mentes por ser antiético, isso poderia ser algo virtuoso. Mas o fato é que não é algo confiável. E quando a pessoa recupera a memória, a missão pode ficar muito mais perigosa. – Irene tentou não se concentrar na sua falta de ética. Ela era mais do que uma ladra de livros, não era? Ou a única diferença verdadeira entre ela e Bradamant era que Bradamant ficava bem de couro preto? Era mais fácil pensar em si mesma como uma valente preservadora de livros quando não havia alguém olhando em seus olhos e questionando isso. – Só apliquei um remendo bem temporário. – Ela olhou para Vale. – Porque não consegui ver alternativa e estávamos com uma pressa desesperada. Como você viu.

– Estávamos? – Vale se virou.

Irene levantou as sobrancelhas, mesmo ele não olhando para ela.

– Entendo que você não veja Alberich como uma ameaça pessoal – disse ela –, nem como ameaça à lei e à ordem pública.

– Admito que o sujeito tentou mesmo me matar – disse Vale com generosidade.

– Ele vai continuar a ameaçá-lo enquanto o livro estiver aqui – prosseguiu Irene. Ela sentiu Kai apertar seu ombro de forma encorajadora. – Quando não estiver mais, ele e Silver não vão mais competir por ele.

– Silver não é preocupação sua, senhorita Winters – disse Vale. – E não consigo entender sua perturbação por causa de um mundo quando indubitavelmente tem tantos outros para ocupar seu tempo. Por que a senhorita se preocuparia conosco a não ser como uma fonte de livros?

Irene engoliu em seco e sentiu as bochechas corarem em um misto de raiva e constrangimento. Havia um toque desconfortável de verdade no que ele dizia. Esse era só um mundo alternativo, e só um livro.

– Até o momento, fui agredida, atacada por jacarés ciborgues, quase me afoguei no Tâmisa, boa parte da pele da minha mão foi arrancada, fui envenenada com curare, reavivada com estricnina e caçada por lobisomens e robôs gigantes. Está me acusando de não levar isso a sério, senhor?

– Ao contrário, senhorita. Considero que está levando isso tudo extremamente a sério. Uma devoção dessas é digna de uma boa causa. Mas considere o seguinte. – Vale se encostou e apoiou os ombros na parede da cabine. – Vejo uma mulher e o assistente dela, que estão preparados para ir a extremos para obter um único livro. Vi-a sequestrar um zepelim para alcançar seus objetivos. E me pergunto, senhorita Winters, até onde a senhorita está disposta a ir?

Que maravilha. Primeiro Bradamant desdenhou dela por não ir longe demais, e agora Vale a estava olhando como se ela fosse uma amostra digna do submundo do crime.

– Só quero fazer meu trabalho – respondeu Irene. – Tenho um dever com a Biblioteca.

– A Biblioteca tem leis? – interrompeu Vale. – Assinou tratados com todos os mundos, com permissão para que roubasse livros? Tem alguma autoridade fora daquela que alega ter? Gostaria de saber se há algum motivo no mundo para eu respeitá-la ou a seus funcionários.

Irene firmou o maxilar com insistência.

– Eu pessoalmente violei alguma lei?

– Ainda não – respondeu Vale. – Pelo menos, nenhuma que eu saiba. – O tom de sua voz deixou claro que ele desconfiava de que ela não hesitaria.

E ela hesitaria? Bem, dependeria da lei. O corpo de Irene tremia como um fio de alta-tensão, provavelmente como efeito das drogas misturadas.

– Não quero fazer mal a seu mundo – sussurrou ela, baixando a cabeça. – Eu só quero um livro.

Irene conseguia sentir o peso do olhar acusador de Vale.

– E por isso temos de atravessar Londres rapidamente, enganando a piloto e pondo-a em perigo, assim como a nós mesmos, porque a senhorita precisa ter esse livro?

– Cuidado com o que diz – disse Kai suavemente.

Vale deu de ombros.

– Faço perguntas para as quais a senhorita Winters deveria ter respostas, se é que tais respostas existirem. Se ela não tem nenhuma, talvez o senhor devesse pensar em sua própria lealdade. Qual o sentido dessa Biblioteca se ela exige tais sacrifícios?

Irene se levantou.

– Obrigada, Kai, mas você não precisa me defender. Em resposta à sua pergunta, senhor Vale, eu vou pegar esse livro. Não só porque a Biblioteca quer, mas também porque Alberich o quer, e ele é *muito* mais perigoso do que o senhor parece pensar que eu sou. – Irene lançou um olhar fulminante para ele. – Já lhe ocorreu que, além de tentar nos matar, ele já *matou* outras pessoas? Bibliotecários, pessoas que eu conheço, mesmo que o senhor não... e que não temos ideia do que ele pode ter feito neste mundo? Que, se eu não tirar o livro daqui, ele provavelmente vai matar mais gente? E se eu não chegar à Biblioteca Britânica primeiro, então... – O cérebro dela se deu conta do que estava dizendo. – ... então ele vai matar Bradamant – concluiu.

Vale bufou.

– A mulher claramente é capaz de se cuidar.

– Talvez seja – disse Irene. – Mas a questão não é essa. Não vou deixar que ela entre lá e... – Ela pensou em Dominic Aubrey e se perguntou com um tremor como a pele dele foi parar naquele vidro. Ela não ia, não *podia* deixar isso acontecer com outra pessoa que conhecia quando havia uma chance de impedir isso. – Pode pensar o que quiser de mim. Pretendo salvar Bradamant. Me recuso a me sentir culpada pelo que fiz.

– Ah. – Vale se afastou da parede do zepelim e esticou a mão. – Então acredito que possamos trabalhar juntos, senhorita Winters.

Irene quase disse *Oi?*, o que teria sido totalmente inadequado sob vários aspectos. Ela só ficou parada, com o corpo enfraquecido.

– Mas você estava dizendo...

– Tsc – disse Vale. – Sinceramente, senhorita. Consigo aceitar que a senhorita seja uma agente eficiente, assim como sua colega Bradamant. Eu queria ter certeza de que havia mais em você do que isso. Se a Biblioteca emprega pessoas como a senhorita, então acho que isso deve ser uma declaração a favor dela afinal.

– Como *é*? – começou Kai.

– Você estava fazendo seu trabalho e seguindo ordens, e nenhum homem poderia pedir mais – disse Vale. – Mas a senhorita Winters é sua superior, a verdade tinha de vir dela.

Tendo vencido a questão, Irene sentiu uma mescla curiosa de emoções, inclusive raiva. Como ele ousava avaliar a ética dela de uma posição tão superior? Como ousava *julgá-la*? Ela respirou fundo e sufocou a raiva com qualquer outra justificativa em que conseguia pensar. Ele tinha de tomar suas próprias decisões. Tinha de entender que ela fazia a mesma coisa.

Mesmo assim, doeu.

Irene esticou a mão e apertou a dele brevemente.

– Obrigada – disse ela –, agradeço por isso.

Kai se aproximou e colocou a mão por cima das mãos unidas dos dois.

– Juntos vamos vencer Alberich e salvar Bradamant. Apesar de que, na minha opinião, como ela nos traiu deslealmente... – ele viu o olhar de Irene – Ainda assim, estou sob suas ordens – disse ele heroicamente.

Irene soltou a mão da forma mais cuidadosa possível. A ficção heroica tinha muitos apertos de mãos masculinos, e ela havia lido sobre muitos deles. Mas nunca falava sobre como você soltava a mão depois, nem se havia outros apertos relevantes, nem outras manobras.

– Estou tentando pensar em como lidar com Alberich – disse Irene, mas não acrescentou *em meu abundante tempo livre*, como ficou tentada a fazer – e gostaria de saber se o senhor tem alguma sugestão.

– Atire no salafrário – sugeriu Vale. – Funciona com vampiros e lobisomens, e até com feéricos em algumas circunstâncias.

Kai flexionou as mãos com dedos longos. Pareceu hesitar pela primeira vez.

– Kai? – disse Irene.

– Há certas maneiras pelas quais nós... quer dizer, minha família... – isso provavelmente seria o mais perto que ele chegaria de dizer algo assim no momento – podemos reforçar uma área contra o Caos. Alberich usa o Caos, então deve estar contaminado, portanto deve funcionar contra ele também.

– Que tamanho de área? – perguntou Vale. – E você consegue fazer com que seja permanente? – Estava claro que ele tinha grandes visões de afastar os feéricos de todo o mundo dele, ou ao menos da parte que compreendia o Império Britânico.

Kai balançou a cabeça.

– Se pudéssemos, não teríamos esse problema constante. Poderíamos empurrá-los para fora e deixá-los lá. O melhor que posso fazer é delimitar uma área e protegê-la. E tem de ser uma área ao redor da qual eu possa me deslocar em um determinado período de tempo. – Ele se animou. – Grandes poderes como os do meu pai ou os dos meus tios conseguiam proteger um oceano inteiro em uma única volta do sol!

Irene mordeu o lábio com força para não fazer comentários sobre *dar uma volta ao mundo em quarenta minutos*. Não era o momento adequado para ficar citando "*Sonhos de uma noite de verão*" de Shakespeare, e Irene supunha que Kai não acharia a analogia engraçada.

– E você? – perguntou ela.

Kai murchou os ombros, mostrando um toque de mau humor adolescente.

– Sou mais limitado por restrições físicas – murmurou ele. – E não posso forçar uma dessas criaturas a sair se ela já estiver dentro da minha área de proteção. Só posso erguer uma barreira para que não ela possa entrar ou sair.

– Sim, mas qual o tamanho de área? – insistiu Vale. – Toda Londres?

– Talvez – disse Kai. – Se vocês me dessem a noite toda. E eu teria de, ah, atrairia atenção.

– De quem? – perguntou Irene. – Dos feéricos?

– Dos meus parentes – disse Kai. Ele parecia querer se encolher num canto com essa ideia. Parecia estar demonstrando a nobreza heroica de um adolescente fazendo a coisa certa combinada ao desespero furtivo de prever o cancelamento de privilégios pela próxima *década*. Ela se perguntou quantos anos ele tinha em termos de idade de dragão. Ele era maduro em tantos aspectos e tão jovem em outros.

Irene franziu a testa.

– Bem, eu consigo proteger uma área contra o Caos sintonizando-a com a Biblioteca. Isso pode forçar Alberich a sair da área se estiver lá dentro, mas dessa forma só consigo cobrir uma área relativamente pequena. E há questões de poder... – Sim, essa era uma maneira de colocar a questão. Proteger os aposentos de Vale na noite anterior fora bem simples. Tentar bloquear uma área maior de realidade, no fim das contas, gastaria bem mais da energia dela. E também precisaria de uma descrição muito precisa da área que estaria tentando proteger. Mas tinha de haver alguma forma de ela poder usar isso...

O zepelim balançou e a desequilibrou. Alguma coisa zumbiu e cricrilou, como gafanhotos no ar lá fora. Kai segurou-a pela cintura e se firmou em uma alça pendurada no teto com a mão livre. Vale conseguiu se segurar na parede.

– O que está acontecendo? – gritou ele para a senhora Jenkins.

– Estamos sendo atacados – respondeu a senhora Jenkins. Ela não tirou o olhar dos controles. Sua mão direita estava posicionada no meio de um modelo do sistema solar de cobre e estanho, e a esquerda puxava uma variedade de alavancas. Ela puxou uma coisa que parecia um bloqueador de órgão de tubo e franziu a testa quando o objeto não respondeu.

– Problema a estibordo!

Irene e os outros foram para a janela.

– Não consigo ver nada – disse Irene. As únicas coisas visíveis eram telhados e neblina.

– Ali! – disse Vale, apontando. – Vê aquela trilha de vapor?

– Uma coisa pequena – respondeu Kai, se inclinando por cima do ombro de Irene. – Mas não sinto nenhuma interferência de feéricos.

– O senhor se esquece da Irmandade de Ferro – interrompeu Vale. – Eles também têm agentes atrás de nós.

– Se segurem! – gritou a senhora Jenkins da cabine de piloto. O zepelim balançou de novo, se arrastando para o lado em um movimento doloroso e desajeitado que chacoalhou a cabine como um copo com dados. Irene e os dois homens se seguraram em apoios para as mãos. Pedaços de corda que não tinham sido amarrados nas paredes balançavam no ar e uma xícara solta escorregou de parede a parede, deixando uma trilha de gotas de chá frio.

– Ali está! – exclamou Vale. Um homem apareceu voando. Estava preso a algum tipo de unidade móvel de helicóptero que girava suas hélices sujas perigosamente perto da cabeça dele; usava um capacete de couro manchado de graxa e um sobretudo. Em uma das mãos segurava uma pistola pesada, com um cabo que ia dela até uma coisa presa abaixo de suas costas. Ele balançou no ar e firmou a pistola com a mão livre enquanto tentava mirar para disparar.

– Há alguma forma de dispararmos nele? – perguntou Kai, retomando sua calma.

– Aqui. – Vale pulou na cabine de piloto e mexeu em um painel acima da cabeça da senhora Jenkins. Ela o ignorou e se concentrou em guiar o zepelim. – As armas ficam aqui em veículos de museu... ah, aqui estão.

Ele puxou várias pistolas, jogou uma para Kai e outra para Irene, que não se sentia confiante para dar tiros em um alvo voador.

– Não há nada maior a bordo? – perguntou ela. – Uma arma sinalizadora ou algo do tipo?

Vale parou de tentar quebrar uma janela para olhar para Irene com uma expressão fulminante.

– Francamente, senhorita Winters! Uma arma sinalizadora em um zepelim? Achei que a senhorita fosse mais sensata do que isso.

– Não é uma coisa que eu já tenha estudado – murmurou Irene, e decidiu guardar suas outras ideias brilhantes para si mesma por enquanto. Kai e Vale atiravam pela janela e podiam fazer isso sem a ajuda dela, que cambaleou para a frente até a cabine de piloto. – Quanto falta até a biblioteca, senhora Jenkins?

– Estamos quase lá – respondeu a senhora Jenkins com objetividade –, mas não vai adiantar porcaria nenhuma, porque não podemos realizar o pouso com aquele maluco lá fora atirando em nós. Não sei que tipo de histórias você ouviu sobre o que os zepelins podem ou não fazer, moça, mas preciso flutuar enquanto alguém nos joga uma corda e nos prende. E isso é o que chamamos em linguagem de aviação de "alvo fácil". Então, espero que seus amigos atirem bem, senão vou ter de subir e seguir para o norte até nos livrarmos dele. Não posso correr o risco de cair com as ruas movimentadas assim.

Vale se aproximou e segurou o braço de Irene. Aparentemente, os tiros deles passaram longe.

– Senhorita Winters, sua habilidade pode ser útil aqui?

Irene balançou a cabeça.

– Não consigo afetá-lo, nem ao equipamento dele. Eles não podem me ouvir.

Vale ficou olhando para ela.

– *Ouvir*?

– A Linguagem só funciona no universo se o universo conseguir ouvi-la – esclareceu Irene. Ela tinha certeza de que havia explicado isso para ele antes. Mas, talvez, não tivesse explicado. – Posso afetar este zepelim, mas não vejo que vantagem haveria...

Vale estalou os dedos de repente.

– Eu vejo! Senhora Jenkins, nos leve para cima da Biblioteca Britânica agora, por favor. E se prepare para uma descida abrupta.

– O que vamos fazer? – perguntou Kai, olhando pela janela.

– Também não me importaria em saber – disse a senhora Jenkins. O zepelim virou para a esquerda, desequilibrando todos novamente. – Estamos a trezentos metros de lá, nos aproximando a setenta quilômetros por hora, e o telhado de pouso só tem cinquenta metros de comprimento.

– Quando eu der o aviso, senhorita Winters – instruiu Vale –, diga para todos os componentes estruturais do zepelim aumentarem seu peso em cinquenta por cento. Senhora Jenkins, a senhora vai acionar os flaps de pouso. – Ele olhou para o relógio.

Houve outra explosão de sons lá fora.

– Droga – comentou a senhora Jenkins. – Odeio essas coisas.

– Que coisas? – perguntou Irene, tentando freneticamente se lembrar do vocabulário para partes de zepelim.

– Munição de sementes – disse ela, ajustando os controles. – Elas corroem os airbags. Preparem-se para uma frenagem rápida.

– Agora! – declarou Vale.

– **Todas as partes estruturais do zepelim, aumentem seu peso em cinquenta por cento novamente!** – gritou Irene, projetando a voz para garantir que esta se espalhasse pela cabine e pela cabine de piloto. Ela não queria que metade das peças decidissem ficar com o peso original, fazendo o veículo todo se partir no ar. A imaginação oferecia muitas imagens, mas nenhuma era boa.

A senhora Jenkins apertou meia dúzia de bloqueadores de órgão de tubo ao mesmo tempo, usando a mão e o antebraço esquerdos, e se jogou de volta no assento.

O zepelim tremeu, couro sendo repuxado e metal estalando, e os motores barulhentos lá fora uivaram em uma agonia quase humana. Kai havia baixado a arma e segurava uma das alças de apoio com uma das mãos e Irene com a outra, e Irene não podia reclamar. Vale passou o cotovelo por uma alça e estava olhando a vista pela janela quebrada com aguda curiosidade.

Estavam descendo, arrastados para baixo como se alguém puxasse a corda da âncora do veículo por baixo, mas ainda estavam se deslocando para a frente. Os flaps de frenagem estavam funcionando, mas Irene achou que talvez não tão rápido como poderiam.

– Devo deixar mais pesado? – ela gritou para Vale, a voz mal se espalhando no uivo do ar e no barulho torturado das vigas de sustentação de metal.

Vale balançou a cabeça em clara negativa.

Era em momentos assim que Irene queria acreditar em orações. A morte repentina era algo fácil de aceitar, pois não havia tempo para ponderações. Mas uma iminente e terrível batida em cima do Museu Britânico deixava tempo demais para o medo, com um destino inevitável nas chamas ao final. Cada segundo parecia se esticar em um momento eterno de pânico.

De repente, o zepelim se posicionou em terra firme com um baque que jogou Irene em cima de Kai, derrubou a senhora Jenkins de volta a seu assento e fez Vale largar o relógio. Irene conseguia ouvir vagamente gritos e berros lá fora. Com sorte, qualquer um que estivesse em pé no telhado tivera o bom senso de sair correndo.

Com um palavrão abafado, a senhora Jenkins passou a virar interruptores. O zumbido dos motores começou a diminuir, conforme iam sendo desligados um a um. De repente, o zepelim ficou absurdamente silencioso, depois de todo o barulho anterior, só restando os estalos e grunhidos da cabine como sinistros ruídos de fundo.

– Obrigado – disse Vale. – A senhora é uma excelente piloto. Mencionarei sua conduta a seu superior.

A senhora Jenkins olhou para ele por um longo momento, depois pegou um pano e limpou os óculos.

– A saída fica à sua direita – disse ela secamente.

Kai soltou Irene e foi abrir a porta do zepelim.

Irene viu aquilo se aproximando, mas rápido demais para a Linguagem impedi-lo. O homem em seu minicóptero estava pairando ali, mirando a arma para atirar diretamente pela porta aberta, nas pessoas da cabine. Em Kai, com as costas parcialmente viradas.

Irene não tinha tempo para falar, mas tinha para agir. Ela se jogou em Kai, e os dois caíram no chão juntos, Kai com a boca aberta de choque na hora que uma série de pontinhos

305

prateados cortaram o ar onde ele estava antes. Os pedacinhos de metal perfuraram o couro e as peças de madeira da estrutura, abrindo cortes longos, e ricochetearam nas vigas de metal, deixando cicatrizes prateadas nas superfícies escuras. Duas passaram raspando pelo braço de Irene, cortando o tecido de sua manga e tirando sangue.

Vale se apoiou em um joelho, pegou a pistola de Kai que havia caído no chão e disparou.

Houve um grito longo e gradativamente mais baixo, e um estrondo distante.

Irene olhou para o rosto de Kai por um momento. Ele estava olhando para ela com aquela expressão de cachorrinho perdido de novo, como se ela tivesse preenchido perfeitamente uma lacuna no universo pessoal dele. Sem dúvida era imensamente lisonjeiro, mas Irene não tinha tempo para isso. Não tinha tempo para dizer que confiava nele e que ele podia confiar nela. Não tinha tempo para o sentimento imenso de gratidão por ele estar bem, nem para qualquer outra coisa além de encontrar o livro, impedir Alberich e salvar Bradamant. Ela tinha de terminar o serviço, senão todos os seus esforços e o perigo no qual colocou as pessoas seriam inúteis.

E Irene não podia perder tempo se entregando a sentimentos pessoais. Mesmo se ela quisesse.

– Tudo bem? – perguntou ela bruscamente, ficando de joelhos. – Que bom, venha.

Vale ofereceu a mão e a ajudou a ficar em pé.

– Bons reflexos, senhorita Winters.

– Boa mira, senhor Vale – respondeu ela. – Obrigada. Agora, vamos encontrar aquele livro.

CAPÍTULO 20

Havia vários guardas no telhado que gostariam de ter discutido melhor o pouso de emergência e o tiroteio que o seguiu. Mas Vale passou direto, com Irene e Kai seguindo atrás dele. A postura imponente deles foi um pouco prejudicada pelos vários olhares sutis que Kai lançava para Irene, sempre que achava que ela não estava olhando. O que ele *esperava* dela?

– Por aqui – disse Vale, apontando para uma porta em um dos muros menores ao redor da área de pouso. Depois dali se projetava o teto curvo de vidro do que devia ser a Sala de Leitura. Irene não teve tempo de admirá-la naquele alternativo, mas tinha visto algumas de suas versões em outras Londres, e tremeu ao pensar no quanto chegaram perto de pousar em cima dela. Se bem que, em um mundo de dirigíveis e helicópteros pessoais, os curadores devem ter tomado algum tipo de precaução contra coisas ou pessoas caindo lá de cima.

Irene esperava que sim. Tinha visto pirâmides de vidro, tetos abobadados e candelabros enormes demais, todos eles acidentes prestes a acontecer.

Vale trocou algumas palavras rápidas com o guarda, que abriu a porta e praticamente os saudou na passagem.

Logo estavam lá dentro, longe do vento e cercados por reconfortantes estantes e paredes cheias de livros. O aroma intenso e delicioso de papel velho, couro e tinta dominava o lugar, encobrindo os odores mais mundanos de sangue, graxa e poluição.

Irene sentiu uma onda desesperada de nostalgia por sua Biblioteca. Sua vida era mais do que perseguições em dirigíveis, ataques de jacarés ciborgues e saídas com o paralelo mais próximo de Sherlock Holmes naquele universo alternativo. Ela era uma Bibliotecária, e a parte mais profunda e fundamental de sua vida envolvia um amor por livros. No momento, só queria mesmo se isolar do resto do mundo e não ter nenhuma preocupação, exceto com a próxima página do que estivesse lendo.

– Para que lado fica a sala de Aubrey? – perguntou Vale.

Irene franziu a testa, tentando lembrar o caminho.

– É no terceiro andar – respondeu –, depois da escada sul, dois salões para o leste, um para o sul e para o leste de novo. Acho que boa parte do que tinha ali era história europeia.

– Por aqui – disse Vale, seguindo na frente por uma galeria de ilustrações e gravuras. – Você tem alguma estratégia?

Dois homens os olharam com reprovação, afastando o rosto de seus cadernos de desenho por causa do barulho. Os rostos exibiam expressões de *Somos educados demais para dizer, mas vocês realmente não deviam fazer nenhum barulho.*

Irene os ignorou.

– Pegar o livro – disse para Vale. – Proteger este prédio contra Alberich. Minha invocação da Biblioteca não impedirá Bradamant, então ela estará protegida quando entrar. Vou pedir assistência direta para minha autoridade central.

Vale levantou uma sobrancelha.

– Você não vai tentar pegar o sujeito diretamente?

Irene não conseguiu olhar nos olhos dele.

– Eu perderia – ela respondeu.

– Essa sua linguagem... – Vale começou a dizer.

– Acho muito difícil acreditar que outros Bibliotecários já não tenham tentado isso contra ele – interrompeu Irene antes de conseguir se controlar. – E confrontos com Alberich costumam terminar com ele enviando partes dos órgãos internos das pessoas para a Biblioteca, em pacotes bem embrulhados. Alguém disse que dá para saber que é um pacote de Alberich porque ele sempre dobra o papel do mesmo jeito.

– Senhorita Winters, não é porque esse sujeito alcançou o *status* de uma lenda urbana...

– Ele é mais do que isso – disse Kai com urgência. Os passos deles soaram altos na escadaria. – O senhor estava lá na noite passada, Vale. Ele nos prendeu em um veículo e o bloqueou de uma forma que nem eu consegui desfazer. – Havia uma arrogância inconsciente na voz dele. – E Aubrey, o Bibliotecário estabelecido aqui anteriormente, era mais experiente que Irene... sem querer insultá-la, Irene, mas...

– Ah, não se preocupe – disse Irene, dando de ombros e flexionando as mãos discretamente para tentar descobrir o quanto estava recuperada. No momento, ela estava ativa, ainda que ferida. – Você está certo. Ele não estaria estabelecido em um alternativo como este se não fosse competente, e ele era mais velho e mais experiente do que eu.

– É este o andar – disse Vale. Eles saíram da escada em um aposento iluminado cheio de hieróglifos, ícones e cruzes com rebites pontudos.

– Cóptico – concluiu Irene.

A luz era artificial, presumivelmente para poupar os papiros da luz natural do sol, mas as cores se destacavam em uma confusão de dourado, vermelho e turquesa.

– Em frente, depois à esquerda – disse Vale. – E devo dizer que acredito que o senhor Aubrey não tinha ideia de que Alberich estava a caminho. Presumivelmente, se tivesse, poderia ter se protegido e pedido ajuda da Biblioteca, como você pretende fazer, não?

Irene não queria ouvir isso.

Passantes casuais os viram chegando e saíram do caminho. Duas senhoras idosas murmuraram alguma coisa depreciativa sobre os jovens de hoje, enquanto Irene se esforçava para ouvir.

Ela sabia que esse era um comportamento dissimulado, pois a última coisa que queria fazer era ouvir Vale falar sobre pegar Alberich. Disputar partidas de xadrez contra mestres que com certeza o venceriam era uma coisa: você aprendia xadrez e não morria nesse processo. Entrar em uma briga com uma pessoa que mataria você (de forma suja) não ensinava nada de útil, a não ser que a reencarnação fosse algo verdadeiro e você morresse mesmo no processo. Já era difícil o suficiente ter de pensar no quanto o livro podia ser importante para aquele mundo. Ela só conseguia pensar em passos pequenos. Se Alberich queria o livro, isso significava que era importante, possivelmente até vital para aquele mundo, e ele não podia tê-lo...

Irene também estava tentando ignorar os olhares solidários de Kai, por detrás de Vale. Talvez houvesse um gênero inteiro de literatura escrito por dragões para dragões, sobre como se mantinham sensatamente fora de brigas que não tinham esperança de vencer e iam embora para fazer uma coisa muito importante em outro lugar. Ou talvez fosse má ideia se distrair tanto quando estavam quase na sala de Aubrey.

– Não temos como saber como Aubrey tentou enfrentar Alberich – disse ela. – Acredito que o Aubrey que vi era simplesmente Alberich disfarçado. Então, sequer conheci o verdadeiro. Só sei que não vou entrar em uma briga que não tenho como vencer, se houver outras alternativas.

Vale indicou a saída.

– Por ali e depois em frente por sete salas, depois virem à esquerda. Muito bem. Aceito sua avaliação. Você consegue ajuda rapidamente?

Irene ficou feliz de poder concordar.

– Pelo que soube, o problema principal é que meus superiores raramente sabem onde Alberich está. Se conseguirem localizá-lo neste mundo, podem tomar algumas providências...

Vale a interrompeu, e Irene percebeu que era sinal da urgência dele o fato de fazer isso.

– Senhorita Winters! Um pouco de lógica, por favor. Eles já sabem que ele está neste mundo, pois a avisaram sobre ele.

Alguma coisa no estômago de Irene ficou gelada.

– Ah – disse ela. Não tinha pensado nisso direito. – Talvez... talvez só desconfiassem de que ele estivesse aqui, mas não tivessem provas...

Vale não disse nada, mas não precisou, pois Irene conseguiu sentir o quanto seu argumento era raso. Ah, era moda entre os Bibliotecários da idade dela atribuir motivos duvidosos aos superiores. Ela ouvia a fofoca: *Eles nos usariam como isca se achassem necessário, editariam as informações que nos passam, nos sacrificariam para pôr as mãos em um texto.* Mas isso não queria dizer que todos *acreditassem* nisso. No fundo do coração, Irene tinha fé nos seus superiores.

Uma dúvida genuína era pior do que qualquer dúvida adolescente jamais tinha sido.

– E é possível que eu tenha sido informada de forma errada – disse Irene, forçando firmeza na voz. – Podemos ao menos avaliar a situação antes de começarmos a supor o pior?

– Como quiser – disse Vale, em um tom que dizia *Sei perfeitamente bem que a senhorita não vai parar de pensar nisso agora*. – Mas por que ele não estaria em sua sala, embora possamos desejar que estivesse em outro lugar?

– O ataque do autômato no museu – sugeriu Kai. – Se foi ele, e se esperava encontrar o livro lá, ele não estaria lá para pegá-lo?

Vale massageou o queixo, pensativo.

– Isso pressupõe que ele *foi* responsável pelo ataque do autômato. E seria querer controlar demais, você não diria, estar lá em pessoa se ele podia comandar seus capangas...

– Ele tentou nos afogar em pessoa – respondeu Kai. – Esse não é o tipo de coisa que as pessoas costumam mandar os subordinados fazerem?

– Verdade, verdade. – Vale diminuiu o franzido da testa. – Se for assim, vamos tirar vantagem disso. E se não for, bem, acredito que possamos ter como vantagem ele não estar nos esperando. De qualquer modo, a surpresa e a rapidez são nossas melhores opções. – Ele olhou ao redor, para a vasta quantidade de objetos celta-romanos um tanto sem graça na sala, comentando: – E acredito que estejamos quase lá.

– Devíamos esvaziar o lugar – disse Kai com firmeza.

– Não podemos fazer isso sem chamar atenção – observou Irene. Se Alberich estiver ali, vai reagir a coisas como alarmes de incêndio disparando, seguranças esvaziando o lugar ou qualquer tipo de perturbação que envolva pessoas correndo e gritando. E as pessoas sempre acabam correndo e gritando. Era uma lei da natureza ou algo assim. Ela se perguntava se podia usar a Linguagem para tentar descobrir se Alberich estava ou não na sala. Nada veio à sua mente. – Acho que vamos ter de bater na porta e bancar os inocentes.

– Hum. Acho que pode funcionar – concordou Vale. – Ele não tem motivo para acreditar que você descobriu seu disfarce. Ficarei para trás, a postos com minha arma.

Irene tentou pensar em como o plano podia dar errado. Alberich não podia ter colocado um feitiço para matar qualquer pessoa que tocasse na porta (supondo que um feitiço desses existisse, e quanto a isso ela não fazia ideia). Haveria uma probabilidade grande demais de matar funcionários inocentes da Biblioteca Britânica e crianças visitantes assim. Isso pelo menos era uma coisa positiva. O que ele podia ter feito, o que ela teria feito se soubesse como, era criar uma proteção contra o uso da Linguagem. Mais uma vez, ela não fazia ideia se isso era possível, mas no momento ia supor que era. Então, devia evitar a Linguagem por enquanto.

Esse tempo de planejamento paranoico a ajudou a caminhar por várias exposições da Idade das Trevas sem parecer tão em pânico quanto se sentia. Agora, finalmente, o destino deles ficava a algumas estantes, depois diretamente à esquerda.

Irene respirou fundo. Reuniu sua determinação, sorriu secamente para Kai e Vale e seguiu em frente, tentando ignorar um avô com um pestinha reclamando à direita e alunos passando pela porta em arco à frente. Possíveis testemunhas também incluíam a mulher comprimindo os olhos míopes na frente da placa explicativa, que lhe parecia vagamente familiar... talvez ela já a tivesse visto antes, quando foi ali pela última vez... ah, ela já estava procrastinando de novo, não estava?

Por que esse não podia ser o tipo de história em que ela chutava a porta e entrava com uma arma carregada? Provavelmente porque era uma porta pesada, ela estava de saia longa e não tinha uma arma carregada.

Fazendo sua melhor expressão de preocupação sincera e ingenuidade, Irene bateu na porta.

Não houve resposta. Ela bateu de novo. Alguns passantes a olharam e voltaram a fazer o que faziam.

Ainda não houve resposta.

– Me dê cobertura – disse Kai com voz baixa. Ele deu um passo à frente e pegou uma sonda fina de metal em um bolso interno. Bateu com ela na maçaneta enquanto Irene bloqueava a vista. Ela olhou ao redor, mas ninguém prestava atenção neles, exceto Vale, que estava um pouco mais afastado, ignorando-os ostensivamente.

Como o gesto não atraiu nenhuma atenção visível, Kai experimentou a maçaneta. Como não se mexeu, ele se inclinou e começou a arrombar a fechadura. Ficou evidente que seu tempo como criminoso juvenil não fora totalmente inventado.

Irene abriu a saia em leque e se virou para olhar a sala, com um sorriso no rosto. *Não, não há nada acontecendo aqui, está tudo absolutamente normal, meu amigo aqui gosta de olhar para fechaduras e enfiar pedacinhos de metal nelas, ele faz isso todos os dias, duas vezes aos domingos...*

Um momento depois, Kai estava dando um tapinha no ombro dela, com uma expressão tranquila de superioridade.

Irene assentiu e tentou abrir a porta. Não explodiu.

Isso é bom. Já estou à frente do jogo.

Irene virou a maçaneta e entrou na sala. Uma olhada rápida ao redor mostrou que estava do mesmo jeito de quando saíram anteriormente. Não havia sinal de ninguém. Não havia ninguém escondido debaixo da mesa, nem atrás da porta. Nada de Alberich.

Ela deu um suspiro de alívio que não sabia que estava contendo e deu um passo para o lado para que Kai pudesse entrar. Vale entrou alguns segundos depois e fechou a porta.

Irene olhou ao redor em busca de qualquer coisa que parecesse uma caixa de entrada. Bingo! Havia uma bem evidente na escrivaninha de Aubrey, e ela se lembrava de que estava arrumada quando chegaram, mas agora estava lotada de papéis e outras coisas. Irene examinou tudo rapidamente e o pacote com o endereço do Museu de História Natural atrás (devolver ao remetente) era o sétimo item; um pacote discreto embrulhado em papel pardo comum.

– Abridor de cartas – disse Irene, esticando a mão.

Vale colocou um na mão dela. Era elegante, feito de marfim ou de osso de baleia, e sem dúvida contribuíra com a extinção de pelo menos uma espécie ameaçada. Também era eficiente e afiado.

Irene cortou o barbante e desembrulhou o pacote. Dentro havia um livro e um envelope. O título do livro era *Kinder und Hausmärchen. Contos de Grimm*, ela traduziu automaticamente, e suspirou aliviada. Abriu o livro para verificar a data de publicação: 1812. Cada vez melhor. Agora, qual era a prova determinante que Bradamant havia mencionado?

Abriu no sumário. Havia oitenta e oito histórias listadas. A octogésima sétima tinha o título em alemão correspondente a *A História da Pedra da Torre de Babel*. Deu outro suspiro de alívio.

– É este – disse Irene.

– Isso! – disse Kai exultante, e bateu com a palma da mão na mesa. – Conseguimos!

– O que a carta diz? – perguntou Vale.

Irene colocou o livro na mesa por um momento e abriu o envelope. Pensamentos sobre cartas-bomba chegaram alguns segundos tarde demais. Com um suspiro, sacudiu a carta delicadamente na mesa. Nada de bombas. Que bom.

Kai se inclinou para ler por cima do ombro dela e fez uma pausa, inclinando a cabeça.

Uma fração de segundo depois, Irene também ouviu. Gritos. Gritos e um tipo de movimento horrendo com uma familiaridade típica de pesadelos. Ela enfiou a carta na jaqueta. Haveria tempo para ler depois.

A porta se abriu com um estrondo, e uma mulher entrou correndo com uma expressão desesperada. Estava entre os visitantes lá fora, mas agora parecia em pânico e extremamente abalada.

– Onde fica a saída? – ofegou ela.

Atrás dela, pela porta aberta, Irene conseguia ver mais gente correndo em todas as direções, mas todas para *longe* de alguma coisa. Havia uma onda crescente de uma coisa prateada deslizando pelo chão de um jeito horrível que parecia em câmera lenta. Chegava a uma fileira de estantes e contornava a base até a fileira seguinte. O barulho que fazia, um sussurro visceral e faminto, ecoava na sala ampla e reforçava os gritos. Mais ao longe, a inundação prateada escorria por cima de formas arredondadas sinistras no chão, cobrindo-as de forma tão densa que ela não conseguia ver a cor da roupa, do cabelo ou da pele.

– Traças de livros! – gritou a mulher. – Saiam daqui agora!

A ameaça iminente já estava quase chegando à porta da sala.

Irene era uma mulher inteligente, controlada e prática. (Ou pelo menos se descreveria assim em uma análise de desempenho para qualquer Bibliotecário sênior.) Ela gritou de pânico e subiu na mesa, puxando a saia e se agachando ali, horrorizada. Tentou lembrar desesperadamente se a Linguagem tinha vocabulário para traças ou *inseticida instantaneamente letal*, e, caso tivesse, qual era.

Kai percorreu a sala em um movimento quase tão suave quanto o das traças que se aproximavam. Pegou a mulher que estava gritando e a colocou na mesa ao lado de Irene antes de se juntar a elas. Vale subiu em uma cadeira.

– Vocês disseram que estavam aqui para cuidar das traças! – gritou a mulher para Kai. – Por que não se livraram delas?

Irene então se lembrou dela: ela estava ali quando eles vieram à procura de Aubrey, mas só encontraram a pele dele. Eles a dispensaram com uma história sobre infestação de insetos. Que maravilha, ela odiava ironias dramáticas.

– Elas comem madeira? – perguntou Irene.

– Vocês são os exterminadores, me digam vocês – cortou a mulher.

– Traças comem qualquer coisa à base de amido – informou Vale de cima da cadeira. – Cola, lombadas de livros, papéis, tapetes, roupas, tapeçarias... Imagino que, teoricamente, podem comer madeira.

– Isso se não subirem aqui primeiro – disse Kai, inclinando-se pela beirada da mesa para olhar o chão. As traças ainda não estavam tentando subir pelas pernas da mesa, mas Irene não ia esperar para ver. Agora, mais e mais delas invadiam a sala, subindo umas nas outras em uma massa fumegante e densa de prateado nada saudável.

Uma coisa no fundo da mente de Irene estava tentando chamar sua atenção. Não eram as traças. Não era a mulher a seu lado. Era o fato de ela conseguir ver um jornal em cima de uma estante de vidro e o jornal estava se *movendo*. Sem a ajuda das traças, o jornal se mexia, milímetro a milímetro, pelo vidro do tampo, com uma leve agitação...

– Vale! – disse Irene. – Isso pode ser gerado por frequências subsônicas? Você sabe algo sobre esse tipo de coisa? – E indicou as criaturas que cobriam o chão.

Vale entendeu o que ela queria dizer.

– É possível – respondeu ele. E franziu a testa para os insetos como se eles não estivessem começando a subir pelas pernas de sua cadeira. – Apesar de que qualquer frequência capaz de provocar essas criaturas também teria algum efeito em humanos, causando pânico, talvez...

– Ah, estou em pânico, sem dúvida – disse a mulher, com certo tom meio histérico na voz. – E ainda estão vindo para cá, continuam vindo...

– Certo – disse Irene, tentando manter a voz calma, deliberadamente não pensando nos insetos subindo por baixo de sua saia e nela e... Ela engoliu seco. – Certo. Elas ficam entrando *aqui*. Se há um gerador subsônico em algum lugar, deve estar direcionando ou atraindo-as para cá.

– Céus – disse Kai com ênfase violenta. – Deve ter disparado quando abrimos a porta; pense na sincronia!

– Mas, se estava ligado à porta, como... – Irene começou a dizer e, no mesmo momento, Vale apontou para as dobradiças da porta.

– Ali! – disse ele. – Aquele fio. Ele segue o contorno e vai até o armário do canto. E estão mais amontoadas ao redor dele...

Irene mal conseguia ver sinal do fio, mas estava preparada para confiar nos olhos de Vale. O armário de madeira escura estava encostado no canto da sala, e as traças se contorciam em sua base. Tinham se acumulado a trinta centímetros do chão e, agora que ela estava prestando atenção, estavam perceptivelmente mais concentradas lá.

– Deve ser isso mesmo – murmurou ela. Por sorte, havia detalhes suficientes naquela peça de mobília para ela ser precisa. Ela queria evitar o uso da Linguagem para o caso de haver armadilhas, mas estava preparada para ser flexível. Qualquer armadilha teria de se resolver sozinha. Ela levantou a voz. – **Portas de armário com puxadores de folha de carvalho, se destranquem e se abram**.

As portas se abriram bastante, desfazendo-se de seus parafusos em cima e embaixo. Dentro do armário havia um aparato complicado de maquinário e fios, quase invisível sob as traças que o cobriam como água escamosa. As luzes piscavam e alguma coisa zumbia.

– É isso! – disse Vale.

– Kai... – começou Irene.

– Já estou lá – disse Kai. Ele pulou da mesa na direção do armário. As traças foram esmagadas embaixo de seus sapatos quando ele caiu no chão. Logo ele estava girando, o corpo se virando graciosamente quando deu um chute alto. O pé bateu na máquina com um baque e um zunido altos.

O zumbido parou.

As traças por toda a sala pararam e começaram a ir *embora*. Algumas entraram por rachaduras imperceptíveis no chão e nos rodapés. Outras saíram pela porta, espalhando-se em todas as direções assim que puderam. Algumas ainda ficaram perto da máquina, tentando entrar por baixo dela, mas poucas conseguiram. Kai pulou em um pé só, tentando puxar o outro pé para fora do dispositivo. Ele estava xingando com palavras que Irene supunha serem as que dragões de classe alta usavam quando não queriam chocar criaturas inferiores.

– Eu ia dizer para bater com uma cadeira – disse Irene, enquanto o barulho das traças em movimento morria e os deixava em um relativo silêncio. – Mas obrigada. Muito obrigada, bom trabalho. – O livro estava em segurança na caixa de entrada de Dominic, intocado, ileso. Não foi comido. O truque final de Alberich não funcionou.

– É assim que costumam executar extermínios? – perguntou a mulher. Ela não dava sinais de que ia descer da mesa. Para falar a verdade, nem Irene.

– Acho que estão nos meus sapatos – disse Kai com um tom de profundo nojo.

Vale desceu da cadeira com cuidado. As poucas traças que restavam não se interessaram por ele. Ele andou com cuidado até a mesa e ofereceu a mão a Irene.

– Muito bem, senhorita Winters.

– Obrigada por reparar no fio – respondeu Irene. Ela pegou a mão dele e desceu da escrivaninha, tentando não exibir muito as pernas no processo. Ela gostaria de voltar para um mundo alternativo em que calças fossem o traje comum para as mulheres. – Você acha que isso quer dizer... – Ela estava prestes a dizer *que Alberich está em outro lugar e deixou essa armadilha* quando reparou no olhar intenso que Vale lançou por cima de seu ombro. Ah. Claro. A mulher. Quanto mais rápido eles pudessem tirá-la dali, melhor. – Ah, obrigada – concluiu ela.

– Uma armadilha para nós? – perguntou Kai baixinho quando Irene se aproximou dele.

– É plausível – concordou Irene, também mantendo a voz baixa. Vale e a mulher estavam murmurando um com o outro, então provavelmente não os ouviriam. – Mas meio descuidada. Acabaria atraindo atenção para cá, para esta sala. A não ser que fosse uma ação para ganhar tempo.

– Foi uma ação para ganhar tempo – disse a mulher.

Kai e Irene se viraram para olhar.

Ela e Vale estavam agora espremidos contra a mesa, e Vale tinha uma rigidez estranha na postura. Os olhos estavam furiosos, mas o corpo estava totalmente imóvel, as mãos levantadas como se ele estivesse ajudando a mulher a descer e não tivesse chegado a baixá-las. A mulher estava com uma faca no pescoço dele. Não era elegante, mas parecia brutalmente eficiente. E talvez afiada o bastante para arrancar a pele de alguém.

– **Porta, se feche** – disse a mulher. As portas da sala e do armário se fecharam. – Pronto. Agora devemos ter alguns minutos sem interrupções.

Irene conseguia sentir o coração batendo dolorosamente no peito.

– Você é Alberich? – perguntou ela, hesitante.

– Sou – respondeu a mulher. – É nosso quarto encontro. E espero que você esteja prestando atenção desta vez, porque, se não fizer *exatamente* o que eu disser, seu amigo vai morrer. – Ela fez uma pausa. – Isto é, vai morrer *primeiro*, e com você olhando.

CAPÍTULO 21

—Estamos ouvindo – disse Irene. Ela manteve as mãos imóveis, evitando qualquer coisa que pudesse ser vista como uma provocação que a levasse a cortar a garganta de Vale. – Por favor, continue.

Irene não tinha percebido que uma mudança de pele podia ser tão abrangente. Ela (não, *ele*) estava falando com voz de mulher, e era bem diferente da voz que Irene ouvira no malfadado táxi. Também era diferente da voz de Aubrey. Ele estava transplantando cordas vocais também? Não, devia ser só consequência de toda a transferência mágica de pele, seja lá como isso funcionasse. Também ajudaria muito se ela pudesse ver alguma coisa de incomum na aparência dele (ou dela), mas não havia nada.

– Estou disposto a fazer concessões – disse Alberich. – Não é necessário que todos vocês morram. Sejam sensatos sobre isso e podemos todos seguir nossos caminhos.

Irene fez o melhor que pôde para sorrir em resposta. *Por algum motivo, não acredito em você.*

– Estou interessada em ficar viva – disse ela. – Kai também, não é, Kai?

– Deixe Vale ir embora e podemos conversar – rosnou Kai. Havia alguma coisa na voz dele que Irene não ouvira antes.

Por falta de palavra melhor, parecia uma certa possessividade. *Uma emoção típica dos dragões?*

– Silêncio, garoto – disse Alberich. Ele deliberadamente moveu a faca uma fração de centímetro e um filete de sangue escorreu pelo pescoço de Vale, sujando sua gola branca. – Fique onde está, não tente pular em mim e deixe sua superiora falar. Bem. Você está com o livro, Irene?

Ele não tinha reparado no livro na caixa de entrada? Se não tinha, ela que não ia chamar a atenção dele.

– Posso obtê-lo – ela ofereceu. – É esse o preço?

– Quero mais do que isso. – Havia um brilho por trás dos olhos dele, e *isso* ela reconheceria se voltasse a vê-lo. Um apetite voraz, um vazio infinito que jamais seria preenchido, e com toda a loucura que a acompanhava. – Tenho várias perguntas. Pode até se sentar, se quiser.

– Preferimos ficar em pé – respondeu Irene rapidamente.

– Como quiser. – Os lábios se curvaram em um sorriso que era de alguma forma mais de homem do que de mulher. – Devo obedecer primeiro às convenções literárias de sempre? Primeiro eu digo que você ouviu calúnias sobre mim, e você acena afirmativamente, mesmo não acreditando em nenhuma palavra. Depois, prometo que você poderá ficar livre se me entregar o livro, e você mente para mim e me dá uma cópia falsificada. E é aí que eu te mato. – Ele deu de ombros. A faca no mesmo lugar. – Ou vamos romper com as normas e fazer algo diferente? Algo que pode significar que você sobreviva a isso?

Irene pensou em quantos outros Bibliotecários estiveram na mesma posição. Havia um motivo para ele ser uma lenda urbana.

Mas, se todos foram mortos, quem volta para contar as histórias? observou uma parte irritante da mente de Irene, que a ignorou.

– Não entendo como você pode usar a Linguagem e também magia de feéricos – disse ela em um ímpeto, com a boca funcionando no automático enquanto tentava pensar. Não era difícil falar com certa admiração na voz, mesmo se ele fosse perceber na hora.

– Vou oferecer isso de graça – disse Alberich com generosidade, e Irene mentalmente reduziu a chance de ele deixar que eles vivessem além daquele momento. – Quando uma pessoa é capaz de usar a Linguagem, isso não pode ser tirado dela. Aprendi a usar o Caos depois disso. Envolve certa dose de redefinição pessoal. Difícil, mas não impossível. Não é *preciso* morrer. Talvez algo para você levar em consideração em sua futura carreira? Há mais oportunidades em aberto para você do que pode pensar.

Oportunidades... Que oportunidades Irene tinha agora? Kai podia ser capaz de usar fantásticos poderes de dragão para impedir Alberich de entrar em uma área, mas isso não adiantava se ele já estava dentro. E ela podia ser capaz de forçar Alberich para fora de uma área usando a Linguagem, mas novamente não adiantava muito se ele podia simplesmente ficar esperando fora dos limites...

Limites. Um pensamento um pouco plausível se moveu no fundo de sua mente. Ela queria ter tido mais tempo para perguntar a Kai sobre suas habilidades. Quando ele protegia uma área, a proteção seguia o caminho que ele fazia? Ou era um tipo de coisa mais metafísica, com os limites da proteção ligados ao que ele *pretendia* proteger?

– Vamos reduzir os potenciais reféns – disse Irene bruscamente, ignorando a inspiração de Kai atrás dela. Se isso ia funcionar, ela precisava dele lá fora e livre para agir. – Sou eu quem você quer. Como você disse, sou a superiora de Kai. Ele ficar aqui com o risco de perder a cabeça não vai ajudar a nenhum de nós. – Ela tentou parecer inocente. Impressionável. Como se acreditasse em Alberich quando ele dizia que ela poderia sobreviver àquilo.

– Você já tem um refém e sabe que estou preocupada com o bem-estar dele. Se não estivesse, já estaríamos nos atacando ou fugindo. Vamos limpar o terreno. Deixe Kai sair para iniciarmos as negociações.

Alberich a observou, pensativo, e mais uma vez houve aquele brilho ávido em seus olhos.

– É verdade que minhas questões dizem respeito a você, não a ele – disse lentamente. – E ele não é iniciado. Não preciso temer que tente abrir uma porta para a Biblioteca pelas minhas costas. Muito bem. Serei razoável. Em troca de uma concessão similar de sua parte.

Irene se lembrou de respirar.

– Como o quê? – perguntou ela.

– Seu nome verdadeiro – disse Alberich rapidamente, e Irene percebeu que esse era o plano dele o tempo todo.

Magia nunca foi a especialidade de Irene. Ainda não era. Mas ela não precisava ser especialista para saber que a magia feérica de Alberich, com o conhecimento do verdadeiro nome dela, podia ser uma coisa muito ruim para ela.

– Rá! – disse Kai. Ela desconfiava que ele estivesse com uma expressão de desprezo.

Irene assentiu para Alberich e se virou para Kai. Como havia imaginado, a expressão dele era de desprezo.

– Kai – disse Irene. – Quero que você faça uma coisa muito simples para mim. Quero que saia e fique lá fora. Não quero que você ponha o pé nesta biblioteca. – Como dizer para ele *Quero que você faça aquela proteção da qual falou e a faça o mais rápido possível*? – Deixe que eu cuido disso.

Kai piscou para ela, totalmente surpreso.

– Mas... – começou ele.

– Não me venha com mas – interrompeu Irene. – É como Alberich disse. Você não é Bibliotecário e não tem *nada* que possa fazer nesta situação. Você não tem a Linguagem e não pode lutar contra ele. Não vou pôr mais uma pessoa em perigo. Agora você vai obedecer minha ordem e *sair* – Irene conseguia ouvir sua voz subindo –, ou vou ter de me preocupar com você além de Vale?

Kai olhou para ela longamente. Parecia reprovação. Era reprovação. Ela não queria fazer isso com ele, mas Alberich não era burro. A menor indicação de conluio significaria a morte de Vale, e ela só podia torcer para Kai entender isso.

– Você sabe perfeitamente bem que não tem nada que eu possa fazer se estiver fora dessas paredes – disse ele. Teria ele captado o que ela queria? – Sou seu colega, não seu dependente incapacitado! Pelo menos, me deixe ficar por perto.

– Tanto faz para mim – disse Alberich com indiferença.

Irene apontou para a porta com o polegar.

– Essas são suas ordens, Kai. Saia e fique lá fora, e não quero ver sua cara até terminarmos. – Ela olhou para a janela por um momento. – E não vá ter ideias sobre voar por aí em zepelins.

Kai comprimiu os olhos de leve, e ela só podia torcer para ele ter captado a ideia.

– Não pense que estou feliz com isso – disse ele, murchando os ombros com o mesmo ângulo do primeiro encontro deles. O visual tinha sido melhor com a jaqueta de couro.

Irene assentiu e se virou para Alberich.

– A porta, por favor.

– Seu nome, por favor – disse ele com a mesma entonação que ela acabara de usar.

– Dou minha palavra que vou dizer meu nome verdadeiro assim que Kai estiver do lado de fora daquela porta fechada – disse Irene na Linguagem.

– Boa – comentou Alberich. – Você pensa rápido. **Porta da sala, se abra.**

A porta se abriu, esmagando algumas traças, e bateu na parede. Não havia ninguém lá fora, ao menos ninguém vivo. Só os morrinhos encolhidos dos poucos infelizes pegos no ataque das traças. Com o estômago embrulhado, Irene torceu para que as pessoas só estivessem inconscientes, tomadas por ondas ultrassônicas ou alguma coisa assim. Ela não aguentaria lidar com mais mortes.

– Se você a machucar – disse Kai baixinho –, juro pelo meu pai e seus irmãos, e pelos ossos dos meus avôs, que você vai pagar por isso.

Alberich o observou, pensativo.

– Que forma curiosa de falar. Tenho certeza de que já a ouvi em algum lugar... Ah, não importa. Ouso dizer que posso cuidar de você depois se for absolutamente necessário. Saia daqui agora, antes que eu mude de ideia.

Irene não disse nada para que Alberich não mudasse de ideia. Fez um gesto para Kai na direção da porta e se perguntou quanto tempo ele levaria para criar uma barreira. E também quanto tempo ela teria antes que Alberich acabasse com ela.

Kai encolheu os ombros com irritação e saiu da sala.

– **Porta da sala, se feche** – disse Alberich, e a porta bateu com outro ruído de traças esmagadas, deixando os três sozinhos.

Irene sentiu a compulsão do juramento como uma forca no pescoço.

– Meus pais me deram o nome de Ray – disse ela, escolhendo rapidamente as palavras antes que fosse forçada a dar mais detalhes. A elaboração foi mais complicada do que o necessário, mas era verdadeira. – Não sei os nomes reais deles, então não posso dizer o meu sobrenome.

– Ray. – Alberich parecia prestes a rir. – E eles a chamavam de seu pequeno raio de sol?

Na verdade, sim, chamavam. Irene levantou as sobrancelhas.

– Isso é relevante?

– Não especificamente, mas sempre fui um homem curioso. – A mão dele não se moveu, e a faca no pescoço de Vale se manteve firme. – Por que você não sabe o nome real deles?

Irene não ia contar que eles também eram Bibliotecários. E agora que já havia respondido, não estava mais presa ao seu juramento e podia mentir o quanto quisesse.

– Eles sempre guardaram segredos de mim – inventou. – Estou respondendo suas perguntas da melhor forma que posso.

Alberich comprimiu os olhos e Irene desconfiou, com um arrepio, que ele não acreditou nela.

– Perguntas relevantes, então. O que exatamente está acontecendo?

Ela não esperava por essa.

– Er, em que sentido exatamente?

– Gente demais tem interferido no que deveria ser uma extração perfeitamente direta. Acredite em mim, Ray...

Irene sabia que ele a vira tremer quando usou o nome dela. Não conseguiu evitar. Era um nome de infância, e ela não era mais uma criança.

– ... eu não pedi nada disso – ele continuou com tranquilidade. – Preferia simplesmente ter pegado o livro e ido embora. Sem sujeira, sem confusão. Então, estou pedindo de uma forma perfeitamente razoável para você se endireitar, parar de gaguejar e fazer um relatório completo. Imagine que sou um dos seus superiores.

Ele poderia ter sido superior dela. Era fácil imaginar. Eles eram bem diferentes: Coppelia e seus membros mecânicos ou Kostchei com seu olhar de mil metros. Mas todos tinham o mesmo ar de autoridade que Alberich demonstrava. Fora isso e todos os boatos, ela não sabia *nada* sobre ele. Nem sabia como ele era fisicamente. E ele a apavorava.

– Nessas circunstâncias... – disse Vale.

– Lembre-se de que posso e vou congelar suas cordas vocais também – disse Alberich. – E seus pulmões. A não ser que você mesmo queira explicar os eventos. Nesse caso, Ray aqui se torna inútil...

– Acredito que a senhorita Winters seja capaz de lidar com isso – disse Vale. – Só vou interromper se tiver algo de importante a acrescentar.

Ele devia estar acostumado a lidar com gente colocando facas em seu pescoço, refletiu Irene.

– Se me permite – disse ela. – Acredito que o principal fator aqui seja que Wyndham sabia demais.

– É uma alegação e tanto considerando o quanto Vale parece saber sobre seu trabalho na Biblioteca – disse Alberich com uma voz agradável.

Irene decidiu ignorar isso enquanto se perguntava quanto tempo Kai levaria. E ela saberia quando ele tivesse terminado? Ela precisava prolongar a conversa o máximo possível, amarrar todos os seus palpites em uma narrativa convincente e rezar para Alberich aceitá-la.

– Wyndham tinha ligações com os feéricos – começou com confiança –, mas ele também sabia que Dominic Aubrey era Bibliotecário e, como tal, se opunha aos feéricos. Wyndham sabia que o livro era importante para Silver e achou que poderia usá-lo como moeda de barganha para conseguir algo em troca. Ou podia estar executando algum tipo de vingança complicada. Era um daqueles relacionamentos de feéricos. Ele decidiu garantir que o livro estivesse em um lugar seguro enquanto o negociava. Então, mandou-o escondido em outro pacote para o Museu de História Natural. – Será que ela conseguiria persuadir Alberich a ir procurá-lo lá? – E aí, foi assassinado.

– Ah, sim – disse Alberich. – Encomendei o assassinato dele. Meus agentes não encontraram o livro quando estiveram lá, mas isso porque Belphegor chegou primeiro. A Irmandade de Ferro foi extremamente útil. Assassinos de vampiros, autômatos para mandar atrás de vocês e outras coisinhas mais. Pareceu o jeito mais fácil de obter o livro. Eu não estava com vontade de lidar com Silver, nem com outros feéricos locais. Alguns dos meus aliados têm problemas com certas facções. Mas não vou entediá-la com os detalhes. Entrei neste alternativo, tomei o controle da Irmandade de Ferro, encontrei o Bibliotecário local, o interroguei e assumi a pele dele. Simples assim. Falando nisso, você ainda está com ela?

Irene ficou enjoada de repente. Tinha mantido um certo controle durante os ataques de lobisomens, os quase acidentes de zepelim e a fatalidade das traças, mas isso era diferente. *Eu o interroguei. Assumi a pele dele.*

– Era você, não era? Na primeira vez?

Ele entendeu a pergunta de Irene, por mais que tivesse sido mal formulada.

– Sim. Fui eu que recebi você e seu aluno quando vocês chegaram. Para ser sincero, você tem sido uma surpresa para mim.

– Elogios não vão levar a lugar nenhum – disse Irene com orgulho, mentalmente contando os segundos.

Outra coisa também estava claramente passando por detrás dos olhos de Alberich.

– Se você tivesse encontrado o livro no Museu de História Natural, poderia ter ido direto para a Biblioteca abrindo um portal em outro lugar. Não teria precisado vir *aqui*. E você admitiu que Wyndham sabia que Aubrey era Bibliotecário. Me responda, Ray, Wyndham mandou o livro *para* Aubrey?

– Mandou – disse Irene. A palavra saiu de sua boca em resposta à pergunta e ao uso de Alberich do nome dela, antes que Irene pudesse enrolar sobre o assunto.

As bochechas de Alberich exibiram uma mudança de cor. Devia ser alguma espécie de reação de raiva transformada pela pele que ele estava usando.

– Você está me dizendo que o livro veio para *cá*?

Irene conseguiu sentir a resposta se arrastando por sua garganta, tentando se entregar. Vale olhou nos olhos dela por um momento, enquanto ela pesava o benefício de distrair Alberich em contraste ao risco de ele cortar o pescoço de Vale se ficasse irritado.

– Estou – disse ela rapidamente, cedendo e deixando a palavra sair antes que Alberich sentisse necessidade de provar suas ameaças.

– E é o livro sobre a mesa?

Irene abriu a boca para negar, mas não conseguiu. A palavra se arrastou pelos lábios dela.

– É.

Alberich explodiu.

– Sua idiota desprezível! Você tem alguma ideia do esforço que tive de fazer nos últimos dias? – Ele estava gritando como uma bruxa e, apesar de a faca no pescoço de Vale estar firme, o rosto dele estava *errado*, a boca aberta um pouco demais, os olhos furiosos arregalados, cuspe respingando na lateral do rosto de Vale. – Eu mudo de pele duas vezes. Desvio minha atenção de projetos muito importantes. E como você ficou andando por aí escondendo esse livro, meus esforços foram desperdiçados. Você acha isso engraçado, Ray? Acha?

A sala começou a se transformar e a rastejar ao redor dele. Os papéis na mesa viraram líquido e pingaram, escorrendo até o chão. Traças mortas se dissolveram num vapor que subiu em espirais cada vez maiores, como se Alberich e Vale estivessem no centro de um redemoinho. As vidraças nos armários expositores começaram a vibrar, tremendo como se alguém estivesse cantando em um tom agudo impossível. E agora Irene conseguia senti-lo pulsando no fundo de seu crânio, zumbindo nos ouvidos.

– Pare! – gritou ela.

– Não – disse Alberich. Ele sorriu para ela, inesperadamente calmo. – Não, não é engraçado. Vou levar esse livro. Você vai entregá-lo a mim.

– Senão você vai cortar o pescoço de seu refém? – perguntou Irene. Ela ainda estava abalada pela agitação repentina. Tudo aquilo foi *errado*. Os feéricos eram bem ruins, mas essa alteração da realidade foi bem pior. Ela estava pronta para encarar até a morte, mas aquilo... não.

– Seja racional – disse Alberich. – Vou precisar de outra pele em breve. Outra pele de Bibliotecário viria bem a calhar. Assim como a posição de Vale na sociedade. Não me dê desculpas, Ray. Não me dê mais motivos para cortar a garganta deste homem e depois arrancar a sua pele. Seja educada, seja prestativa e escute o que vou lhe dizer.

Irene só balançou a cabeça em concordância. Estava com medo de gerar aquela fúria de novo, com medo pelo bem de Vale... e, mais honestamente, com medo pelo seu próprio bem.

– Onde eu estava? – Por um momento, ele a fez se lembrar de Dominic Aubrey, o que a levou a se perguntar quanto daquela atuação foi imitação e quanto foi coisa genuína de Alberich filtrada pela pele de um homem morto. Ela tinha *gostado* de Aubrey. – Ah, sim. Motivações. Me diga, Ray, qual é o objetivo da Biblioteca?

– Preservar – disse Irene automaticamente.

Alberich assentiu, como se esperasse essa resposta.

– Agora me diga, com honestidade e sinceridade, que você nunca pensou em usar o conhecimento que ajudou a preservar. Para mudar os mundos ao seu redor para melhor. Ou você acha que eles já são perfeitos? – A voz dele emanava sarcasmo.

Irene sentia como se estivesse correndo por um campo minado com uma venda nos olhos, sem ideia de quais eram as respostas certas.

– Claro que pensei nisso. Mas você sabe que não nos mandam... – por um momento, ela desejou não ter usado a palavra *nos*. Colocava os dois no mesmo nível – em missões se não tiverem certeza de que podem confiar em nós.

– E você aceita isso tão facilmente?

– É o preço que escolhi pagar para conseguir o que queria. – Ela nunca quis outra coisa.

– Não pense que faço esse tipo de proposta para qualquer Bibliotecário – prosseguiu Alberich. – Você demonstrou um grau de inteligência que me impressionou. Nem todos os Bibliotecários sabem quando e como violar as regras.

– Com licença um momentinho – disse Vale educadamente, enquanto Irene se perguntava se Alberich fazia o discurso de *normalmente eu não pouparia sua vida, mas você é especial* para todos os Bibliotecários que encontrava. – Posso perguntar o que aconteceu com a senhorita Mooney original?

– Quem? – disse Alberich, sem entender.

– A mulher cujo corpo você está ocupando. – O tom de Vale transbordava um frio desdém. – Jennifer Mooney, uma das figuras mais influentes da Irmandade de Ferro. Recordo-me do rosto dela de uma das fotografias de Singh. Eu queria ter lembrado antes.

– Ah. – Alberich sorriu. – Senhorita Mooney... precisei tomar a identidade dela apressadamente, para usar a Irmandade como distração.

Irene teve vontade de dar um chute em si mesma. *Claro.* O ataque de jacarés na embaixada para distrair Silver. Ela se lembrava claramente de ele ter saído correndo para proteger "um livro". E Alberich apareceu na cena logo depois, o que levou ao quase afogamento deles. No dia seguinte, houve o ataque ao Museu de História Natural; agora tudo fazia sentido. Foi isso que ele quis dizer antes quando falou que havia tomado o controle da Irmandade. Ela viu o rosto de Vale se contorcer de envergonhada humilhação. Ele deveria estar com a mesma linha de raciocínio e se culpando por não ter deduzido antes.

– E eles têm ideias muito barrocas sobre nomes e identidades falsas. Seria de se pensar que um grupo pró-tecnologia seria mais eficiente na manutenção de registros, não seria? Agora, se você tivesse dito "Dâmocles", eu teria sabido exatamente de quem você estava falando.

Ele nem sabia o nome dela. Por algum motivo, isso apavorou Irene até os ossos. E Alberich deve ter visto no rosto dela, porque disse:

– **E agora, senhor Vale, chega de palavras; suas cordas vocais estão travadas**.

Irene viu a onda repentina de pânico nos olhos de Vale e percebeu sua boca se mexer, mas não emitir nenhum som.

Acho que ele não lida muito bem com ficar impotente.

A raiva lutou contra o medo que também a deixava imóvel, o calor versus o frio.

E acho que eu também não.

– Vamos supor que você tenha três opções, Ray – disse Alberich, voltando ao tom de conversa. – A primeira é aceitar me ajudar. Me dê o livro, jure lealdade mediante certos juramentos que vou lhe ditar e junte-se a mim. A Biblioteca não era para ser só um armazém de livros e uma escola para os obcecados. Poderia mudar mundos. Poderia *unir* mundos alternativos. Tem potencial, *você* tem potencial, e esse potencial está sendo desperdiçado. Juraria minha proteção a você, assim como você juraria lealdade a mim, e ficaria protegida. Você poderia aprender, como eu aprendi, a usar os poderes feéricos. Talvez, com o tempo, você me desafiasse, mas juntos faríamos coisas terríveis e maravilhosas. Você sabe que alguns livros-chave podem mudar o mundo ao qual estão ligados. Me ajude, e vamos mudá-los para melhor. Você vai ter o poder de *fazer* as coisas ficarem melhores. Se recusar esse poder, então isso já é uma escolha em si mesma, não é?

Todos os mundos para ela. Claro que Irene não aceitaria a proposta. Claro que não poderia ser subordinada e escrava dele. Mas pensar na pura irresponsabilidade de fazer exatamente o que quisesse, com poder para fazê-lo...

– A segunda opção é deixar o livro na mesa e ir embora. – Ele a observava com atenção pelos olhos roubados da mulher que matou. – Seus superiores não vão culpá-la, pois sabem da minha capacidade, do meu poder. Vão considerar que você fez a coisa sensata. Posso até concordar com eles.

Irene fez um leve movimento de cabeça para indicar entendimento.

– E a terceira... – Alberich deu de ombros – você se arrependeria de me dar esse trabalho.

Irene engoliu em seco. Sua imaginação era ativa, e por isso problemática, e agora estava lhe dando ideias desagradáveis sobre o que Alberich poderia fazer se ele se empenhasse. Se ele considerava matar e arrancar a pele de alguém como coisa normal, o que consideraria esforço adicional? Imagens parcialmente formadas a enojaram, e ela engoliu a ânsia. Mal conseguiu manter a voz firme.

– Mas acho que são só duas opções.

– São? – murmurou Alberich.

– Desconfio de que haja somente uma forma de eu sair daqui viva.

– Bem, é verdade – admitiu Alberich –, mas a segunda opção seria comparativamente indolor para você. Tem a minha palavra.

– Posso perguntar...

– Não. – Ele apertou os olhos. – Acho que você está tentando ganhar tempo, Ray. Preciso da sua decisão agora. Vou colocar seu amigo no acordo como um bônus, mas quero sua decisão em cinco segundos.

Quatro.

Três.

Se ela fizesse um juramento para ele na Linguagem, estaria unida a ele por toda a vida. Ele não era burro. Era o tipo de pessoa que teria preparado o discurso antes. Não haveria brechas.

Dois.

Talvez as pessoas dissessem que ele matava Bibliotecários porque ninguém nunca voltou. Mas talvez todos tivessem se unido a ele. Ela poderia se unir a um grupo secreto que mudaria a realidade e tornaria o universo um lugar melhor.

Um.

Talvez alguém que saísse por aí arrancando a pele e matando pessoas (a ordem das duas ações não tinha sido especificada) não estivesse preocupado em tornar o universo um lugar melhor. Só um pensamento.

Zero.

– Ray... – disse Alberich. Ele estava com um sorriso esperançoso no rosto, como se genuinamente quisesse que ela dissesse sim.

Ele provavelmente queria.

Ela ia morrer.

O que ela precisava era de um milagre.

O que ela recebeu foi um dragão.

CAPÍTULO 22

Irene sempre supôs, quando lia sobre rugidos de dragões, que as descrições eram figurativas ou, ao menos, hiperbólicas. Achava que expressões como "sacudiu a terra" se referiam à reverência que se tinha por dragões. Naturalmente, o mundo em torno deles se romperia com sua fúria. O que mais se podia esperar de dragões?

Mas o mundo físico não se abalava com o rugido de um dragão. Era a realidade em si que tremia.

– Mas que diabos! – disse Alberich, as palavras contrastando com o visual feminino aprumado. A mão se contraiu visivelmente no pescoço de Vale, e Irene soube com um temor doentio que ele cortaria a garganta do detetive por puro reflexo. Mas seus olhos se apertaram em pensamento. – Simples demais, Ray. Pela minha vontade e pelo seu nome, você não pode falar, nem se mexer.

Não era Linguagem, não tinha nada da ordem da Linguagem, mas as palavras dele tinham poder próprio, e a magia feérica se agarrava a elas como correntes. Irene estava presa onde estava como uma borboleta em exposição, a marca queimando em suas costas enquanto o poder da Biblioteca lutava contra o comando recebido. Ela estava consciente de tudo ao redor: os insetos esmagados, a respiração acelerada, o gotejar de sangue no pescoço de Vale, os olhos calculistas de Alberich... mas nada disso tinha utilidade. Não houve tempo para invocar a Biblioteca e forçá-lo para fora da sala como planejava. Irene ficou tão abalada quanto ele pelo rugido de Kai, mas ele se recuperou mais depressa. Isso fez com que ela se sentisse constrangida, embora tivesse de lembrar a si mesma que essa não era uma situação que daria notas ou prêmios, era uma situação em que ele iria matá-la.

Mas, apesar de toda a sua fúria, Irene não conseguia mexer um músculo.

– Uma pena – disse Alberich. – Estava bem impressionado com você. Bradamant era eficiente, mas nem remotamente tão perceptiva. Infelizmente, seu tempo para decidir acabou, se há um dragão na jogada, mas tenha certeza de que vou me lembrar de você com carinho.

A porta se abriu com força, e os olhos de Alberich se arregalaram quando ele viu quem era. Ele abriu a boca para falar, mas três balas em rápida sucessão o atingiram no meio da testa. Foram precisas e rápidas como agulhas de máquina de costura trabalhando. Ele cambaleou para longe de Vale, batendo os braços enquanto a saia balançava ao redor das pernas. Ele tateou fracamente pela mesa, mas não escorreu sangue de seus ferimentos abertos.

– **Vale e Irene, se movam livremente!** – gritou Bradamant na Linguagem. – E vão para longe dele! – acrescentou na língua normal. – Não sei se isso o matou.

– Não matou – disse Alberich. – **Arma, exploda.**

Bradamant jogou a arma para o lado bem a tempo. Ela se desfez no ar em uma explosão de metal e fogo. Bradamant se abaixou no mesmo momento, tentando se proteger. Vale se jogou para o lado enquanto Alberich fazia um gesto. Mas uma ondulação no ar atingiu Vale e o jogou contra um dos armários expositores, que explodiu em uma chuva de vidro. Houve um barulho horrível.

Vale não se levantou mais.

– Eu não devia dar tanto tempo para as pessoas decidirem – disse Alberich, e ignorou Irene, que continuava em pé, paralisada. A magia feérica ainda a segurava, envolvendo correntes em seu nome e em sua alma. – Bradamant, minha querida, você quer fazer um acordo pela vida dos seus amigos?

– Só um tolo faria um acordo com você – interrompeu Bradamant, que havia se escondido atrás de um armário grande.

– Preciso, mas impertinente. – Os buracos na testa de Alberich não vertiam sangue e estavam sobrenaturalmente escuros, sem carne nem osso visíveis. Ele levantou a mão com a palma virada para Bradamant. – Os grandes lordes feéricos não se manifestam em sua verdadeira forma nos mundos físicos. Você sabe por quê?

– O Caos deles é grande demais – respondeu Bradamant, o tom intenso, como se estivesse respondendo a perguntas na aula. – O mundo seria simplesmente desfeito.

– *Exatamente* – ronronou Alberich. – E você não ia querer isso. – O próprio ar começou a tremer ao redor da mão dele. Fumegou como se a pele dele fosse nitrogênio líquido, frio o bastante para queimar um buraco na realidade. – E para impedir essa manifestação, só preciso de um de vocês com a pele intacta...

Irene respirou fundo. Ele não a tinha proibido de fazer isso. E ela não aceitaria as amarras que ele lhe impôs. Ela era uma Bibliotecária, e apesar de isso a tornar serva da Biblioteca, também era uma proteção. A Linguagem era sua liberdade. Bradamant dissera para ela se mover livremente. Ela não podia permitir...

e sua marca era um peso em suas costas, um fardo pesado, tentando forçá-la a ficar de joelhos

... ela não iria...

ferro quente e branco, queimando-a

... permitir que ele fizesse isso. Ela se recusava a se submeter. Mesmo ele sendo um monstro, uma coisa que havia matado Bibliotecários mais grandiosos do que ela, Irene *não aceitaria a limitação imposta por ele.*

Irene abriu a boca. O pequeno movimento de abrir os lábios pareceu levar anos enquanto ela olhava o fogo negro florescer ao redor da mão de Alberich. Ela procurou alguma coisa para distraí-lo e que lhe desse tempo de invocar a Biblioteca. E a ideia lhe ocorreu em uma inspiração repentina.

– **Pele de Jennifer Mooney, saia desse corpo agora!**

E saiu. Em farrapos, como uma peça de roupa se abrindo nas costuras. A chama ao redor da mão de Alberich morreu, e ele escancarou a boca em um uivo de dor. O vestido se desintegrou, caindo como os fragmentos pálidos de pele. O que havia por baixo foi tão doloroso para os olhos de Irene que ela precisou se virar e protegê-los com a mão. Por trás da pele roubada, Alberich era um buraco vivo para algum lugar ou universo que não devia existir em nenhum plano humano. Naquele breve momento, ela viu músculos vivos, tendões e sangue; mas também cores e massas que deixaram áreas queimadas em sua retina. Ela viu coisas se movendo, coisas que envergavam a luz ao redor, e estruturas instáveis que não faziam sentido. Toda a realidade dela de repente pareceu tão frágil quanto uma cortina que alguém podia rasgar a qualquer momento. Irene sabia que estava gritando, e conseguia ouvir Bradamant gritando também. Mas, por trás de tudo, estava

Alberich, com a voz mais alta do que qualquer tom humano, gritando de pura fúria e dor.

Então é por isso que ele tem de usar uma pele, pensou ela com agitação, como se as palavras pudessem formar uma corrente até a sanidade, elo a elo. *É por isso que ele tem de usar uma pele...*

Alberich se virou e apontou para Irene, e a realidade se distorceu com seu gesto. O piso de madeira apodreceu debaixo dos pés dela, com bocas se abrindo para engolir traças mortas e morder seus tornozelos. Nós densos de teias caíram do teto, cheios de aranhas e cinzas.

– Eles virão atrás de você – sussurrou Alberich. A voz dele mudou de novo; não era mais feminina, nem a voz de Aubrey, mas outra coisa. Uma coisa que zumbia como as teclas de um piano desafinado, longe das harmonias humanas normais e criando uma música mais dolorosa. – Você me machucou e eu vou machucá-la de volta, vou entregá-la para os Cantores Brancos e para as Torres Caídas...

Uma parte da teia caiu no rosto de Irene, e o puro horror de ter de tirá-la, de sentir as aranhas começando a andar em seu cabelo, acabaram por trazê-la de volta à sanidade. Seu horror saiu de uma coisa alienígena e profunda para uma repulsa mais mundana, mais humana. Ela precisava de um momento para dizer o nome da Biblioteca e invocá-la. Esse era o plano. Por mais minimalista e desprezível que fosse, esse era o plano. Mas Alberich saberia assim que ela começasse, e ela tinha toda a atenção dele. Ela nunca chegaria a emitir a palavra.

Bradamant estava gritando. Nenhuma ajuda viria dali. E Vale estava inconsciente. Ela esperava. Melhor inconsciente do que morto.

O vidro rachou e os estilhaços de outro armário expositor, transformados em pássaros cantores com garras cintilantes e bicos afiados, rasgaram o vestido dela. Ela levantou o braço para proteger o rosto, e um pássaro de vidro atacou sua mão, batendo asas e deixando arranhões profundos. O sangue escorreu como tinta por seu braço.

Claro. Afinal, uma Linguagem era bem mais do que a palavra falada.

Irene fechou as mãos ao redor do pássaro e caiu de joelhos. Conseguia se ouvir gritando de dor enquanto a coisa cortava a palma de sua mão e seus dedos, mas parecia meio distante. As impossibilidades ao redor dela eram bem mais reais e viscerais do que a dor. Ela se perguntou rapidamente se a coisa estava destruindo sua mão. De novo. Mas em comparação à sua vida ou à sua sanidade, a escolha era clara.

Pelo cabelo embaraçado e cheio de teias ela viu Alberich levantar a mão, talvez para invocar mais horrores ou dar o golpe fatal.

Alberich podia tê-la impedido se ela tivesse tentado falar. Ele a ignorou quando ela jogou o pássaro que se debatia na madeira destruída do piso, enquanto o arrastava para fazer um corte longo e cheio de sangue. Ele só riu quando mais detritos caíram, do agora instável teto, sobre os ombros dela. Mas ela precisava de uma desculpa para explicar suas ações, de alguma coisa que ele esperava que ela tentasse.

Irene levantou as duas mãos e apontou o pássaro de vidro ensanguentado para ele.

– **Chão!** – gritou ela na Linguagem. – **Engula Alberich!**

A ampla área de madeira podre ondulou ao redor dos pés dele, mas ele se manteve acima, como se andando na água.

– Vamos tentar ao contrário, certo? – Ele riu dela. – Desça e se *afogue* nele!

Irene já estava de joelhos. Sentiu a madeira subir ao redor das suas pernas como uma lama densa, deslizando até suas coxas. Não encharcava a saia como se fosse água, mas se contraía nela como lábios famintos. Ela teve um momento de pânico: o que aconteceria se sua ideia não desse certo? Ela se permitiu gritar e, motivada pela energia desse pavor, passou o pássaro de vidro no resto do chão. De novo e de novo, enquanto afundava na madeira, como se estivesse tentando se salvar. Seu sangue molhou os sulcos enquanto a madeira se fechava em sua cintura. As marcas do pássaro se destacavam no chão que escorria lentamente. Talvez por estar escrito na Linguagem, ou só porque *tinha* de funcionar, senão ela estaria mais do que morta.

– Implore a mim, e salvo você – disse Alberich com alegria. – Implore e a tornarei minha aluna favorita, minha doce criança...

Agora uma teia cobria os olhos dela. Ela trabalhava sem enxergar nada.

Mas havia coisas que ela sabia até no escuro.

– Não – respondeu, e cortou a última linha no piso. O símbolo que representava a própria Biblioteca aparecia claramente na madeira ondulante entre eles.

A Biblioteca não chegou como um dragão rosnando ou ondas de Caos, mas como uma luz que não estava na sala antes, mais penetrante e mais clara do que os lampiões esvoaçantes. As teias que se agarravam ao seu rosto e ombros caíram como poeira fina. A autoridade da Biblioteca latejava pela sala em um sussurro firme, como páginas virando em câmera lenta, e a estabilidade veio em seguida. O chão agora estava firme sob os joelhos de Irene, e o vidro na mão dela era afiado, mas não era um pássaro vivo. A luz até emudeceu o horror da forma de Alberich, transformando-o em uma coisa vista como se por vidro fosco, se afastando cada vez mais...

Ele *estava* efetivamente se afastando lentamente. A presença da Biblioteca o estava afastando, e apesar de o toque parecer bem-vindo à ela, como uma sensação de *lar*, estava empurrando Alberich para longe. E se os sons que ele fazia serviam de parâmetro, sua expulsão era pura agonia.

Mas ele ainda não havia terminado com ela. A escuridão brilhou em seus olhos e por sua boca aberta.

– Você chama isso de vitória, Ray?

Nesse momento, as costas dele tocaram na parede e ele começou a atravessá-la. A parede se afinou até ficar transparente ao redor dele enquanto ele lutava, parcialmente imerso, como âmbar ao redor de um inseto pré-histórico.

Enquanto eles olhavam, as costas de Alberich se arquearam e ele gritou; mas isso foi em uma escala diferente de qualquer outra coisa que Irene já tivesse ouvido. Ela sentiu o coração pular em uma solidariedade indesejada enquanto via a punição que ele sofria: Alberich foi crucificado entre a realidade da Biblioteca e a barreira que Kai criara lá fora, uma *coisa* retorcida do Caos presa entre duas superfícies de realidade.

Irene percebeu que não tinha a menor ideia do que aconteceria em seguida. Não sabia. Não se *importava*, desde que o levasse para longe dali. Não havia lugar para esse tipo de irrealidade naquele mundo. Era abominável. O que ele fez a si mesmo para virar isso? Que tipo de barganhas fez?

– Me liberte... – disse Alberich sufocando com o sangue escorrendo de sua boca. – Você não pode confiar em dragões... eles vão se virar contra você também... me solte e eu lhe conto.

– Não seja idiota – disse Bradamant com desprezo. Ela estava se levantando do chão, com o vestido em frangalhos, se apoiando em uma cadeira destruída. – Você acha mesmo que o libertaríamos agora?

Obrigada por declarar o óbvio de forma tão solícita, pensou Irene, mas conseguiu não dizer nada. Só balançou a cabeça. Lentamente, uma chama ardendo como algo que poderia ser esperança nascia dentro dela. O que eles fizeram machucou Alberich. Deixou-o com *medo*.

Eles podiam efetivamente vencer.

Ela não tinha percebido o quanto imaginava que já haviam perdido.

– **Vocês vão se arrepender disso** – sussurrou Alberich na Linguagem.

A luz aumentou e ele diminuiu proporcionalmente, recuando para longe delas como uma mancha que desaparecia. Seu último grito ecoou pela sala, estilhaçando o que restava de vidro e jogando livros para fora das prateleiras.

Irene teve um último vislumbre do rosto dele, um rosto humano, lívido de fúria, na hora em que sumiu.

– Irene! – Bradamant repentinamente estava ali e ela havia perdido alguns momentos do tempo. Estava olhando Alberich sumir e, em seguida, Bradamant estava com um braço no ombro dela, fazendo-a se sentar. Vale... mas Vale não estava inconsciente? Vale estava mexendo nas mãos dela.

– Irene escute, prometo que não vou pegar – disse Bradamant. – Dou minha palavra na Linguagem agora se você quiser, e Vale está aqui como testemunha. Se você soltar esse livro, será bem mais fácil cuidarmos das suas mãos. Irene, por favor, me *escute*, me diga alguma coisa...

A porta se abriu. De novo.

– Irene! – Era Kai gritando. Irene só podia torcer para não haver nenhum civil por perto para ouvir. – Bradamant! O que você fez com ela?

Dez pontos por sua genuína preocupação com o meu bem-estar, decidiu Irene, *e menos um milhão por sua capacidade de percepção.*

– Por favor – disse Vale com cansaço na voz. – Foi aquela pessoa, Alberich. Seu plano funcionou perfeitamente, mas infelizmente a senhorita Winters está em estado de choque. Se puder nos ajudar a persuadi-la a relaxar para podermos fazer um curativo em suas mãos... tenho um pouco de conhaque aqui.

– Não desperdice isso nas minhas mãos – murmurou Irene. Ela nem tinha se dado conta de que havia pegado o livro. Deixou Bradamant tirar o livro de debaixo de seu braço. – Preciso de um gole.

– Senhorita Winters! – exclamou Vale.

– Aliás, dois goles, grandes. Estou em choque, me dê o conhaque.

– Mas as suas mãos – protestou Vale – precisam de cuidados imediatos.

Irene não queria olhar, mas se obrigou. Havia cortes profundos nas duas palmas e nas partes internas dos dedos. Porções de pele pendiam soltas, e ela achou que conseguia ver o osso. Afastou o olhar antes de se constranger vomitando. Sua saia estava molhada de sangue. Ela devia estar em choque, senão estaria doendo bem mais do que estava. Ela nunca se machucou tanto. Nem sabia se seria possível se curar.

– Há pessoas na Biblioteca que podem cuidar disso – ela disse com firmeza, rezando desesperadamente para não estar mentindo para si mesma. Suas palavras saíram apressadas, velozes e profissionais, uma distração da realidade em suas mãos. Ela conseguia ouvir o tom leve forçado em sua voz, que parecia vir de uma grande distância, como o cantarolar de pequenos pássaros muito longe.

– Senhor Vale, obrigada por sua ajuda, e lamento pelo senhor ter sido arrastado para isso. Bradamant, você pode, por favor, verificar a porta, a interna com a passagem para a Biblioteca, para ver se há alguma armadilha?

– Acho que não poderia haver nenhuma influência estrangeira depois que você invocou a Biblioteca neste lugar – disse Bradamant delicadamente.

– Ah. – Ela devia estar mais em choque do que achava. – Tudo bem, então. Kai, por favor, me ajude a levantar.

Kai passou um braço ao redor dela e a ajudou a ficar em pé. Em outras circunstâncias, podia ter tido mais cuidado ao se apoiar nele, mas no momento não pareceu tão importante. Então, se apoiou nele. Estava ferida. Ele era seu colega. Era puramente sensato.

As roupas dele estavam desgrenhadas, mas ainda estavam lá. Então virar dragão não queria dizer que se perdiam todas as roupas. Pareceu algo excessivamente importante, e ela guardou a informação para fazer perguntas depois.

– Tem certeza disso? – Kai perguntou baixinho.

– Acho melhor sairmos daqui antes que alguma pergunta precise ser respondida. – *Esse* raciocínio sábio era incutido em todos os Bibliotecários desde cedo.

– Hã-hã. – Vale tentou limpar o sangue que havia na gola de sua roupa, o que não fazia muito sentido considerando seu estado geral desgrenhado. – Apesar de eu estar disposto a incitar Singh a, bem, encobrir isso tudo, também estaria interessado em saber mais sobre isso. Antes de ir, senhorita Winters, todos os senhores... vocês podem me contar a última história deste livro?

Bradamant abriu a boca, e a primeira palavra obviamente seria *não*, assim como todas as outras.

Irene levantou a mão para impedi-la.

– Senhor Vale, tem certeza de que deseja que relatemos para nossos superiores que o senhor o leu? Seja lá o que for?

– Tenho dificuldade de acreditar que já não vão supor isso de qualquer jeito – respondeu Vale secamente.

348

Era verdade.

– Acho que não há motivo para você não olhar por cima dos nossos ombros enquanto verificamos se é o livro certo – disse Irene lentamente. Ela lançou um olhar rápido para Kai, mas ele foi sensato o bastante para ficar de boca fechada e não mencionar que já tinham verificado. – Bradamant, você disse para verificar a octogésima sétima história, correto? – Ela indicou o livro, agora nas mãos de Bradamant. – Eu mesma abriria, mas minhas mãos...

Bradamant repuxou os lábios e depois assentiu. Talvez estivesse sendo solidária. Ou talvez pretendesse culpar Irene por cada segundo de exposição não autorizada. Ela limpou as mãos da poeira e do sangue na saia maltratada do vestido e abriu o livro.

– A octogésima sétima história, isso mesmo. A História da Pedra da Torre de Babel.

Ela deu um suspiro profundo.

– Está aqui. Oitenta e sete de... oitenta e oito?

O silêncio pairou na sala como se todos estivessem pensando nesse ponto. Se era incomum que uma octogésima sétima história existisse, o que a octogésima oitava estaria fazendo ali? Bradamant podia ter recebido um mero indicador em vez de o verdadeiro motivo para o livro ser tão importante...?

– Meu alemão não é muito bom – disse Kai na defensiva.

Bradamant deu um suspiro exausto.

– *Era uma vez* – ela começou a traduzir – *um irmão e uma irmã que pertenciam à mesma Biblioteca. Era uma biblioteca estranha, pois guardava livros de mil mundos, mas ficava fora de todos eles. E o irmão e a irmã se amavam e trabalhavam juntos em busca de novos livros para a Biblioteca...*

– Não estou surpreso de sua gente não querer que isso se espalhe por aí – disse Vale com satisfação.

Bradamant parou para levantar as sobrancelhas para ele antes de continuar.

– *Um dia, o irmão perguntou para a irmã: "Como essa Biblioteca contém todos os livros, também contém a história de sua fundação?".*

– Não – disse Irene.

– Mas deve ter – disse Kai. – Nós só não devemos ter acesso a ela ainda.

– *Se* vocês não se importam – disse Bradamant.

– Peço desculpas – disse Kai.

Bradamant assentiu friamente e continuou.

– *"Acho que sim", respondeu a irmã. "Mas não seria inteligente procurar". "Por quê?", perguntou o irmão. "Por causa da natureza do segredo da Biblioteca", respondeu a irmã, "que nós dois temos marcado nas costas."*

– Tem o ritmo exato de uma história dos Irmãos Grimm – disse Vale, solícito. Irene sentiu uma coceira nas costas.

– *O irmão nunca antes havia se dado ao trabalho de olhar a marca que tinha nas costas* – prosseguiu Bradamant. – *Mas, naquela noite, ele procurou um espelho e leu o que havia escrito na pele, e o que leu o deixou louco. Ele então saiu da Biblioteca e se juntou aos seus inimigos contra ela. Mas, mais do que tudo, jurou vingança contra a irmã, pois ela disse as palavras que o colocaram naquele caminho. Cem anos depois, sua irmã voltou para a Biblioteca após uma missão e esperava um filho.*

– Cem anos? – disse Vale.

– Pode acontecer – disse Irene. – Se ela estava em um alternativo onde havia alguma forma de desacelerar o envelhecimento. Alta tecnologia ou alta feitiçaria. Mas a gravidez seria o problema...

– Sim, exatamente – disse Bradamant. – *E isso causou muitos problemas, pois não podia haver nascimento, nem morte dentro da Biblioteca. Mas ela temia colocar o pé fora dela, com medo de o irmão encontrá-la. Então, com sofrimento, implorou para que abrissem sua barriga e tirassem a criança, assim o fizeram, e ela deu à luz. Costuraram sua barriga com um fio de prata e a esconderam em meio aos cofres mais profundos, com medo de o irmão voltar a procurá-la.*

Irene sentiu o estômago se contrair com um medo gelado, lenta e deliberadamente.

– Então era por isso que ele queria este livro – sussurrou ela. – Não era para ganhar poder sobre este mundo. Era porque...

Ela não sabia como dizer. Porque alguém sabia isso sobre os segredos dele? Se o texto era dos Irmãos Grimm, teria sido escrito séculos antes. Mas o tempo não queria dizer nada nas profundezas da Biblioteca, desde que a pessoa ficasse lá. E Alberich tinha... Bem, ninguém sabia quantos anos Alberich tinha. Mas quantos anos a irmã dele teria? Ela ainda estaria lá?

– Uma irmã – murmurou Kai. Ele apertou os olhos em pensamento. – E o filho da irmã. Como termina?

– É *assim* que termina. – Bradamant fechou o livro, hesitou e colocou-o novamente sob o braço de Irene. – Pronto. Agora, temos de sair daqui imediatamente. Senhor Vale, espero que possamos contar com o senhor...

– Acho que não ajudaria em nada tornar a situação pública – disse Vale com determinação. – Tenho certeza de que posso encontrar alguém em quem pôr a culpa: a Irmandade de Ferro, talvez, ou Lorde Silver. Ele ficará muito infeliz de se ver sem livro, sem conclusão e sem inimigo. – A ideia o fez sorrir. – Mas apreciaria muito a chance de falar com os senhores novamente.

Irene se recompôs.

– Isso depende de nossos superiores. – Uma honestidade irritante a motivou. – Entretanto... se tivermos a oportunidade, também gostaria. Mas, por enquanto...

– Exatamente – disse Bradamant. Ela andou até a porta mais distante. – Kai, se ela não conseguir andar, carregue-a.

– Um pouco de conhaque teria ajudado – reclamou Irene conforme Kai a levava pelo chão escorregadio. Ela esperava que Vale não tivesse ideias idiotas de segui-los pela entrada. – E eu sou bem capaz de andar sem ser arrastada.

– Me permita esse pequeno serviço – disse Kai no ouvido dela. – Depois de me expulsar e me negar a chance de protegê-la, e de ficar tão machucada, devo *insistir*.

Bradamant colocou a mão na maçaneta, murmurou na Linguagem, e o ar tremeu. A porta se abriu e exibiu fileiras de estantes atrás.

– Dizem para não entrarmos em discussões que não podemos vencer – sussurrou Irene. Agora ela estava cansada e suas mãos latejavam de dor.

Eles entraram e a porta da Biblioteca se fechou atrás deles.

CAPÍTULO 23

A porta se fechou com um estalo férreo e sólido. Alguém havia melhorado os pôsteres de aviso na sala da Biblioteca. Agora, todos tinham tinta vermelha e fonte gótica, e, enquanto seus pensamentos vagavam, Irene se perguntou se tinham sido impressos ou feitos à mão.

– Sente-a aqui – Bradamant instruiu Kai, assumindo uma atitude de ordem como se fosse uma chefe. – Vou buscar ajuda.

– Só um momento – interrompeu Irene, desconfiando de que, quando Bradamant saísse dali, não voltaria por um tempo, e havia uma coisa muito importante que Irene queria dizer antes.

– Você mal consegue ficar em pé – disse Bradamant, descartando a ideia. – Precisa de ajuda.

Kai olhou ao redor em busca de uma cadeira, não viu nenhuma e a baixou lentamente, até que ela sentasse no chão.

– Irene, Bradamant está certa – disse ele, em um tom paciente que homens solidários usam com mulheres histéricas. – Você está ferida.

– Cale a boca – disse Irene, e viu o queixo dele cair com sua grosseria. Ela estava tonta e suas mãos pareciam ter sido mergulhadas em arame farpado derretido. Mas ela tinha de dizer isso antes que perdesse a força de vontade. – Bradamant, você se intrometeu na minha missão, me drogou e tentou roubar meu livro, e, de modo geral, violou um número enorme de regras não escritas. Verdade ou mentira?

Bradamant olhou para ela. Como sempre, mesmo com as roupas em farrapos, sua postura era elegante sem nenhum esforço, e Irene se sentiu mais maltrapilha do que o habitual, sentada no chão como estava. Por um momento, Bradamant ficou em silêncio, mas finalmente disse:

– É verdade.

– E?

Bradamant deu de ombros.

– Posso pedir desculpas, mas espero que você não ache que vou dizer que sinto muito.

– Não espero nada do tipo – disse Irene cuidadosamente. – O que quero...

– Sim?

– O que quero é que paremos de desprezar tanto uma à outra. É uma perda de tempo e de energia.

Bradamant levantou as sobrancelhas.

– Minha querida Irene, para eu desprezá-la, teria de me dar ao trabalho de...

– Ah, por favor – interrompeu Irene. – Você me contou tudo, lembra? Você me acha uma pirralha mimada e adoraria me ver falhar de forma pública e óbvia, mesmo preferindo não me ver morta por causa disso. Você não se daria ao trabalho de fazer um insulto desses se não quisesse me ferir. – Irene viu as bochechas de Bradamant ficarem vermelhas. O braço de Kai apoiando-a foi um consolo que a ajudou a segurar as pontas. – Acho que o que você quer, o que nós duas queremos, é servir genuinamente à Biblioteca.

354

– Advérbio entre verbo e objeto – disse Bradamant com desprezo.

– Coloque no seu relatório – disse Irene, com o cansaço desanimando-a. – Só não perca mais tempo me odiando, certo? E tentarei parar de fazer a mesma coisa. Porque acho que não está ajudando, acho que não está ajudando nenhuma de nós.

– Vá buscar ajuda agora – disse Kai rispidamente para Bradamant.

– Por favor? – Irene se obrigou a levantar o rosto e a olhar nos olhos de Bradamant. – Pense no assunto.

– Achei que você queria que parássemos de pensar tanto uma na outra – disse Bradamant friamente. Deu meia-volta e saiu andando, balançando a saia.

A visão de Irene foi diminuindo conforme Bradamant sumia de vista.

– Pense no assunto – murmurou ela, as palavras densas e pesadas em sua boca.

Os dedos de Kai afundaram nos ombros dela o bastante para fazê-la recuperar o foco.

– Se você desmaiar agora, eu te mato – disse ele em tom suave.

– Meio contraproducente – disse Irene.

– Me animaria como nenhuma outra coisa. – Kai se inclinou para mais perto, com o rosto a centímetros do dela. – Você me mandou para longe, você *me mandou para longe* e quase morreu. Tem ideia do quanto isso foi idiota?

Talvez ele estivesse perdendo o controle, porque sua pele parecia um alabastro com veios azuis, e o cabelo também parecia azul-escuro, tão escuro que era quase preto. Havia uma fúria profunda em seus olhos que estava longe da raiva humana. Era possessividade, orgulho e uma espécie de sentido de propriedade também.

– Deu certo – disse Irene, conseguindo retribuir o olhar. As pupilas dele também não eram mais humanas. Estavam partidas como as de uma cobra, como as do outro dragão que ela conheceu. Mas a pessoa por trás delas era mais real para ela do que Silver e sua aparente humanidade. Ou o que quer que tivesse olhado para ela da pele roubada de Alberich. Ela queria encontrar as palavras para dizer isso para ele. – Nós o afastamos. Obrigada.

– Ele colocou você em perigo! – interrompeu ele. – Eu não devia ter deixado nenhum humano vivo lá dentro!

Ela podia ter agradecido por ele ter obedecido e confiado nela, ou talvez porque podia confiar nele. Mas, por algum motivo, talvez para distraí-lo, Irene disse:

– Por me ajudar a salvar a vida de Vale. Gosto dele.

Para sua surpresa, isso fez Kai se virar de lado e abaixar a cabeça, com um rubor forte surgindo nas bochechas pálidas com ossos altos. Os dedos afundando no ombro dela relaxaram um pouco, e havia uma coisa mais humana no rosto dele.

– Ele é um homem a ser valorizado – murmurou ele. – Fico feliz de você também aprová-lo.

Devia ser uma concessão e tanto um dragão admitir que gostava de um humano.

– Certo – murmurou ela. – Definitivamente. Você pode me arrumar um pouco de capim? – Ela percebeu que tinha usado a palavra errada. – Café, quis dizer café, estou meio tonta.

– Fique parada. – Que burrice a dele; ele achava mesmo que ela correria até algum lugar? – Bradamant vai buscar ajuda.

– É só um ferimento leve – murmurou ela, mas então a escuridão surgiu em seus olhos e a engoliu.

A claridade voltou relutantemente, filtrada por longas persianas. Irene estava deitada em um sofá, com as mãos cheias de bandagens postas no colo. Estava em uma das salas que davam vista para a cidade desconhecida fora dos muros da Biblioteca. Alguém havia tirado seus sapatos e arrumado as dobras de seu vestido para que cobrissem os pés envoltos pela meia-calça. Essa coisinha pequena, por menor que fosse, permitiu que ela relaxasse. Só havia uma pessoa que se daria a esse trabalho.

– Coppelia – disse ela, levantando a cabeça para olhar para sua supervisora. A tensão dentro dela diminuiu um pouco. Coppelia sempre era justa. Também era outras coisas, como sarcástica. E seu nível de expectativa desafiaria um atleta olímpico do salto em altura. Mas ela podia contar com Coppelia.

– Garota esperta. – Coppelia estava sentada em uma cadeira de costas altas perto do sofá. Uma escrivaninha portátil cobria seu colo, cheia de folhas de papel escritas à mão, cobertas com a Linguagem. Ela estava sentada de forma que a luz caía sobre a escrivaninha, mas deixava seu rosto e ombros na sombra. Ela se mexeu, e suas articulações estalaram. – Você acha que está forte o bastante para fazer um relatório?

Irene esfregou os olhos com o antebraço.

– Podemos ter um pouco mais de luz aqui? – Os painéis fluorescentes no teto estavam apagados, e a parca iluminação entrava pelas persianas, deixando a sala toda na penumbra, dando-lhe uma sensação de ambiente irreal, como um filme em preto e branco, no qual a desolação era parte deliberada do trabalho artístico.

– Ainda não – disse Coppelia. Havia certa cautela em sua voz, embora, como sempre, o rosto estivesse vazio e ilegível. Seu cabelo branco reluzente estava trançado embaixo de um chapéu azul marinho, um contraste forte com a sua pele escura. Na luz fraca, compunha um padrão de claridade e escuridão aos olhos cansados de Irene. Os dedos artificiais de madeira entalhada da mão esquerda bateram na mesa da escrivaninha, uma coisa que Irene achou reconfortante e familiar. – Você forçou seu corpo de várias formas que nem entende. Estamos extraindo parte das energias em excesso, mas no momento você precisa ser rigorosamente protegida de qualquer tipo de estímulo.

Irene levantou as sobrancelhas.

– Você não acha que contar minha história será estimulante?

Coppelia deu uma risadinha ofegante.

– Para mim, talvez. Para você, será apenas um desabafo.

– Que chato – disse Irene. Então sentiu o vazio na lateral, o espaço entre o braço e as costelas onde antes estava agarrando o livro. Ela se mexeu com as mãos cobertas de ataduras, tentando encontrá-lo. – O livro... dos Irmãos Grimm...

– Infelizmente, Irene, você merece nota sete em reações imediatas – disse Coppelia com alegria. – Sim, ele está protegido, assim como a carta de Wyndham. Acho que seria demais esperar que você não a tivesse lido, certo? Claro que seria. O que qualquer pessoa faria nessas circunstâncias?

– Bom, ah, sim – disse Irene, torcendo para a solidariedade se traduzir em leniência. – É claro que tive de verificar se se tratava do livro certo.

A voz de Coppelia continuou alegre, mas seus olhos endureceram.

– E *como*, exatamente, você verificaria se era o certo?

Foi nessa hora que Irene decidiu o quanto queria jogar Bradamant na fogueira. *Bem, Bradamant estava tentando roubar o livro. Antes que eu pudesse trazê-lo de volta, ela me envenenou e me deixou em um lugar que, segundo ela mesma admitiu, pensou que fosse seguro. Mas ela me despreza, e eu também não gosto muito dela...*

– Encontrei Bradamant lá – disse Irene, agradecida por não estarem falando na Linguagem. Ela não ia mentir, mas... bem, podia haver um certo elemento de flexibilidade. Ela sabia, e Coppelia provavelmente sabia, mas era melhor que isso ficasse subentendido. – Quando ela descobriu minha missão, ofereceu informações adicionais que ajudaram a identificar o livro. Ela também nos ajudou a lutar contra Alberich.

– Demérito por usar o verbo "ajudar" duas vezes seguidas – disse Coppelia. – E depois? Posso concluir que ela também o leu?

– Só o mesmo que eu li – respondeu Irene, sentindo-se metaforicamente sobre gelo fino.

– Que foi? – insistiu Coppelia.

– A octogésima oitava história.

Ela gostava de verdade de Coppelia e achava que era recíproco. Não era só o tipo de amizade que podia florescer entre qualquer mentor e aluno, mas uma afeição real e sincera. Fazia com que ela trouxesse livros de missões só porque Coppelia poderia gostar. Fazia com que lubrificasse as articulações mecânicas de Coppelia ou só passasse horas conversando com ela na Biblioteca atemporal, onde não havia dia nem noite. Havia companheirismo sob aquelas luzes sempre acesas, enquanto observavam as janelas mudando no mundo estranho que havia além. Ela pensou nisso tudo e sentiu uma barreira subindo entre as duas na hora que os olhos de Coppelia se contraíram.

– E suas conclusões? – perguntou Coppelia de modo neutro.

– Alberich tinha uma irmã – disse Irene. Não era a hora, nem o lugar para fingir burrice. – A irmã teve um filho. E

Alberich quer esconder essa informação ou está procurando por eles, ou as duas coisas. Ou talvez fosse só o fato de o livro estar ligado ao destino daquele mundo, o que lhe daria poder. A história sobre os irmãos e a criança podia ser pura coincidência. Mas não acho que seja. E você não acreditaria em mim se eu dissesse que achava.

– E isso é tudo que você acha? – insistiu Coppelia. A expressão seca no canto de sua boca mostrava uma concordância tácita com a última declaração de Irene.

– É tudo de que consigo ter certeza. – Houve uma pontada de dor na têmpora de Irene, e ela levantou a mão coberta pelo curativo para massageá-la. – Não consigo entender por que Alberich teria tanto trabalho para encontrar o livro se fosse só algum tipo de tática de distração para afastar os olhares de uma trama maior. E ele teria feito todo esse esforço apenas por causa de um esquema relacionado àquele alternativo, mas caçar o livro pareceu tão pessoal para ele... E se Kai não estivesse lá comigo, eu teria morrido. – Ela fez o melhor para lançar um olhar de reprovação para Coppelia. – Você sabia sobre Kai.

– O que você consegue identificar em poucos dias eu tenho ao menos uma possibilidade de reparar ao longo de vários anos – disse Coppelia com arrogância. Mas ainda havia aquela leve cautela por trás de seus olhos. – Ele sabe que estou ciente da natureza dele?

– Não sei – respondeu Irene. – Ele sabe que eu sei.

– Bem, claramente – disse Coppelia. – E ele sabe que você me contaria o que sabe?

– Ele ficaria surpreso se eu não contasse – disse Irene depois de pensar por um momento. – As opiniões dele sobre lealdade são bem claras. – Ela reparou que Coppelia não estava perguntando se ela *gostava* de Kai. E ao ver que gostava, achou melhor guardar o sentimento para si. Se estavam procurando uma desculpa para atribuí-lo a outra pessoa, que era a última coisa que ela queria, reconhecer que seus sentimentos por ele não eram nada objetivos teria exatamente esse efeito. O que seria ruim. Então, ela evitaria a subjetividade, ou pelo menos ser pega nela.

– Bem, ele *é* um dragão – disse Coppelia, assentindo. – Faça a gentileza de não especular muito com ele sobre o quanto já entendemos sobre ele, a não ser que a situação exija. Você saberá quando. Por enquanto, temos de supor que ele compreende que sabemos tudo.

– Tudo?

– Somos a Biblioteca – observou Coppelia. – O que não sabemos, pesquisamos. Agora me conte o resto.

Irene fez um relato breve e factual dos detalhes... *e havia Alberich*. Alberich ocupou boa parte do relato. Mesmo naquele momento, Irene achou não só mais fácil, mas essencial para sua sanidade ser minimalista em suas descrições.

Sua vontade atual de segurar todo mundo que encontrava e verificar que não era Alberich disfarçado provavelmente passaria. Ao menos ela esperava que sim.

Finalmente, ela parou de falar. Parecia que elas tinham voltado para o tipo de conversa informal das missões anteriores. Tudo era mais simples antes, e a arrogância facilitava que Irene falasse espontaneamente sobre segredos, sobre a forma como os Bibliotecários mais velhos podiam usá-la como peão. Agora que isso tinha provavelmente acontecido, era bem menos intrigante. Parecia uma farpa em sua mente, que doía quando ela pensava no assunto.

– Você poderia ter me dado mais informações? – perguntou Irene por fim.

– Você foi avisada sobre Alberich assim que tivemos certeza de que ele estava naquele alternativo – respondeu Coppelia delicadamente. – Antes disso, você talvez tivesse conseguido completar a missão com as informações fornecidas. Você se sente mais segura, com o conhecimento que tem agora, sabendo que ele desconfia que você o tenha?

Ela ia responder *Na verdade, não*, mas havia mais na pergunta do que aquilo.

– Eu me sinto mais capaz de lidar com a questão agora que tenho uma ideia do que está acontecendo – disse Irene. – Pessoas tendo colapsos nervosos por causa de conhecimentos que o homem não deveria ter... isso acontece em literatura de horror, não na vida real.

– Sim. – Coppelia suspirou. – E sim, sei que você prefere literatura policial.

– Histórias de detetives – corrigiu Irene.

Coppelia levantou a sobrancelha.

– Há mais alguma coisa?

Irene tentou adivinhar o que ela queria dizer, mas desistiu.

– Como o quê?

– Isso de alguém que alega ser uma investigadora.

– Mas nunca aleguei... – Irene tentou dizer.

– Devo dizer que acho que você podia ter feito um trabalho melhor como agente disfarçada.

– Mas era uma situação muito complexa e com informações limitadas – Irene disse de repente. Parecia uma avaliação dos pesadelos dela. Ela conseguia sentir que estava se encolhendo no sofá.

– Ah? – Coppelia cruzou os braços de uma forma que praticamente telegrafava seu julgamento severo. – Minha jovem, apesar de ser minha aluna, você ultrapassou uma série de limites nessa situação. Revelou fatos sobre a Biblioteca a pelo menos duas pessoas não envolvidas.

Irene decidiu desistir.

– Você encorajou a manifestação de um dragão em público.

– Calma *aí*. – Isso foi um pouco demais. – Eu não sabia que era uma violação das regras da Biblioteca, e foi a Biblioteca que o mandou comigo!

– Seus comentários foram registrados – disse Coppelia. Ela parecia quase entediada, mas havia um brilho de diversão em seus olhos. – Naturalmente, vou considerá-los integralmente. Também tentarei apresentá-los de forma adequada e razoável para os Bibliotecários anciãos, caso precise justificar suas ações, em vez de tratá-los com uma lamentável série de desculpas.

Irene olhou para ela com irritação. Isso era mais do que injusto, era totalmente irracional.

– Eu esperava mais. Que pena. – Coppelia bateu os dedos uns nos outros e eles estalaram como besouros. – Felizmente, como sua mentora, tenho competência para lidar com essa questão, e não há motivo para levá-la a um nível mais alto. – Agora a mensagem nos olhos dela era mais clara. Era um aviso. Irene só queria ter uma ideia melhor do que queria dizer. – Como disse antes, somos Bibliotecárias. O que não sabemos, pesquisamos. E você, minha querida Irene, tem muito a pesquisar.

– Tenho? – disse Irene, prosseguindo com cautela. – Acho que talvez tenha.

Coppelia assentiu.

– Sim. Exatamente. Na verdade, acredito que eu esteja dentro dos meus direitos ao colocá-la em uma função local naquele alternativo. Mas só depois de você ter esclarecido algumas pontas soltas na investigação. Seu aprendiz vai ficar com você, claro.

Irene teve uma sensação absurda de estar em um elevador em queda livre.

– Mas... eu... Alberich...

– Com ele, pelo menos, você não precisa se preocupar – disse Coppelia. – Sem nenhum tipo de treinamento apropriado, você conseguiu bani-lo daquele alternativo. Estou impressionada. Nove pontos por seu raciocínio lógico. O que você fez vai criar uma ressonância pelas barreiras entre mundos, o que vai impedi-lo de entrar de novo por meio de magia ligada ao Caos. E é claro que ele não pode usar a Biblioteca em si. Também vai causar uma inconveniência séria aos feéricos locais, mas não considero isso particularmente importante. Pelo menos, não para a Biblioteca.

– Você quer que eu volte? – disse Irene com uma voz aguda. Ela respirou fundo e controlou a voz. – Quer dizer, você quer que eu volte em uma missão independente?

– Exatamente – disse Coppelia. Ela deu um sorriso caloroso, da mesma forma que um jacaré, ciborgue ou não, poderia sorrir depois de uma refeição de seja lá o que jacarés comessem. Bibliotecários, talvez. – Acho que, neste momento, é o melhor lugar para você. Há também uma posição de Bibliotecário em Residência disponível, e você está familiarizada com o mundo.

– Isso quase parece que você acha que lá é mais seguro do que a Biblioteca – disse Irene, hesitante.

– Você pode achar isso – disse Coppelia. – Eu não teria como comentar.

A queda livre deu lugar a uma queda vertiginosa e enorme, mas não a assustava mais. Era até empolgante.

– Vou precisar de fundos para me sustentar, e a Kai, claro, além de documentos.

– Irene – disse Coppelia severamente. – Espero que você resolva seus próprios documentos. Falando sério. Aqui – ela esticou a mão para uma pequena pasta de couro e ofereceu-a a Irene –, aqui há tudo de Dominic Aubrey, inclusive as contas bancárias. Trate de transferir o dinheiro. Mande Kai se passar por um primo distante, ou algo assim. Tenho certeza de que seu amigo Vale ficará feliz em ajudá-la.

Irene corou.

– Você acha?

– Ele parece um homem prático. Acho que vai preferir tê-la ao lado dele. – Irene parou para pensar. – Você provavelmente não ficará com a sala de Aubrey, então precisa nos notificar quando tiver aposentos. Assim, qualquer futuro visitante ao alternativo saberá onde encontrá-la. Você será a Bibliotecária em Residência, afinal.

– Serei? – perguntou Irene, e corou novamente, dessa vez por humildade genuína em vez de por mero constrangimento. Bibliotecária em Residência era uma posição de certa responsabilidade. Era algo que ela não pensava em ter de fazer por várias décadas ainda. A empolgação começou a dar lugar ao pânico. – Não sei o que dizer...

– Obrigada e adeus devem bastar – disse Coppelia bruscamente. – Agora, venha. Aqui está você, sentada, com Kai agitado e preocupado com você. Uma palavra de conselho. Não se machuque se houver possibilidade de ele se meter na frente. Ele ficará bem mais chateado do que você.

– Coppelia. – Irene respirou fundo. – Por quê?

A mulher idosa fechou os olhos por um momento. Ela era frágil, mesmo para a Biblioteca, e o braço e as pernas de madeira eram as únicas coisas sólidas nela. O resto era pele frágil, cabelo de teia de aranha e olhos frios como estrelas negras.

– Não pergunte – disse ela com a voz cansada. – Não diga nada, assim não preciso responder. Se alguém perguntar depois, vamos poder dizer de verdade que nada foi dito. Você sempre evitou fazer perguntas no passado, mas estamos sem tempo para isso agora. É verdade que precisamos saber mais. Você sabe as perguntas. Vá procurar as respostas e me deixe relatar que a enviei para investigar. É verdade que você ficará protegida de Alberich lá. Ele tem coisas mais importantes para fazer. Que o faça. Deixe que o resto de nós o atrapalhe desta vez. Vá bancar a detetive, Irene, e faça um bom trabalho. Me deixe orgulhosa.

Houve um barulho atrás da porta e uma batida brusca.

– Deve ser Kai – disse Coppelia. Ela abriu os olhos de novo. – É melhor você ir. Ele sabe o caminho daqui para a entrada do alternativo.

Irene tirou os pés de cima do sofá e se levantou.

– Obrigada – disse ela, mas as palavras saíram com certo ressentimento, por isso tentou de novo. – Obrigada, Coppelia. Agradeço. Quer dizer, estou agradecida.

– Não está, mas ficará – disse Coppelia, e suspirou de novo. – Suas mãos foram consertadas. Arrastei o velho Wormius para longe das runas dele para ajeitar os pedacinhos. Mais um motivo para você ir para o tempo real. Aqui na Biblioteca elas não cicatrizarão.

Irene se deu conta de que era verdade. As mãos podiam estar costuradas e com curativos, mas, se não saísse da Biblioteca, elas nunca cicatrizariam de verdade.

– Obrigada novamente.

Coppelia esperou até que Irene estivesse quase na porta e disse:

– Seus sapatos estão embaixo do sofá.

– Você não podia ter dito isso antes? – respondeu Irene rispidamente, perdendo um pouco da gratidão. – Só um momento! – gritou ela para a porta, depois voltou até o sofá para se sentar e colocar os sapatos.

– Estarei esperando relatórios regulares – disse Coppelia, vendo Irene mexer com dificuldade nos cadarços das botas com os dedos nas ataduras. – E não se envolva demais. Lembre-se de quem você é.

– É improvável que eu me esqueça disso – disse ela. Irene terminou de amarrar os cadarços e se encostou. – Eu sou uma Bibliotecária.

– Isso mesmo – reiterou Coppelia. Ela não disse mais nada, mas assentiu em despedida, e Irene conseguiu sentir os olhos dela em cada passo que deu em direção à porta.

Kai a esperava do outro lado.

Irene conseguiu dar alguns passos confiantes pelo corredor quando a porta estava fechada entre eles e Coppelia, mas os passos determinados viraram um cambalear hesitante. Kai franziu a testa e ofereceu o braço. Talvez ele realmente achasse que Irene estava muito ferida. Ou possivelmente a possessividade fosse uma característica da afeição típica dos dragões. Afinal, supostamente eram acumuladores, não muito diferentes dos Bibliotecários. Mas só por um momento, só por um único momento, a caminho do alternativo que agora era o lar de Irene, ela pôde relaxar e apreciar o que recebeu. Era tudo dela. Seu território, sua caixa do tesouro aberta com novos livros para ler. Um novo mundo de grandes detetives, zepelins, feéricos e dragões. Ela não ia reclamar.

E, sem dúvida, não ia fugir. Tinha perguntas a fazer e respostas a descobrir. Só esperava viver o bastante para apreciá-las.

5ª reimpressão

Esta obra foi composta pela SGuerra Design em Essonnes e impressa
em papel Pólen Natural 70g com capa em Ningbo Fold 250g pela
Gráfica Corprint para Editora Morro Branco em novembro de 2023